C0-AQR-433

•ЗАПИСКИ ШУЛЕРА•

анатолий барбакару

записки шулера

тройка, семерка, туз

2003

УДК 882
ББК 84(2Рос-Рус)6-4
Б 24

Оформление художника *В. Щербакова*

Барбакару А. И.
Б 24 Тройка, семерка, туз. — М.: Изд-во Эксмо, 2003. — 384 с.
ISBN 5-699-03957-0

Даже бывший катала — все равно катала, пусть он теперь и респектабельный писатель. Рано или поздно он обязательно вспомнит о своей прежней «профессии». Только бы повод нашелся. Вот как сейчас. В летнюю пленительную Одессу приехала скандально известная журналистка Дарья Асханова. И конечно, она приехала за приключениями. Дама жаждет острых ощущений — пожалуйста! Для начала автор сыграет на нее в карты с профессиональным каталой. Кто выиграет, тот ее и получает. Правда, автор получает пистолетом по голове, а журналистка то, чего так добивалась, — полновесные одесские приключения...

УДК 882
ББК 84(2Рос-Рус)6-4

ISBN 5-699-03957-0

Глава 1

Начну с издателя.

Когда я впервые встретился с ним, не удивился. Ни возрасту (он выглядел чуть за тридцать), ни щегольской манере одеваться, ни его флегматичному, унылому даже взгляду.

До этого мы с ним говорили по телефону. Низкий, несуетливый голос собеседника я отнес к его преклонному возрасту, к внушительности благосостояния, к пресыщенности жизнью.

И вдруг увидел молодого скучающего щеголя. Но не удивился. Кто сегодня меньше всего может удивить, так это «новый русский». Всяких насмотрелись. Они могут нравиться или не нравиться, но удивлять...

Впрочем, этот был терпим. Как можно испытывать нетерпимость к человеку, готовому вложить деньги в издание твоей книги?

Тогда, при первой встрече, мы обсуждали будущие «Записки шулера». На мой взгляд, обсуждать особо было нечего. Что он мог знать о теме? Разве что иметь некоторый опыт как лох.

Я так и подумал, осененный догадкой: «Хлопнули, видать, фраерка. Вишь, как ухватился за карточную тему. Уж не наши ли одесские хлопцы постарались? Такой гусек — подарок судьбы. Странно, что не общипали до перышка».

Но «Записки» обсуждались долго. «Гусек» продемонстрировал знание некоторых специфических терминов. Видать, почитывал время от времени собственную детективную продукцию. Успел набраться.

Я слушал терпеливо, внимательно. Человек за свои деньги имеет право советовать.

Но, слушая, проникновенно глядя в унылые, с опущенными уголками глаза новоиспеченного шефа, я то и дело отвлекался на обидные для собеседника размышления. Например, о том, что может означать суженный овал его черепа. Или бледная до прозрачности, с претензией на благородство происхождения кожа на его лице. В специальных справочниках о такой патологии наверняка что-то есть. Надо будет поискать.

В работе он был жестким. По отдельным репликам секретарше и напряженным лицам сотрудников это было ясно.

Со мной он тоже особо не церемонился. Гонорар предложил аскетичный. Я для приличия побрыкался, выторговал пару центов за экземпляр и подписал договор.

Чувствовал я себя уверенно. Насколько это было возможно в моем положении автора, начинающего сотрудничать с новым издателем. Неважно, как издатель выглядит. То, чем он руководствовался, вполне меня устраивало. Человек хочет денег. Это, во всяком случае, понятно. С людьми, которыми движут внятные мотивы, дело иметь можно.

При первой встрече Саша меня не удивил. Удивления на его счет были впереди...

Как оказалось, с «Записками» он не прогадал. Книга пошла. Приличные граждане дальновидно выкладывали за книгу пару долларов, экономя на возможных будущих проигрышах. Людям хотелось знать, что себе думают те, кто держит их за лохов. Интерес объяснимый. Мне, например, тоже любопытно было бы уточнить, какой моралью руководствуются шулера из правительства. Но кто ж скажет?.. «Записок» от них вряд ли дождешься. Искренних.

При нашей следующей встрече, когда мы приготовились обсуждать очередную книгу, Саша впервые забросил удочку. Разве что не зевнув, поинтересовался:

— «Москву бандитскую» читал? (Мы уже были на «ты».)

— Пробовал.

— Хит сезона. Тираж за пол-лимона.

Я глянул на него в упор. Он рассматривал меня равнодушно, но устойчиво. Кратко спросил:

— Возьмешься?

— Нет, — без паузы ответил я.

— Необязательно «Одесса бандитская», — пояснил он. — Можно «Киев». Или «Украина». Первый тираж тысяч двести. Дальше — как пойдет.

— Оно тебе надо? — спросил я сочувственно.

— Надо, — просто сказал он. — И мне, и тебе. Можно раскрутиться.

Я размышлял секунд десять. Но ни на йоту не растерял уверенности в том, что затея бредовая. Еще какое-то время прикидывал, стоит ли открывать этой новорусской соковыжималке мотивы отказа. Вряд ли он их принял бы. Пояснил в общих чертах и скорее из вежливости:

— Писать, как все... Сдирать статьи из криминальных хроник... Тошно. А если как на самом деле — людей подставить...

Конечно, он меня не понял. Буркнул только:

— Авторские были бы совсем другие (о гонораре). — Выдержал паузу, которую я расценил как данный мне последний шанс. И тут же словно напрочь забыл и о собственном предложении, и о том, что я его не принял. Без малейшего неудовольствия заговорил о другом.

Я был уверен, что от «бандитской» идеи он не откажется. Не из тех, кто отступает. Молод и везуч. Не умеет отступать. Научить было некому.

Прошло несколько месяцев. Вышла вторая моя книга и тоже не разорила издателя. Я даже подозревал, что в Сашином новом «Мерседесе» два-три винтика обязаны ей своим существованием.

В начале лета Саша пригласил меня к себе на предмет обсуждения третьей книги. И, как оказалось, для заключения договора на все последующие. На несколько лет вперед.

Договор я подписал. Несмотря на то что Саша предупредил: конкуренты часто пытаются атаковать неокрепшую психику только-только вылупившегося автора гонорарами другого порядка. Москвичи могут себе позволить лупить залпами по воробьям. Он, Саша, оказывается, обогащен опытом таких неприятностей. Двух взращенных им писак москвичи-заразы уже выдернули из его грядки.

Когда он вновь заговорил об «Украине бандитской», я озадачился. Был уверен, что проект уже в работе. Из пучка авторов, которых Саша повязал жесткой удавкой типового договора, вряд ли у кого-то, кроме меня, были основания отказываться. Насколько я знал, все они до занятия писательством числились гражданами высоконравственными. Законопослушными.

Я так ему об этом и сказал. О том, что удивляюсь его приверженности. Не теме — мне.

Он усмехнулся на это. Едва-едва. Но как-то нехорошо. Холодно, по-новорусски.

Я вдруг понял: ему надо, чтобы книгу написал именно я. Чтобы автор ее был из бывших. Якобы вкладывающий своих.

Я тоже усмехнулся. Снисходительно.

Обиды не затаил. На кого обижаться? У таких, как он, — своя мораль. Мои проблемы: всегда иметь это в виду.

Я беззлобно поразмышлял: не растолковать ли ему, чем и для него чревато издание такой книжицы? Растолковывать не стал. Не было бы от моих нотаций ни малейшего проку. Не расслышал бы он их. У быстро взлетающих закладывает уши.

Но несмотря на то, что мне всегда нравилось наблюдать выскочек, попадающих под нокаутирующий удар Фортуны, Сашиного падения я не желал. Если он грохнется, и мне все придется начинать с начала. Предположение издателя насчет возможного браконьерства конкурентов казалось хоть и лестным, но мифическим.

Все, что я смог сделать и для него, и для себя в той ситуации, это повторить:

— Нет.

И на этот раз Саша почти незаметно расстроился отказом. Заметил, правда:

— Потеряем время, другие подберут. Московская «Литера» уже начала копать.

— Не потеряем, — заверил я. — Выгадаем. Несколько лишних лет жизни.

Он посмотрел на меня то ли с сочувствием, то ли с осуждением. Рассуждения об угрозе жизни вряд ли для него хоть что-то значили. В отличие от опасения потери солидных доходов.

Всегда было занятно обескураживать таких, как он, собственной флегматичностью в отношении денег.

Сейчас я подумал, глядя в блеклые Сашины глаза:

«Эх, не будь ты лохом, этих двух перевербованных авторов мог бы заранее проверить. Подослал бы к ним человечка с дипломатом «живых» денег. Якобы от лица конкурентов. Глянул бы, кто на что горазд. И почему бы тебе не прощупать меня. Но не буду же я тебе советовать — попробуй меня на вшивость... Хотя...»

— Что хочу тебе порекомендовать, — выдал я. — Прежде чем вкладывать бабки в раскрутку авторов...

И я, насколько мог, доступно изложил ему суть лежащей на поверхности проверки. В конце добавил:

— Жаль, что ты сам не додумался. Мог бы и меня «пробить».

Саша взирал на меня, не моргая. Это был самый заинтересованный его взгляд из всех, какие мне доводилось до этого наблюдать.

«Ничего, — подумал я снисходительно. — Пусть набирается. Хватит быть простачком».

Пришло время, и я решил, что именно тем советом я сдвинул дремлющие Сашины замашки афериста с мертвой точки. Сдвинул на свою голову.

Глава 2

Времени прошло немного. Сутки.

Я только что вернулся в Одессу. Весь в предощущении фразы, с которой начну новую книгу.

Летний день в Одессе — маленький год. Утро — весна, полдень — лето, вечер — осень. Ночь можно считать зимой. Но не всю ее, а промежуток с трех до полчетвертого. До трех еще можно встретить возвращающихся с ночных пляжей влюбленных. С полчетвертого к морю уже тянутся первые ловцы бычков.

Летний день можно сравнить и с жизнью. Тогда утро — это заполненная восторгом юность. Полдень и время после него — затяжной и поэтому несколько утомительный период взрослости. Вечер — благополучная, несуетливая старость. Ночь — небытие. Но опять же недолгое: с трех — до полчетвертого утра.

Что может больше способствовать вдохновению, чем возвращение в город, в котором действует такой календарь? Знай, проживай себе каждый день по году. Или по жизни. Как захочешь.

Приближаясь к своему жилищу, я вынюхивал первую фразу. Был уверен: Ольга, как всегда, сразу догадается, что я уже там, в книге.

Ольга-то догадалась...

Не догадался солидный дядя, который ждал меня в квартире.

У дяди была внешность снабженца макаронной фабрики. Большое круглое лицо и большое круглое пузо. Лицо было красным и мокрым от пота. Пузо только мокрым. У гостя, помимо одышки, обнаружился московский акцент и нахальство, замаскированное под оптимизм.

— О-о!.. — протрубил фальцетом гость-снабженец, бесцеремонно возвращая меня в действительность. Он, словно из засады, вскочил мне навстречу с дивана, протянул руку. — Георгий. — Наигранно-восхищенно смерил меня взглядом с головы до пят, заметил: — С такой фактурой мы обречены на успех.

Я недоуменно глянул на Ольгу. Глаза жены сделались виноватыми.

Снабженец засек мой взгляд.

— Красавица, — бесцеремонно вмешался он в наш с Ольгой беззвучный диалог. — Я как увидел — вспотел. — Дядя погладил себя по потному пузу. Полагал, что самоирония оправдывает бестактность. Пооткровенничал: — Не понимаю ваших знаменитостей, которые бегут в Москву. У нас таких женщин не встретишь.

Открытие первой фразы откладывалось. Я молча шагнул в ванную, вымыл руки. Вернулся в комнату.

Дядя уже вновь пребывал на диване.

Я устроился в кресле. Уставился на него. Не произнес пока ни звука.

— Здорово, — обрадовался он. — Выдержка профессионала. А в «Записках» написали, что специалисты перевелись...

Интересно, убалтывая поставщиков на прежней работе, он тоже вникал перед этим в документацию? Демонстрировал знание макаронной технологии?

Ольга принесла кофе и бутерброды, вновь виновато глянула на меня. Но уже и с ироничным сочувствием. Скрылась во второй комнате.

Гость с восхищением пронаблюдал за моей женщиной.

У меня не было сомнений, кто этот дядя, с чем пожаловал. И от кого. Сомнений не было, а удивление — было. Такой незатейливости от Саши я не ожидал.

— Вы уже поняли?.. — проявил неожиданную проницательность снабженец. — Догадались, кто я?

— Не совсем, — открыл я наконец рот.

— Ну-у... — огорчился он.

— Сутенер? — вежливо попробовал угадать я.

Дядя растерялся.

— Приехали худеть, разглядывая одесских женщин? — предпринял я еще одну попытку.

— Четко! — сподхалимничал он. — Подкололи здорово. — Он замер, внимательно глядя на меня. Прикидывал, какой метод вступления в разговор будет самым безошибочным в моем случае. Решил не изобретать велосипеда. Начать с самого главного. Пододвинул стоящий у ног потертый снабженческий портфель. Склонившись, раскрыл его.

Я усмешливо наблюдал за его манипуляциями.

Пачки долларов в распахнутом зеве портфеля не произвели на меня впечатления. Во-первых, я предвидел такое продолжение. Саша предупреждал, что перекупщики сваливаются как снег на голову и непременно с деньгами. Во-вторых, я не сомневался, что деньги заполняют только верхнюю часть саквояжа. В-третьих, у меня не было ни малейшего сомнения в том, что визит снабженца — провокация. Сашины проделки. Издатель внял советам. Наивно внял. За кого он меня держит? За еще большего фраера, чем он сам?..

Сейчас дяде самое время было выложить на стол пачки.

Я присмотрелся. Разглядел пятидолларовые купюры. Не густо. Понятно, что, когда пачек больше, они выглядят убедительнее. Но постановка оформлена без размаха. Если Саша вздумал работать под москвичей, то и сумма должна быть поприличней. Одним акцентом много не выдуришь. Мой карточный учитель Маэстро десятка два диалектов в арсенале имел. Включая говор евреев грузинского происхождения, последние десять лет проживающих в Нижегородской области. Под это дело стольких горемык в самом Горьком обыграл. И евреев, и грузин, и, что совсем странно, граждан других национальностей. В частности китайца. (И у последнего акцент перенял, который, впрочем, учителю так и не пригодился.)

Снабженец деньги извлекать не стал. Вероятно, их было совсем немного. Обнажать хлам, поддерживающий пачки снизу, не стоило. Пояснил он свою сдержанность простенько:

— Деньгами вас не удивишь, так?

— Смотря какими, — искренне отозвался я.

Он вновь замер. Озадаченно перевел взгляд с меня на портфель. Искренность застала его врасплох. Он несколько секунд соображал: может, рискнуть? Решил не рисковать. Еще бы. «Кукла» шибко уж худосочная.

Выудил из боковой расщелины портфеля папку. Раскрыл ее. Из стопки одинаковых с виду листков взял верхний. Грузно перевесившись над столом пузом, расстелил лист передо мной.

Я придвинулся к столу. То, что это договор — прочел издалека, «шапка» была набрана крупным шрифтом. Любопытство вызывали три узловых пункта: от чьего имени вербуют, чего хотят, сколько предлагают.

Все три ответа были на одной странице. Переворачивать лист не пришлось.

Перекупала меня якобы та самая пресловутая московская «Литера». Хотела — «Одессу бандитскую», предлагала десять тысяч долларов за основной тираж.

— Ничего не перепутали? — спросил я.

Лжевербовщик, успевший откинуться на диване, приканчивающий кофе, озадачился. Пару секунд непонимающе пялился на меня. Потом спохватился. Подался вперед, опасно вывернув шею. Изобразил попытку моими глазами взглянуть на бумаженцию. Как будто только так и можно было понять, что меня в ней смутило. Расцвел:

— Ну, конечно!..

Заглянув в папку, смахнул из нее второй, теперь расположенный сверху, лист. Ловко, скользящим на посадку планером направил его ко мне. Извиняющимся тоном пояснил:

— Случайно дал черновик.

Этот экземпляр был бы близнецом первого, если бы в пункте о гонораре не значилась иная сумма — пятнадцать тысяч.

Я с безрадостным любопытством перевел взгляд на снабженца. Подумал:

«Работенка-то у него собачья. При его непородистом экстерьере мотайся по жаре, виляй хвостом перед кем скажут. В глазки заглядывай. Потом еще от хозяина попадет за то, что не дожал клиента». Хотя в данном случае результаты проделанной работы должны были Сашу устроить.

Мой сочувствующий взгляд гость истолковал посвоему. Не понял:

— Что?..

Я усмехнулся.

— Опять — не то? — удивился он. Недоуменно

глянул и на этот листок. Но уже не выворачивая шею. Встрепенулся, словно хлопнул себя по лоснящемуся от пота лбу: — Что это со мной сегодня... Жара, знаете... — Вновь раскрыл папку. Бегло пробежал глазами очередной верхний экземпляр, пролистнул и его, и еще два-три. Начал было извлекать устроивший его из середины стопки.

— Давайте нижний, — посоветовал я.

Он испугался. Посерьезнел и съежился. Надолго. Секунд на пять. Спохватившись, взял себя в руки. Вымучил улыбку и с ней обреченно протянул самый нижний листок.

Я не взял его. Бросил короткий, как бы случайный взгляд на интересующий меня пункт. В нем значилось: тридцать тысяч.

Я вдруг подумал о себе:

«Гаденыш, чего измываюсь? Человек — на работе. Хочу дать Саше урок — пожалуйста. Выпендриваюсь-то не перед Сашей».

Уточнил:

— Хотите, чтобы я подписал?

Он застыл. Во взгляде его прочиталось: «О чем же я битый час...» Но произнес терпеливо:

— Хочу.

— Вы таки напутали, — с искренним сочувствием сказал я. — У меня договор с другим издательством. — Я развел руками.

Такого продолжения он не ожидал. После всей этой тягомотины с торгом. На этот раз в возникшей паузе он два-три раза моргнул и судорожно сглотнул.

Но пришел в себя быстро. Оглянулся на дверь второй комнаты, за которой сгинула Ольга. Попросил:

— Можно еще кофе?

— Ольга, еще по чашечке, — позвал я.

— Вы в прошлом спортсмен? — спросил он.

— Когда это было.

— Если тренер профессиональной команды приглашает к себе игрока из команды любительской...

— Моя команда — тоже профессиональная. Попробуйте решить вопрос с тренером.

— У высшей лиги один показатель.

— Деньги?..

Теперь руками развел он: видите, не мне же вас учить.

Это могло затянуться надолго.

— Нет, — сказал я. — Мне жаль вашего времени. И своего.

Он понимающе кивнул. Оглядел комнату. Кажется, вновь начал ерничать. Но это был уже другой человек, не заискивающий, снисходительный. Спросил:

— Две комнаты? Не тесно?

Новый имидж гостя сразу начал действовать на нервы. Дядины собачьи обязанности жалость уже не вызывали.

Снабженец взял в руки договор. Пробежал его глазами. Поднял глаза на меня, выдал:

— Боюсь, один пункт вы упустили из виду.

И, не смутившись моим равнодушием, поведал:

— Десять тысяч автор получает в момент подписания договора.

Следующее, что он сделал, лишило мой взгляд равнодушия. Потому, что не лезло ни в какие ворота. Провокатор самым пошлым образом перевернул портфель над столом. Высыпал на стол чертову пропасть пачек с долларами. Ничего, кроме денег, из портфеля не выпало.

Первое, что я подумал:

«Ну, Сашок!..»

И второе:

«Не кофе тебе нужно было, а чтобы Ольга увидела...»

Он оказался не так прост, этот столичный искуситель. Но и моя Ольга за время замужества некоторым опытом успела разжиться. Переставляя с подноса на стол чашки с кофе, укоризненно напомнила мне:

— Сам говорил: деньги на столе — это плохо.

— Примета такая, — пояснил я гостю, принявшему образ третий и, кажется, искренний. Образ человека, не понимающего, что происходит, и злящегося от этого.

Гость какое-то время хмуро разглядывал долларовую кучу. Потом принялся сгребать ее в портфель.

— Мы готовы были работать с вами, — сухо сообщил он. — Есть другой автор...

— Берите другого.

— Придется. — Он защелкнул портфель.

Помолчал, глядя на меня. То ли силясь угадать, что движет мной, то ли просто вспоминая, не упустил ли он чего.

Из нагрудного кармана рубахи, заляпанной кляксами пота, достал блокнот. Написал на нем несколько цифр. Вырвал, оставил на столе.

— Мой номер и телефон в гостинице. У вас еще есть время. Улетаю завтра.

Не притронувшись к кофе, пошел к двери.

Мне вновь стало жаль его. Человек, в общем-то, ни при чем...

Жалость исчезла. Я успел заметить короткий взгляд, который бросил снабженец на Ольгу, стоящую в проеме кухонной двери. Нехороший взгляд. Жесткий, изучающий.

Дурацкая ситуация. И надо бы рыкнуть или, скажем, пинка дать, а незачем. Хам и так уходит.

Первое, что я сделал, после того как за ним закрылась дверь, это набрал номер Саши.

Издатель был у себя.

Я не сомневался, что он не признается.

Саша выслушал мой краткий отчет внимательно. Но вновь проявил лоховитость. Не отыграл положенное удивление и возмущение по поводу услышанного. Не уточнил ни один из пунктов договора, о котором узнал якобы только от меня. Не проявил негодования, узнав, что у конкурентов припасен вариант с автором-дублером. В конце даже расстроил меня, во-первых, не выказав одобрения моей стойкости, во-вторых, выдав себя с головой незатейливой репликой:

— Я так и думал...

Положив трубку, я решил, что надо будет взяться за него как следует. Поднатаскать.

Пусть он будет себе «новым русским» — пижоном, который кичится бледной физиономией, нестандартной формой черепа и «мерсом». Это его личное дело. Но он — мой издатель, и мне будет стыдно осознавать, что книгам моим дает жизнь гражданин хоть и оригинальный, но лоховитый.

Я недолго огорчался по этому поводу. Споткнулся вдруг о вызвавшую беспокойство мысль.

Порывшись в справочнике, набрал номер администратора гостиницы, в которой обитал Сашин провокатор.

В ответ на деловое:

— Слушаю... — изложил вопрос:

— Вас беспокоят из издательства «Маяк». В номере четыреста шестьдесят четвертом должен поселиться приглашенный нами коллега...

— Уже поселился, — успокоила администратор.

— Что вы говорите?.. Давно?

— Вчера.

Нажав на рычаг, я растерянно тер трубкой свою небритую с поезда физиономию.

Вчера, когда я давал Саше советы бывалого человека, этот курьер-макаронник уже прибыл по мою душу. Выходило: либо я недооценил Сашу и он еще до моей подсказки затеял проверку на вшивость, либо...

Глава 3

— Долго его терпела? — спросил у Ольги, присевшей рядом, осторожно прикоснувшейся виском к моему плечу.

— Минут пять, кофе не успел вскипеть.

— Что нес?

— Что он мог нести... Комплименты.

— Утомил?

— Да нет... Смешной он. И с долларами этими... Как дурачок с писаной торбой.

Я вспомнил последний взгляд смешного дурачка на мою жену. И все его перевоплощения. Ольга демонстрировала мудрость. Разгоняла атмосферу, принесенную в жилище этим прохиндеем. Делала вид, что никакого загрязнения не было.

Я попытался осмыслить произошедшее.

Ольга отстранилась, беззвучно ушла на кухню.

Похоже, меня действительно вербовали. Если так, то я лоханулся. Разумно было бы не измываться над вербовщиком, а пытаться выяснить нюансы.

Я же повел себя так, словно давно подумываю: не сменить ли в очередной раз мусорную корзину на более вместительную? Ту, которая для отвергнутых договоров ведущих московских издательств. Прогадил ситуацию. Даже договор толком не прочел.

Дело было не в том, что посмел бы его подписать. Об этом не подумалось.

Сколько нам с Ольгой надо?.. Надо много. Но если любой ценой, то чего ради было бросать карты?

С появлением в моей жизни Ольги приходится тщательней следить за своими выходками. Уважение если пошатнется... Не уважение даже, не авторитет... Если вера ее пошатнется, не восстановишь. Оступишься и уже не исправишь, как безукоризненно ни вышагивай после этого.

Так было когда-то в карточной юности в отношениях с другом, когда казалось самым непоправимым оступиться. И не позволялось ни струсить, ни промельтешить, ни попытаться уговорить себя, что в жизни всякое... Близкие имеют право точно знать, чего ты сделать не посмеешь.

Дело было не в деньгах.

Но попытаться выудить из снабженца побольше информации стоило. В том числе и информацию о возможном дублере-авторе. Саше бы она пригодилась.

Сколько возни вокруг этой «бандитской» белиберды... Дался я им всем...

Глянул на ситуацию со стороны и спохватился: ведь решил же внятно — нет.

Саша со своими новорусскими прожектами и его

московские конкуренты могут интриговать между собой до одури. Их можно понять: жизнь людей состоятельных чревата скукой. Мне-то что?.. Чем раньше выветрю всю эту суету из головы, тем...

Первая фраза предстоящей книги заартачилась. Ей подавай проветренные мозги с предварительно выселившимися проблемами.

Я попробовал вернуться в то состояние, с которым шел от вокзала к дому. Нащупать предощущение. Но ухватить его не удалось. Под руку попадались исключительно обрывки мыслей-сорняков, засеянных Сашей. Удобренных сегодняшним гостем. Ничего не оставалось, как перебирать их...

Когда Саша предложил мне взяться за бандитскую тему, он, конечно, рассчитывал произвести добавочное впечатление на возможных покупателей книги. На этот раз о преступниках писал бы бывший преступник.

Даже если бы я пошел проторенной журналистской дорожкой, доверия к написанному у читателей было бы больше.

Но Саша наверняка рассчитывал, что полезу в тему глубже.

«Записки шулера» обнадеживали издателя. Обнадеживали благодаря его недалекости, декоративности. Благодаря лоховитости.

Это каким же надо быть... несведущим, чтобы не знать: шулер и бандит — не одного поля ягоды. Спросил бы у своих «быков» — охранников. Если те у него есть и если в состоянии связать пару мыслей и слов.

Я не бандит — игрок. И то бывший. Бывший много лет назад. Если что-то и знаю о нравах и образе жизни работников смежной отрасли — бандитах, то не больше, чем знает о своих соседях житель коммуналки. Соседа иногда приглашают в гости, к нему могут обратиться за помощью, советом, поделиться по-свойски куском хлеба. Но не больше. К тому же из той коммунальной квартиры я давно съехал. Кому интересны несущественные впечатления многолетней давности?..

Москвичи, приславшие лицедея-провокатора, клюнули на ту же, что и Саша, фальшивую приманку. Тоже лохи...

Пусть нынешние бандиты уже не мои соседи по жилью... Пусть они вообще не знают, что такое коммуналка. Пусть, в отличие от прежних, не привыкли считаться со смежниками... За книгу я не возьмусь. Дело не только в том, что кого-то подставлю. Не только в том, что наживу врагов. Дело в том, что протокольное изложение фактов огорчит и моих бывших соратников. Тех, которые до сих пор умудряются следовать понятиям. И еще дело в том, что писать протокольно — не хочу. Не мое это... А иначе — не знаю как.

Я вскользь подумал и о том, что Саша мой отказ от гонорара конкурентов воспринял как должное. Словно нас с ним связывало нечто большее, чем договор с датой и цифрами прописью. Например, хотя бы только-только зачатая дружба...

Ничего, кроме усмешки, мысль эта вызвать не могла.

Я спохватился. С момента возвращения в квартиру я уделил внимание кому и чему угодно... Хамовитому москвичу, Сашиным эгоистичным задумкам, своему настроению и бесполезным рассуждениям. Только не Ольге.

Поднял голову и увидел ее, стоящую с полотенцем в проеме двери.

Ольга ничуть не обиженно предложила:

— Примешь ванну, позавтракаешь и на пляж. Да?

— Да, — подтвердил я, ничуть не удивившись: откуда она узнала, что я именно сейчас (только сейчас) вспомнил о ней?

Глава 4

Саша позвонил через день. Предупредил об очередной помехе работе над книгой. Сообщил: в Одессу прилетает Дарья Асханова. Прилетает по мою душу.

— Кто такая? — спросил я.

— «Экспресс-Инфо».

Как я мог забыть? Сразу припомнились клубничные репортажи «скверной девчонки». Но, насколько я знал, раскручивала эта отвязная журналистка только знаменитостей. Чего вдруг я ей понадобился?

— Звонила в издательство, интересовалась: как ты насчет известности, — пояснил Саша.

— Ты, конечно, соврал?

— У газеты тираж пять миллионов. Каждую читают четыре человека. Реклама — лучше не придумаешь.

— Встречу.

— Но она... — Саша осекся.

— Что?

— Не дура.

Я молчал. Ждал, к чему это он.

— Если ее не заинтересовать, материал не выйдет.

— Соврет что-нибудь, — успокоил я. — В желтой прессе это — норма.

— Асханова — вредная. У нее в репортажах все по-настоящему.

— Обдурю пару раз в карты — заинтересуется.

Теперь помолчал Саша. Задумчиво молвил:

— Может, и нет. «Записки скверной девчонки» читал?

— Читал.

— Обожает приключения.

— Трахаться она обожает. Со знаменитостями. Раскручивает их под это дело на откровенность.

— В Югославии совратила кого-то прямо на передовой. И в Африке порезвилась. И на Тайване.

Я насторожился. Но и Саша ждал.

— В Одессе нет ни одной передовой, — напомнил я. — Тьфу, тьфу.

Саша продолжал ждать.

— Хочешь, чтобы я организовал? — спросил я.

— Да, — сказал он.

— Трахать ее не буду, — сразу предупредил я.

— Это и не обязательно. Нужно приключение. Жалко будет, если материал соскочит.

— Хорошенькое дельце, — хмыкнул я. — За полдня организовать постановку. С такой «штучкой». Когда буду работать?

— Такой случай упускать нельзя.

Это я и сам понимал. Спросил недовольно:

— Что предлагаешь?

— Не знаю. Подумай. Можешь выиграть ее в карты.

Издатель оказывался не так незатейлив, как мне представлялось до сих пор. Может, уроки дали результат?

— Это произведет на нее впечатление, — пояснил он. — Будет форсить.

— Подумаю, — буркнул я. — Ничего не обещаю. Кроме того, что рукопись получишь позже.

Опустив трубку, надолго задумался. Очнулся от отсутствия привычных шумов на кухне. Ольга слышала телефонный разговор, и я догадывался, от каких фраз впала в бездействие. Дурак, распустил язык.

— Ну все, все... — громко провозгласил я. — Я же сказал: не буду...

Ольга появилась в проеме двери. Глаза у нее были улыбающиеся и виноватые. Как у ребенка, пытающегося скрыть обиду. Дразнясь, коротко качнула головой. Беспечно соврала:

— Не сильно и переживала...

Глава 5

Идею, предложенную издателем, я принял в разработку. Не было смысла выдумывать иной план только из щепетильности. Для того, чтобы не воспользоваться подсказкой. Вряд ли придумал бы что-то более оптимальное.

А так и карточная тема задействовалась, и сама Асханова попадала в переплет. Трудностей особых с осуществлением не предвиделось.

Заняться организацией постановки пришлось сразу после разговора с Сашей. Времени было в обрез.

Человек, которого я присмотрел в сообщники, жил на окраине города в спальном районе. Пока ехал к нему — размышлял, клюнет ли прожженная московская «штучка», поверит ли в спектакль.

Решил, что не поверит. Для мало-мальски мыслящего человека задуманная афера была шита белыми нитками...

Журналистка-авантюристка в поисках пикантного материала приезжает к бывшему шулеру. Приезжает всего на три дня. За это время успевает попасть в переплет, в котором шулер выигрывает ее в карты. И вся эта за уши притянутая история имеет счастливый конец. Бред... Конечно же, «скверная девчонка» поймет, что ее «разводят».

И пусть поймет. Если все будет оформлено достоверно, какой ей смысл признаваться в понимании? Не посмеет она отказать своей биографии-коллекции в таком экзотическом эпизоде. Рассчитывать приходилось только на это.

Но, со своей стороны, я все должен организовать добросовестно. Чтобы гостье-героине не стыдно было принять спектакль.

Я ехал к Мишке Крабу. Давнему приятелю. В прошлом — жулику средней руки, который, как и я, завязал. Краб заведовал ныне бойлерной у себя в спальном районе. Но по-прежнему якшался с местными блатными. В основном с никчемными. Насколько я знал, среди его дружков водились и бывшие авторитеты. Но не выше районного уровня. Из тех, кто отошел от дел. Кто не сумел присмотреть и отстоять себе место под солнцем в нынешней жизни.

Мишку я знал еще в его бытность «нижним» в бригаде наперсточников. Но за виртуоза его не держал никто. Вообще крайние места: нижний, верхний, первый, последний, были не его. Краб уродился середнячком. Но «быки» из нынешних, которых он по беспечности вздумал проверять на невнимательность, излупили его как «основного». Отлежавшись, он затаил обиду и на избивших его «быков», и на своих бригадных, не рискнувших отбить его. На почве обиды Мишка и подался в кочегары. Уже на новом месте разжился новыми дружками. Приютил у своих насосов нескольких только освободившихся уголовников.

Меня Краб тоже считал бывшим. Относился уважительно. Даже позволил себе взять у меня в долг пятьсот долларов. Еще года два назад. С тех пор вел себя как порядочный человек, звонил регулярно. Излагал перечень жизненных неурядиц и просил отсрочки выплаты.

Я давно уже не рассчитывал на эти деньги. Но Мишке не спешил об этом сообщать. Правильно не спешил. Сейчас мог дать ему возможность долг отработать.

Краб был в бойлерной. На пару с сослуживцем проводил время за пивом.

Я отвел его в сторону. Объяснил, что требуется. Сообщил, что мог бы обратиться к кому-нибудь другому, но решил избавить его от бессонницы на почве затянувшегося долга.

Мишка скорчил важное лицо (середнячки важничать обожают), принялся излагать:

— Значит, так... Провернем это дело в баре...

Я смотрел на него с любопытством.

— Сейчас, сейчас... — Краб поморщил лоб, сделал губы трубочкой. Не кочегар, а творец перед холстом. — Кого бы взять... — Физиономия его вдруг озарилась открытием: — Знаю кого. Точно.

— Желательно, чтобы были татуировки, — подсказал я.

— Это само собой.

— И не явные бомжи. Барышня оскорбится, если ее в «дурня» с бомжами разыграют.

— Обижаешь. — Краб глянул на меня с укоризной.

Я подумал: куда лезу? С кем? Кого Мишка может взять в сообщники? Эта бабенка хоть и дрянная, но гонористая. Летит в Одессу в надежде на крутизну. А тут ей предложат компанию кочегара — хозяина ночлежки и его постояльцев.

— Кого возьмешь?

— Безвредного.

Я посмотрел на Мишку с удивлением. Спросил:

— Кличка?

Краб кивнул.

— Как зовут?

— Леха.

Я попытался вспомнить. Имя того Безвредного, которого когда-то наблюдал на хате-«малине» у Рыжего, я, наверное, и не слышал. Впрочем, кличка — нечастая. Похоже, этот Безвредный — тот. Радоваться кандидатуре, предложенной Крабом, или огорчаться, не знал. Хотя того типа помнил. Странно, что запомнил. Наблюдал его тогда всего с полчаса. За это время он, кажется, не сказал ни слова. Но запомнился. Молчаливостью, равнодушием, которое излучали его запавшие глаза. Тем, что никто из присутствующих завсегдатаев «малины» не позволил себе ни одной фамильярности на его счет.

— Что это за кликуха такая, Безвредный? — спросил я у бандита Рыла при следующей встрече на хате. — Большой души человек?

Рыло на это оскалился:

— Ты у него спроси...

Этот Безвредный вызвал любопытство. То, что он не из тех, кто позволит лезть к себе с бестактностями, было очевидно и без комментариев Рыла.

Сейчас кандидат меня озадачил. Да, времечко... Такие люди прибиваются к Мишке.

— Что у тебя с ним? — спросил у Краба.

— Помог человеку. Полгода назад откинулся. Ни хаты, ни дела... Что я тебе рассказываю... А то сам не знаешь, как с нашими...

И у небанальных людей случаются банальные неприятности. Впрочем, с чего я взял, что этот Безвредный — большой оригинал.

В любом случае персонаж он для спектакля не худший. Если, конечно, за эти годы не опустился совсем. Как это происходит с нашими, я знал.

— Один — мало, — сказал я.

— Люди будут. Возьму еще двоих. Хватит?

— Кого?

— Из своих. Надежные хлопцы. Не подведут.

Я глянул на сообщника с сомнением. Уточнил:

— Если бар, то с отдельным кабинетом.

Мишка озадачился.

— У нас таких нет.

— На людях — не пойдет. Свидетели поднимут кипеж.

Краб впал в растерянность. Его творческого запала хватило только на одно предложение.

— Ни одной подходящей хаты? — спросил я. — Приведу, якобы на экскурсию, на «малину». Там — люди. Ну и зацепимся.

— Если бы была хата, разве бы они у меня жили, — резонно заметил Мишка.

Наскоро подобрать и снять квартиру с подходящим интерьером было нереально.

— Сауна в вашем районе есть? — спросил я.

— Точно, — сказал Краб с огорчением, что сам не додумался. — Есть точка. В Лузановке, в санатории. Хлопцы иногда отвязываются. С местными хунами. — Он обеспокоился: — Журналистка согласится? Не хуна же.

Я задумался: согласится ли Асханова общаться с уголовниками в таком антураже? По фоторепортажам, которые я помнил, на Тайване она принимала ванну совместно с местным юношей-массажистом. И массажисткой. Демонстрировала крутизну. Чего ж ей тут капризничать? И по другим материалам был в курсе ее наклонностей. С чего бы ей стесняться провинциальных персонажей будущей статьи?

Зато, если клюнет, у нас будет несколько плюсов. Во-первых, спектакль пройдет в непринужденной обстановке, без лишнего ажиотажа. Во-вторых, героиня получит возможность вдоволь налюбоваться татуировками героев. В третьих, окажется в своей тарелке.

— Пусть будет сауна, — подтвердил я. — Договариваемся на... Послезавтра. Часа на три дня. — Вечернее и ночное время отбросил. Девчонка могла сдрейфить пускаться во все тяжкие на ночь глядя. — Давай адрес.

Краб назвал санаторий. Объяснил, где на территории находится сауна.

— Вкратце: как будем «разводить», — заговорил я. — Приведу ее якобы для того, чтобы взяла интервью. Пообщалась с настоящими одесситами. С людьми воровского мира. Разденется — не разденется, не знаю. Думаю: да, но это не имеет значения. Безвредный должен с самого начала на нее «повестись». Пусть пялится похабно, без особой ласки. Он это умеет. Дальше — может потихоньку наглеть. С зацепкой проблем не будет, соорудим по ходу. Ты и эти двое будете ему подгавкивать. Потом я выведу на карты...

— Дальше — понятно. Не в первый раз, — встрял Краб.

— Что у тебя не в первый раз? — с сарказмом спросил я.

— Разводить, — удивился Мишка.

— Ты ее держишь за дуру? Если он сразу согласится «катать», что это будет? Он знает, что я катала. Чего ж ему, бандиту, лезть со мной в игру?

— Чего все бандиты лезут. Знают, что в случае чего найдут солдатскую причину, надают по мордякам. Все получат и так.

Я глянул на Краба с сочувствием. Вернул его к плану:

— Никаких по мордякам. Жути пусть, конечно, нагонят. Чтобы барышне было что вспомнить. Но, как все лохи, она надеется, что уголовники — люди с претензией на благородство: проигранное отдают. Когда я предложу катку, Безвредный согласится...

— Как же... Ты же сам сказал...

Я глянул на Мишку с укоризной: дай договорить. Договорил:

— Но он поставит условие: играем его колодой и все время раздает он. Я только срезаю. Пусть так и скажет: мол, знает, что я — профессионал.

Мишка уставился на меня расширенными зрачками. Бестактно спросил:

— Ты уверен, что выкатаешь? Безвредный не подарок. Три срока за спиной.

— Тебя, видать, разморило возле котлов, — заметил я. — Он сам сдаст партию... Захочет проверить меня по-настоящему, я с ним скатаю в другой раз. На досуге.

— Тьфу ты, — удивился собственной бестолковости сообщник.

— Если бандит согласится на игру при таких условиях, это барышню убедит. Потом будет особо форсить: вырвалась из лап злодеев чудом.

Мишка понимающе хмыкнул.

— Сделаем.

— Для достоверности пусть не выбирают выражения. Все должно быть натурально. Предупреди, что барышня знаменитая. За ней серьезные люди и серьезные бабки. Чтобы не начали ее лапать. Но чтобы и не вздумали пялиться, как на стриптизершу в кабаке. Побольше снисходительности. Они все-таки одесситы. Из бывалых.

— Сделаем, — повторил Краб.

— Встречаемся послезавтра в три. — Я пошел к двери.

— По дороге в город заверни в санаторий, глянь на месте. Чтобы потом, когда будешь с ней, не искать, — посоветовал мне в спину Мишка.

Я, не оглянувшись, усмехнулся: будто без его советов не знал, что делать.

Возвращался в город со спокойной душой.

Странно... Если бы кто-то со стороны поведал мне о такой же задумке и пересказал бы сегодняшний разговор с Мишкой, я бы крепко заподозрил: участие Безвредного выйдет боком. Добром задумка не кончится.

Тогда ничего такого не подумалось. Правильно говорят в Одессе: ты такой умный, как моя теща потом...

Безвредный как сообщник по афере меня вполне

устроил. Один из основных законов моей бывшей профессии: в дело, как в разведку, бери лишь того, кого знаешь как облупленного. Кого можешь просчитать. Что я знал в тот момент о Безвредном? Вот именно. Ничего.

Задолго до того

В детстве Алик мечтал стать лохом. Вполне возможно, что когда-то он, как и положено детворе, мечтал о карьере космонавта, летчика, милиционера. На худой конец — директора школы. Но эти традиционные детские мечты если и имели место в его жизни, то слишком рано. До того момента, с которого он стал осознавать себя. Себя он помнил с двумя мечтами. Сначала с первой, вполне подходящей для детства, но недолгой: стать геологом, как отец. И наконец со второй, укрепившейся, окончательной: вырасти и стать лохом.

Родись он позже, во время более богатое в смысле списка допустимых мечтаний, может быть, он и присмотрел бы себе другую мечту. Менее режущую слух и глаз современного читателя.

Но он родился давно. Еще в той эре, когда будущее бизнесменов и политиков не могло пригрезиться даже ребенку в его все позволяющих себе фантазиях. И сколько себя помнил, он был при этих двух мечтах... Пожалуй, все же — при одной: стать лохом. Таким же, как дядя Саша.

Лохом называли дядю Сашу отец и дружки отца, тоже, по-видимому, геологи. Не только за глаза называли. В лицо дяде Саше тоже изредка бросали это короткое и пушистое, как заячий хвостик, слово: лох. Явно с намерением обидеть. Но дядя Саша почему-то не обижался. И то сказать, не гайку бросали, даже не пуговицу. Клочок меха. Чего уж тут обижаться. Так объяснял себе тогда дяди Сашино смирение он, Алик. Но, успокаивая себя объяснением, он уже тогда, во времена начала осознания себя (а может быть, тогда острее, чем позже), чувствовал: когда в тебя что-то бросают, твердость и увесистость бросаемых предметов не самое существенное.

Но дядя Саша почему-то оставался спокоен.

Однажды, подловив отца в добродушном расположении духа, сын вынырнул из-под стола промеж отцовских колен. Неожиданно и для дружков собутыльников, и для самого родителя взмыл к отцовскому уху. Шепотом спросил в ухо:

— Пап, а кто такой лох?

Растроганный проявлением сыновнего уважения к его авторитету, отец явно ощутил прилив педагогической нежности. Отведенная для затрещины левая рука (правая-то от неожиданности чуть не расплескала портвейн из стакана)... отцовская ладонь не спикировала на макушку сына. Спланировала на нее. И начавшаяся было тирада:

— Вот, бля... — пресеклась на полуслове.

Отец многозначительно глянул на собутыльников. Переждал, пока откашляется самый нетерпеливый. Заглянул в глаза сыну и поведал:

— Лох, сынок, это фраер... — И, дав крохе время на осмысление, поинтересовался: — Понял?

Сын испуганно кивнул.

Он ничего не понял.

Слово «фраер» Алик слышал и раньше. Оно не нравилось ему. Во-первых, из-за интонации, с какой произносилось отцом и его дружками. Брезгливой, пренебрежительной. А во-вторых... Просто не нравилось. Прежде он об этом не задумывался, но, пожалуй, считал, что слова «лох» и «фраер» означают нечто противоположное. Слишком уж это звучание — «фраер» — походило на дребезжание, какое издает старая фанерная лопата, когда, убирая снег, ею скребут по асфальту.

Звук этот настолько же неприятен, насколько сладостен тот, который издает падающий снег. А ведь слово «лох», оно — пушистое, не только как заячий хвост... Как снег.

Кроха довольствовался ответом. Сделал вид, что довольствуется. С этим видом вновь нырнул под стол, как в потайной ход из взрослой жизни в свою, детскую.

Он был в смятении. Не потому, что слова, казавшиеся несовместимыми, означали одно и то же. Это мелочь. Он был уже вполне опытный жилец на белом свете и уже знал, что в жизни, которую ведут взрослые, предостаточно несуразностей.

Его поразила несуразность иная. Иная несовместимость. Слов «дядя Саша» и «фраер». И выбраться из нее, из этой несуразности, у него, у шестилетнего Алика, была только одна возможность. Не поверить отцу.

Алик не поверил.

Под хохот за спиной он рванул на кухню. И там, прижавшись к ссутулившейся спине сидевшей у стола матери, уточнил и у нее:

— Мам, кто такой лох?

Мать не удивилась вопросу. Он вообще не помнил ее удивленной. Разве что пару раз. В первый, когда он, Алик, сообщил ей, что тоже станет геологом. Во второй, когда спросил у нее: когда папа снова пойдет в тайгу?

Неспособность матери удивляться беспокоила его. Из своего опыта он уже успел вывести закономерность: любая радость начинается с удивления. То, что не каждое удивление заканчивается радостью, он уже тоже знал. По тем самым двум разам. Но эту вторую часть логической двухходовки он решил не усваивать. Когда, как не в детстве, позволительны такие вольности с логикой.

На этот раз мать не удивилась. Ответила, как обычно отвечала отцу. Равнодушно, покорно:

— Человек, которого легко обмануть.

— Почему? — спросил он.

— Потому, что он доверчивый.

Дядя Саша не казался ему таким уж доверчивым. Он, Алик, дважды слышал, как отец говорил дяде Саше незнакомым, оправдывающимся голосом:

— Все. Последний раз. Век воли не видать...

И, подозрительно всматриваясь в печальное лицо дяди Саши, спрашивал:

— Не веришь?

— Не верю, — оба раза просто отвечал дядя Саша. И оба раза тут же уходил. Одинаково уходил. Взъерошив на прощание у него, Алика, волосы на макушке. И зачем-то совсем уже напоследок крепко, но не больно сжав квадратной ладонью плечо Алика.

Оба раза после ухода дяди Саши отец, который никогда ни о чем не спрашивал у матери, вдруг громко и сердито задавал ей вопрос:

— Ну, не лох?!.. Домахался, как прокурор...

Мать не отвечала. И Алик совсем уже ничего не понимал. Не понимал, почему никого не боящийся отец оправдывался перед дядей Сашей. Не понимал, почему сердился после его ухода. Не понимал, зачем размахивал руками неведомый, но грозный прокурор, которого если не сам отец, то его друзья явно опасались. Причем размахивал так сильно, что домахался. И что значит домахался? Улетел, что ли? Превратился в лоха, который легкий, как снег, как пух, и улетел? И такая же участь ожидает дядю Сашу? И если отец все знает сам, то зачем спрашивает у матери?..

Впрочем, отец не ждал ответа. Оба раза сразу после заданного вопроса громко и весело объявлял:

— Живем, мать! — И бросал на стол пачки денег. В первый раз две, во второй — три.

И хотя мать, ссылаясь на отсутствие денег, леденцы и те покупала ему через раз (о футбольном мяче со шнуровкой он и сам не заикался, не смел), пачки не радовали ее. Какая там радость, если деньги, брошенные отцом на стол, оба раза даже не удивили ее.

Почему мать не обрадовалась деньгам в первый раз, он догадался позже. Через две недели отец унес из дома и продал Вовке-очкарику из соседнего квартала (точнее, Вовкиному отцу) трехколесный велосипед, который подарил сыну на следующий день после тех пачек.

Дяде Саше, который при следующем приходе, после долгого тяжелого взгляда на отца, устало сказал:

— Предложил бы мне. Я бы взял. Приходил бы — катался...— Отец ответил:

— На хрена ему лисапед. Пусть боксирует.

На следующий день точно такой же велосипед, только новее, ждал Алика в дяди Сашиной прихожей. Но Алик сразу догадался, что кататься на нем будет не так радостно. Наверное, потому, что это будет возможным лишь время от времени, а не когда захочется.

— Можешь забрать... — неуверенно сказал дядя Саша. Но Алик не дал ему договорить. Строго глядя на велосипед, решительно мотнул головой: нет.

Во второй раз, опять же после «пачек» на столе, отец подарил ему мяч со шнуровкой и гантели. Мяч был тот самый, заветный. Но Алик обрадовался ему с опаской. С оглядкой на мать и свой нажитый опыт.

Правильно опасался.

Мяча не стало через неделю. Его унес один из друзей отца. Тот, который был в спортивной куртке. Унес, зажав мяч под мышкой, словно направляясь на матч.

— Не дрейфь, пацан, — успокоил Алика, испуганно глядящего на закрывшуюся дверь, отцовский друг. — Дядя Мотыль без гола не вернется.

— Он у нас нападающий, — подтвердил другой друг. — Дядя Мотыль — центрфорвард. — И хохотнул.

— Да уж — не защитник, — хмыкнул и отец.

Нападающий вернулся минут через десять. Спортивная куртка заметно оттопыривалась под мышкой.

— Сколько? — строго спросил у него отец.

Алик еще надеялся. Может, отец спрашивает о голах.

Вернувшийся молча, со снисходительностью центрфорварда, достал из-под мышки и установил на столе три огромные черные бутылки.

Гантели остались в доме.

И хотя зашедший на следующий день дядя Саша ни о чем не спрашивал, отец зачем-то сказал ему:

— Гантели — это дело. Будет рыло чистить. А с мячом бегать... На хрена ему. Бегать будут от него.

Нет, дядя Саша не производил впечатления человека, которого легко обмануть. Алик на всю жизнь запомнил то, как дядя Саша отреагировал на шутейный замах огромного медвежьего кулака.

Тогда друзья привели в дом нового гостя, большущего и хриплого, как медведь. Только медведей Алик почему-то заведомо не боялся, а гостя испугался сразу.

Гость походил на медведя недоброго, задиристого. Растревоженного, что ли. В общем, явно тоже — из тайги. Причем только-только.

Дружки, да и отец, уважительно интересовались у гостя, как ему жилось «там». Спрашивали, почему вышел до срока.

Алик понял: потому и растревоженный, что покинул берлогу, в которой ему хорошо жилось, раньше времени.

Гость уже освоился за столом, даже пытался хозяйничать, когда пришел дядя Саша. Пришел, как они с Аликом и договаривались, чтобы забрать его, Алика, на футбол. Не обращая внимания на гостей, только переглянувшись с порога с отцом, он по-свойски глянул на Алика. Сказал:

— Айда.

— Тю, — обиделся вдруг гость. Тот, который медведь. И задиристо-обиженно глянул на отца: — Жорик, я не понял. Что тут у вас за понятия? Пришел в дом. Ни хозяину здрасьте. Ни с людьми выпить.

Дядя Саша взял Алика за плечо, открыл дверь.

— Стоять! — взревел вдруг медведь.

Алик не просто испугался. Он онемел от страха. Только потому и не закричал.

Задиристый выбрался из-за стола. Косолапо направился к застывшему на пороге дяде Саше.

— Ша, Слон, — сказал гостю в спину отец. — Свои.

Дядя Саша обернулся.

Алик, вжавшись в его левую руку, зажмурившись, всматривался ввысь, туда, где было дяди Сашино лицо, к которому приблизилась медвежья морда.

И, всмотревшись, перестал жмуриться. Дяди Сашино лицо было таким же, как всегда, мрачноватым, спокойным, одинаково готовым и улыбнуться, и нахмуриться.

— Боксер, — негромко брякнул кто-то из дружков за столом. Предупредил.

— Ну?! — почему-то обрадовался предупреждению задиристый. — Свой да еще боксер. И — без понятий... — Это он уже заметил вроде как дяде Саше.

Дядя Саша не ответил. Такое впечатление, что ему было интересно наблюдать за медведем. Алик вспомнил, что с таким примерно видом зрители смотрели на медведей в зоопарке. Только там звери были унылые и за решеткой. И их не смущало, что за ними наблюдают. Этому медведю наблюдение явно не нравилось.

Он улыбнулся, но Алику от его улыбки вновь стало страшно.

— Пацан с ним идет? — не оборачиваясь, зачем-то спросил у отца гость.

— Уймись, Слон, — недовольно отозвался отец.

— А-а, он же свой. И боксер. Что-то у боксера с речью. Ты, часом, не немой? — спросил он у дяди Саши. — И придумал медвежью шутку: — Свой, но — немой.

И заржал. Медведи, как оказалось, тоже ржут. Некоторые.

Веселье его почему-то никто не поддержал. Даже

те, кто привел медведя, молчали. Так что ржание прозвучало довольно глупо.

Шутник перестал ржать. И улыбаться перестал. Не скрывая злобы, уставился на дядю Сашу. Глаза в глаза. И процедил:

— С понятиями у тебя, боксер, херово, с речью — тоже. А как с реакцией? И...

Алик даже не успел зажмуриться. Так испугался...Медвежья лапа, сжатая в огромный кулачище, с неожиданной стремительностью взмыла перед дядей Сашей. И с той же стремительностью опустилась... в никуда. Рядом с дяди Сашиным лицом. Над его плечом. Затормозила у плеча. Разжалась и аккуратно согнала с плеча невидимую пушинку.

Именно потому, что Алик не успел зажмуриться, он увидел, что дядя Саша не то что не попытался отстраниться. И в момент замаха, и в момент устремления к нему лапы он продолжал разглядывать медведя с прежним спокойствием и любопытством. Как будто его, дядю Сашу, отделяла от зверя решетка зоопарковской клетки.

Алик запомнил этот момент надолго. Как потом оказалось — на всю жизнь. Если бы все закончилось не так хорошо, может, и забыл бы. Память услужлива. Этот эпизод забывать смысла не было. Но он помнил не только то, как повел себя в нем дядя Саша. Помнил и собственный страх. Он ведь испугался тогда не только того, что могло произойти с дядей Сашей. Того, что стало бы после произошедшего с их дружбой... (Последний страх он осознал много позже.)

Ни с дядей Сашей, ни с дружбой ничего не произошло. Разве что они стали ему, Алику, еще дороже.

Медведь тогда не особо смутился из-за того, что

дядя Саша правильно истолковал его стремление смахнуть с его, дяди Сашиного, плеча пушинку. Он как ни в чем не бывало спросил у дяди Саши:

— Выпьешь?

Дядя Саша перевел наконец взгляд на отца. Вдруг усмехнулся. Сказал отцу:

— Свой, значит?.. — И, взяв его, Алика, за плечо, увел на футбол.

Так какой же дядя Саша доверчивый? Ведь не поверил же он тогда, что медведь ударит. Как оказалось, правильно не поверил.

Футбол — это было здорово. И не так уж редко. Еще Алику нравилось бывать с дядей Сашей у того на работе, в порту. Но там не все время нравилось. Подходить к самому морю, к огромным кораблям, которые другие пацаны могли наблюдать только застывшими далеко-далеко от берега, нравилось. А ждать дядю Сашу в конторе, в которой он «трудился» инженером (как он сам насмешливо говорил), нравилось не очень.

Но лучше всего ему, Алику, было с дядей Сашей дома у того.

У дяди Саши была большая двухкомнатная квартира. В ней жили сам дядя Саша, его жена Тоня, учительница (она сама настояла, чтобы Алик называл ее Тоней), и черная болонка Пиря. Пирю дядя Саша подобрал в порту. Она была настолько маленькой, что дядя Саша принял ее за щенка-мальчика. У подкидыша не было одного глаза, и дядя Саша назвал его Пиратом. Потом глаз обнаружился (он всего лишь основательно заплыл), зато не обнаружилось другого, без чего в пираты не брали. В общем, пришлось Пирата переименовать в Пирю.

В квартире дяди Саши, несмотря на присутствие Пири, никогда не пахло псиной, как от папиных друзей. Никогда не стояла сковородка на столе в комнате. И в ней была целая стена толстых книг. Алик прикинул, что если бы все бутылки, которые складывались матерью в углу их кухни, выставить на такие же полки, то книг, пожалуй, оказалось бы больше. Впрочем, он мог ошибаться. Бутылки-то, в отличие от книг, регулярно сдавались.

Толстые книги, как и бутылки, Алика не особо интересовали. Он давно понял, что и те и другие — развлечение исключительно для взрослых. И отложил попытки понять эти развлечения на потом. До собственной взрослости.

Куда больший интерес вызывали в нем журналы. Не все. Тонкие и яркие, как расфуфыренные дистрофики, «Огоньки» Алик перестал раскрывать после одной-двух попыток. С «Новым миром» все стало ясно после попытки первой. В «Науку и жизнь» и «Юный техник» Алик заглядывал время от времени. Для того, чтобы убедиться: даже они не идут ни в какое сравнение с... «Советской милицией».

Если бы Алика спросили, в каком месте на Земле ему нравится бывать больше всего, он ответил бы не задумываясь: у дяди Саши дома. Если бы дальше спросили, чем больше всего ему нравится заниматься в этом месте, он бы тоже не раздумывал: вместе с дядей Сашей решать головоломки в журнале «Советская милиция».

Дядя Саша еще только тянулся к кипе журналов, а он, Алик, уже наполнялся предвкушением. Вернее, в этот момент оно, предвкушение, становилось невыносимым. А наполнялся он им задолго до того. По мере того как приближался к дяди Сашиному дому, поднимался по лестнице, наблюдал, как дядя Саша отворяет дверцу шкафа и извлекает из него кипу. Он, Алик, вообще не понимал, зачем держать журналы в шкафу. Это ж сколько лишних секунд уходит на извлечение. Потом, впрочем, понял: самое ценное безопаснее хранить в укромном месте.

Те, кто делал журнал, конечно, были хитрецами, придумав подавать вкуснятину в самом конце, на последних двух страницах, и не намекнув на обложке о том, что она имеется. Алик создателей журнала понимал. Если бы вкуснятина была на первых страницах или о ней читателя хотя бы предупредили, в жизни не сыскалось бы дурачков, готовых читать остальное.

Но опытные дядя Саша и Алик тоже были не лыком шиты. Они сразу открывали журнал на этих последних двух страницах... Открывали, чтобы погрузиться в сладостный мир тайн, открытий, разгадываний чужих мыслей и планов.

Сначала за дело брался Алик. Выходы из лабиринтов и одинаковые детали на рисунках он уже находил лихо. Над другими головоломками, вроде тех, в которых требовалось угадать ход мыслей профессора Варнера или выстроить в ряд нарисованные предметы, приходилось покорпеть основательней. Но в конце концов и они оказывались разгаданными. Ну и что с того, что с помощью дяди Саши.

Потом наступал черед головоломок, над которыми ломал голову преимущественно дядя Саша. Хотя он, Алик, тоже вносил посильную лепту в решения. Не упускал случая подсказать.

Это было не менее сладостно. Слушать, как рассуждает дядя Саша, и вдруг самому осеняться догадками. И наблюдать, как помаленьку, но верно вырисовываются из бессмысленных знаков цифры, слова, фразы. Как они перестают быть тайной.

Алик возвращался домой усталый и счастливый от совершенных открытий.

И если по возвращении слышал, как отец с дружками привычно ругали милицию, то недоумевал еще обостреннее. Недоумевал, но молчал.

Промолчал даже в первый раз, вернувшись удачливым кладоискателем, оставившим клад на прежнем месте, в дяди Сашином шкафу.

Он уже тогда знал, что многое в дяди Сашином мире не так, как в мире, скажем, отца, да и во всем остальном мире.

Потому он, дядя Саша, и кажется другим молчуном, что, понимая бессмысленность попыток объяснить другим, как обстоят дела в его, дяди Сашином, мире, помалкивает. Ведь не молчун же он с ним, с Аликом. Алик-то в этом мире — свой.

Правда, сам дядя Саша однажды объяснил причину своего помалкивания несколько иначе.

Тогда к Тоне пришли гости. Тоже учителя. Муж и жена..

Дядя Саша попил с ними чай на кухне, а потом, оставив гостей на Тоню, вернулся в комнату к нему, Алику.

Когда гости ушли, Тоня, стоя в проеме двери, какое-то время добродушно и насмешливо понаблюдала и послушала, как дядя Саша под присмотром Алика расправляется с тайнописью. И поддела:

— А ты у меня тихоня.

Дядя Саша не отвлекся от расшифровки. Но уточнил:

— Гости сказали?

— Верно, между прочим, сказали, — заметила Тоня.

— А ты им не сказала, что, когда люди говорят, они думают не так качественно. Энергия на болтовню уходит.

— Не сказала, — почему-то вздохнула Тоня. — Они же учителя. Им все время говорить приходится.

Алик потом подумал над дяди Сашиными словами и не согласился. Сам дядя Саша, когда разгадывает ребус, не молчит. Но думает еще как качественно.

По поводу несходимостей дяди Сашиного мира с миром остальным Алик частенько спрашивал самого дядю Сашу.

Когда он впервые вывел велосипед во двор, старшие пацаны попытались было первыми начать обкатку, но дворовый главарь, третьеклассник Яшка, выдал:

— Очумели? У него батя с двумя ходками...

И все сразу отвалили.

Алик, конечно же, возгордился тем, что у него батя с двумя ходками. Он догадывался, что такое ходка. По-видимому, дальний, полный трудностей и опасностей поход через тайгу. Выходит, отец проделал этот путь дважды.

— Пап, а в тайге страшно? — спросил он, вернувшись домой.

— Нет, — не удивившись, ответил отец, занятый извлечением костей из дольки селедки.

— Там же волки... — не понял Алик.

— Бояться, сынок, надо людей, — вгрызаясь в очищенный кусок, непонятно сказал отец. Но потом, прожевав, поинтересовался: — А в чем дело?

— Пацаны сказали, что у тебя две ходки.

— А-а, — криво улыбнулся отец. — Байстрюки. А ты на отца не рассчитывай. Сразу в челюсть. От так. Снизу вверх. В подбородок. Только первым. Потом можно не успеть.

Алик гордился отцом. Если бы кто-то бестактный спросил: за что, то Алик скорее всего ответил бы:

— Папа геолог.

«Папа — геолог»... Это все ставило на свои места. То, почему отец не ходит на работу, почему не бреется, почему у него такие же неработающие и небритые друзья. Они тоже геологи. И, по видимому, ждут не дождутся очередной ходки.

— У моего папы, оказывается, две ходки, — при ближайшей встрече поделился Алик открытием с дядей Сашей.

— Кто тебе сказал? — несколько удивился дядя Саша. Удивился явно тому, что Алику это стало известно.

— Пацаны. — Алик недоумевал, зачем взрослые скрывали от него такой приятный факт.

Пойманный на сокрытии приятного факта, дядя Саша виновато кивнул.

Алик решил замять неловкость. Пояснил, как факт вскрылся, и заодно перевел тему в другое русло:

— Пацаны велосипед хотели отнять. Яшка сказал, что у меня папа в тайгу ходил, и все отстали. А папа сказал, надо было сразу в челюсть.

Дядя Саша пристально посмотрел на Алика и вдруг выдал одну из несходимостей:

— Сразу не надо.

— Почему? — не понял Алик. Он-то и сам понимал, что если сразу, то оно надежней. — Папа говорит, что надо сразу в челюсть. Первым. Что потом можно не успеть.

— Можно... — непонятно согласился дядя Саша.

С головоломками тоже бывало так. Непонятно, как дядя Саша мыслил. А потом вдруг оказывалось, что мыслил правильно. Только про головоломки он всегда объяснял. А про несходимости — через раз.

Например, когда по дороге на футбол Алик рискнул поинтересоваться, откуда дядя Саша узнал, что медведь собирается всего лишь смахнуть пушинку, то получил усмешливый ответ:

— Вторую лапу медведь твой где держал?

— Не помню?! — удивился Алик.

— В кармане. А когда одну лапу держат в кармане, значит, второй будут сгонять пушинки.

Алик постарался это запомнить.

В другой раз запыхавшийся во дворе Алик забежал на кухню, чтобы глотнуть воды из-под крана. Вывернув под краном голову вверх, держа рот разинутым на манер прожорливого птенца, он услышал, как в комнате дядя Саша говорил отцу:

— Людей обижать легко. Ты попробуй государство обидь. Магазин, небось, не поставишь. Слабо.

— Что я, лох? — ответил спокойный голос отца. — Под «вышак» идти.

То, что «вышка», «вышак» — высшая мера, расстрел, Алик уже знал. Он догадался, что речь идет, по-видимому, о хлебном магазине, на развалинах которого Алик с пацанами обычно играли в войну. Он только не понял, почему на того, кто возьмется за восстановление магазина, государство обидится настолько, что расстреляет его. Конечно, государству будет неприятно, если кто-то сделает за него его работу. Но неужели оно, государство, настолько обидчиво. Еще Алик не понял, почему, по мнению дяди Саши, отец-геолог должен браться за восстановление. Не говоря уже о том, что это, как оказалось, опасно, так еще и по меньшей мере странно. Чтобы геолог подрабатывал строителем...

В общем, тут была уйма несходимостей.

Еще Алик понял, что отец намекает, почему бы дяде Саше, как лоху, самому не рискнуть взяться за это дело. Выходит, что лохи — рискованные люди. Почему же отец и его дружки говорят о них пренебрежительно?.. Опять же непонятно.

Ловя ртом вкусно пахнущую ржавчиной воду, Алик догадался, что разговор между дядей Сашей и отцом был сугубо взрослый. Но все же, не удержавшись, спросил при случае. Правда, не совсем о том, о чем собирался:

— А почему людей обижать нельзя, а государство можно?

И в ответ на непонимающий взгляд дяди Саши признался:

— Я не подслушивал. Просто воду пил...

Но дядя Саша не стал объяснять даже эту, первую несходимость. Увернулся от объяснения вполне по-взрослому, отказавшись от собственных слов:

— Никого нельзя обижать. Ни людей, ни государство...

Алик понял, что подслушанный разговор, пожалуй, и впрямь был для него слишком взрослый, и про остальные вскрывшиеся в нем несходимости спрашивать не стал.

В общем, получать объяснения удавалось через раз. Что ж... Так было даже интересней. Самому додумываться. Как будто искать решения головоломок.

Интересно было с дядей Сашей. Спокойно и надежно.

И вдруг... Лох — человек, которого легко обмануть.

С людьми, которых легко обмануть, так интересно, спокойно, надежно вряд ли может быть.

Он не задавался вопросом, почему дядя Саша приходит к ним. Почему водит его, Алика, с собой на футбол, на работу. Почему через день он, Алик, гостит у дяди Саши. И вообще, почему взрослый мужчина, самый интересный и самый надежный из всех, кого он, Алик, знает, дружит с ним. Не менее Алика дорожит дружбой. И почему другие взрослые, Тоня, мама, а тем более обидчивый отец, не мешают этой дружбе. И даже не удивляются ей.

Как-то после просмотра индийского фильма, после которого почти все женщины плакали, да и у кое-кого из мужчин поблескивали глаза, Алик вдруг подумал: «А вдруг дядя Саша — мой настоящий отец». Он не задумался, хочет ли он этого. Просто подумал: «А вдруг...»

Придя тогда домой, он пристально изучил себя в клочке зеркала над краном. И в очередной раз вынужден был признать: дружки отца правы. Он — в отца. Неспроста же незнакомые мужчины, бывало, бесцеремонно спрашивали у него на улице:

— Жоркин?

И удивлялись:

— Одно лицо.

Поначалу он, Алик, недоумевал: как это, одно лицо? Отец — большой, небритый, морщинистый, с кругами под глазами. А он, Алик, — мальчишка, которого, если долго не стригут, некоторые вообще принимают за девчонку. А потом догадался разложить лица, свое и отца, на составные части, и все сошлось. Подбородок, нос, уши... Все было таким же.

Да и спит он, Алик, так же как отец, заложив руки за голову. И левша опять же...

Но такой довод, как «одно лицо», не особо смутил его тогда, у зеркального осколка.

Мысль «а вдруг» — осталась...

Но мысль эта была — просто так.

Вопрос, почему дядя Саша дружит с ним, не вставал перед Аликом даже тенью. Дружба уже имела место в тот момент, с которого Алик себя помнил. Значит, имела место всегда. Кто из нас, кроме зануд и умников, задается вопросами, почему восходит солнце. Или почему так здорово, когда приближается Новый год. Так было с самого нашего начала и, говорят, даже раньше. Почему было — вопрос праздный. Да и лучше его не задавать.

Тогда, прижимаясь к спине матери, Алик услышал, как друзья отца вновь захохотали. И один из них громко сказал, подытожив:

— ...В тебя. Далеко пойдет.

Алик понял: это о нем.

И вдруг его осенило. Отец и его дружки-геологи только думают, что дядю Сашу легко обмануть. Так же, как думал тот медведь. Они просто не понимают дядю Сашу. Потому что все в его, дяди Сашином, мире недоступно их пониманию. Лох — это не человек, которого легко обмануть. Это просто человек, непонятный другим людям. Таким, как его отец и дружки отца.

И именно в тот момент он, Алик, твердо решил не идти далеко.

Он еще крепче прильнул к материнской спине. Шепнул в ухо:

— Я тоже буду лохом... Как дядя Саша.

И соскользнул со спины. Приблизил свое лицо к лицу матери.

И без того морщинистые материнские глаза сузились в попытке удивления. Попытка удалась. Сын изо всех сил всматривался в них. За удивлением должна была последовать радость. Хотя бы маленькая... В этот раз он убедился в безукоризненности своей детской логики.

Глава 6

Самолет из Москвы прилетал в пять вечера.

Собираясь в аэропорт, я видел у Ольги отсутствующий взгляд. Он очень не вязался с ее старательной безмятежностью.

— Не накручивай себя, — посоветовал я. — Хочешь, поедем вместе?

Ольга улыбнулась. Натянуто, уголками губ. Качнула головой: нет. Объяснила кислое настроение:

— Опять пропадешь на несколько дней.

— Постараюсь затащить ее сюда. Познакомлю.

— Зачем? Ей нужен ты.

Жена была права. Московская искательница приключений намылилась в Одессу не для того, чтобы наносить визиты вежливости моим домашним. Да и Ольга испытывала к ней очевидную неприязнь. Дело было не только в том, что пришелица на несколько дней отваживала меня от дома. Мне предстояло устойчивое отлучение от работы. Но и без этих конкретных поводов приязни взяться было неоткуда. Они, Асханова и Ольга, руководствовались слишком разными жизненными принципами. Воинствующе разными.

В аэропорту пришлось ждать. Самолет прилетел по расписанию, но та, которую я встречал, вышла из таможенного отстойника последней.

Еще до прилета, топчась в зале ожидания, я пообщался со знакомыми хлопцами, промышляющими «раскруткой» пассажиров в такси. Сначала мне только кивали, потом стали поочередно отмечаться рукопожатиями. Некоторые — с неожиданной претензией.

— Что же ты... Про всех написал, а нас забыл.

Претензия звучала иронично, но смущала. После выхода «Записок» приходилось выслушивать ее. Но больше от шулеров посредственных. Тех, которых и шулерами можно было считать с большими допущениями. Тех, кому засветиться было не опасно. И вдруг на тебе. Аэропортовские-то — люди уважаемые.

Уважаемым людям я отвечал в том смысле, что «идите в задницу, всем не угодишь».

Наконец объявили посадку. Бывшие соратники восприняли объявление как команду: «Готовность номер один» или «По местам». Подались на исходные рубежи в предстоящей охоте-ловле.

Наблюдая суету специалистов-ловцов, я проникся сочувствием к коллегам. Расстроенно думал: «Много тут не выудишь».

За день в Одессу прилетало всего несколько самолетов, и те — полупустыми. Зато «кидал» за последние годы прибыло. Создавалось впечатление, что в вестибюль нагнали уйму народу для встречи почетных гостей города. Встречающих было намного больше, чем гостей. Пассажирам приходилось протискиваться сквозь строй жуликов. Нет-нет, да и уволакивался кто-то из косяка прилетевших, клюнувший на безопасную наживку:

— Товарищ, вам куда? Дешевле, чем у меня, не будет...

Потом ловца вряд ли можно было упрекнуть в обмане. Попади клиент в другие руки, ему бы дешевле не вышло.

Асханова шла последней.

Я ее узнал сразу. Лицо ее очень походило на то, какое помнил по газете. Первое впечатление от нее увиденной вполне сходилось с тем, которое я составил о «скверной» девчонке заочно. Первое ее слово ничуть не изменило восприятия.

— Суки, — выдала гостья, приблизившись ко мне. Вручила дорожную сумку и удивилась: — Ого, какой ты огромный.

Заметила желтую розу, которую я припас для этого момента. С сарказмом прокомментировала:

— Как трогательно. Почему желтая?

— Ну, не красную же было брать, — объяснил я.

— Суки, — повторила она. — Ваши таможенники натуральные суки. Держали полчаса.

За таможенников я заступаться не стал. Не рискнул злить матерщинницу.

Мы направились к стоянке. Я молчал. Выжидал, понимая, что гостья не из тех, кого тяготят паузы. Сама была в состоянии заполнить любую.

В машине эта штучка достала из кармана плоскую портативную бутылку. Отвинтила крышку, неожиданно вежливо осведомилась:

— Будешь?

И приложилась к горлышку.

«Накачалась в самолете», — понял я.

Я отвез ее в гостиницу, после ужина в «Пассаже» (под постоянно включенный на столе диктофон) выгулял знаменитость по вечерней Дерибасовской.

Общение продолжили в ее номере.

Принимая предложение подняться в номер, я помнил предупреждение издателя о том, что эту избалованную экзотикой дамочку заинтриговать трудно, но нужно во что бы то ни стало. Основная интрига была припасена на завтра. Сегодня я решил нанести пару тактических ударов.

Показал несколько трюков, после которых лица у приличных людей обычно становились жалкими и люди начинали подозревать у себя олигофрению.

Асханова тоже стала жалкой. Я добил ее: с закрытыми глазами на ощупь называл карты из привезенной ею колоды.

Когда, наконец, открыл глаза, обнаружил, что она ошалело пялится на мои руки. Вкрадчиво потянулась к ним... Взяла в свои. Принялась изучать: осматривать и ощупывать пальцы и ладони со всех сторон. С близкого расстояния. Севшим голосом сообщила:

— Они у тебя...

На сиплость и комплимент я не купился.

«Шиш тебе», — подумал я.

Позволил рассмотреть конечности. Но деловито, как фокусник, предоставивший публике для ознакомления собственный инвентарь.

С возникшей паузой надо было что-то делать. Можно было замаскировать ее первой подвернувшейся репликой. Но было ясно: это ничего не даст. Асханова не из тех, кто отступает. Рано или поздно мне не удастся вывернуться. Да и увертки эти... Барышня либо оскорбится тем, что я не хочу ее, либо заподозрит меня в беспомощности. И то, и другое вряд ли пойдет на пользу статье, на которую Саша возлагает рекламные надежды. Следовало решать проблему в принципе.

— От греха подальше, — объяснил я, отняв руки.

Она озадачилась. Спросила грустно:

— Мало грешил?

— Много.

— Я тоже, — призналась и она. — Разом больше, разом меньше...

— Оно конечно... — сказал я. — Но зачем рисковать? Оба можем разочароваться.

— Или не разочароваться, — уточнила она.

— Рисковать неохота, — повторил я.

— Врешь, — сказала она. — Но что-то в этом есть. Может, ты прав: рисковать не стоит. Чтобы лишний раз не психовать.

Я перевел дух.

— Проехали, — встряхнувшись, подытожила она. И вдруг спросила: — Сколько раз ты был женат?

— Не помню.

— Официально пять раз, — напомнила она.

— Два раза — фиктивно.

— Но сейчас — по-настоящему.

Интересно, где она добыла информацию? Саша обо мне всего не знает.

— По-настоящему, — подтвердил я.

— И у тебя все о'кей.

Я догадался, к чему она клонит. Она подтвердила догадку:

— Потому ты и не хочешь рисковать. Ни в картах, ни с женщинами.

— Дело не этом, — зачем-то сказал я.

— В этом. — Она усмехнулась. Равнодушно, с почти неуловимой презрительной интонацией выдала: — Ты стал благоразумным. Мужчиной в домашних тапочках.

Глава 7

Черты, какие она только что предположила во мне, были не из тех, которые интригуют московских скандальных журналисток. Если уверится, что они имеют место, статью мы с Сашей профукаем.

Впрочем, завтра я сумею ее разуверить.

Я усмехнулся. Заметил:

— Если бы трахнул тебя с огоньком, сразу стал бы рисковым, отчаянным и романтичным. Так?

Ирония ее не смутила.

— О том, что ты успокоился, я узнала раньше.

— Ну? — удивился я. — От кого?

— От Пуриса.

Я замер. Потом усмехнулся. Дружок Пурис оказал очередную услугу. Выдал справку на мой счет. Оформил ее в своем стиле.

— Откуда его знаешь? — спросил я.

— Вместе работали в «Комсомолке».

— Что он наплел? — Я постарался спросить насмешливо.

— Что ты успокоился, женился и пишешь мемуары.

Фраза меня покоробила. Тем более что все в ней было верно.

Журналист Вадька Пурис несколько лет назад эмигрировал из Одессы в Москву[1]. Когда-то он был первым, кто пытался черпать вдохновение для своих статей, копаясь в информации, добытой у меня. Но то, что производил из начерпанного, меня ни разу

---

[1] Хочу извиниться перед читателем за некоторые повторы. Ряд эпизодов этого опуса были использованы мной в книге «Гоп-стоп. Одесса бандитская». Здесь, впрочем, они на первородном своем месте и доведены до логического завершения, в чем читатель убедится, если продержится до конца повествования.

не устроило. Не было такого, чтобы чего-то не напутал. Не упустил главного или не переборщил с отсебятиной. Его последняя статья доконала меня. В ней он объявил, якобы с моих слов, что «каре» — самая сильная комбинация в покере.

— Все, — предупредил я, ознакомившись с растиражированной ересью. — За меня — забудь.

Но пока он был в Одессе, наши с ним отношения можно было считать приятельскими. В них даже затесался эпизод, вспоминая о котором чувствую себя... Гадко чувствую.

Я тогда пребывал в периоде адаптации в новом мире, далеком от карт. Учился законопослушной жизни. И, учась, с недоумением обнаружил, что... Что просто удивительно, до чего интеллигентные граждане обожают разрешать свои конфликты с помощью заурядного мордобоя.

Первой потребовала, чтобы я отлупил ее недруга-шефа, моя зазноба — телеведущая отдела искусств. За это, впрочем, я был ей благодарен. Шеф, обезоруживший меня самоиронией, добил здоровым сарказмом. И предложил мне работу в своей «Криминальной хронике».

Позже другой приятель, известный одесский литератор, попросил об услуге: нагнать жути на соседа антисемита, сживающего со свету и из общей кухни престарелых родителей пиита. Со жлобом-националистом проблем не было. Оказалось достаточным всего разок подержать его за ухо, чтобы он согласился на спешный обмен. Поменявшаяся с ним старушка-хохлушка зажила душа в душу с соседями-иноверцами.

Потом случилась история с Пурисом.

Вадик вступил в конфликт с соседом по даче.

Вернее, на тропу конфликта ступил сосед, оттяпавший у интеллигентного Пуриса кусок участка. Дипломатические потуги моего дружка эффекта не принесли. Вадим решил начать боевые действия. Я, не раздумывая, как и положено приятелю-союзнику, взялся изгнать агрессора с захваченных территорий.

Но когда увидел, с кем мне предстоит вступить в единоборство, обескуражился. Противник оказался юным рыжим крохой-евреем, впрочем, нахально осведомившимся:

— Вы что, пришли меня бить?

— Боже упаси, — смутился я. — Что, без этого никак?

Агрессор не ответил, потеряв ко мне интерес, и скрылся в доме.

— Что же ты? — укоризненно спросил меня не вкусивший удовольствия от расправы Пурис.

Ответить мне было нечем.

Через два дня я случайно встретил на фонтане Рыло, того самого завсегдатая «малины». Поговорили за жизнь. Я сдуру с самоехидством признался ему, как облажался, взявшись не за свое дело. За дело, в котором смежник Рыло всю свою малосознательную жизнь набивал руку. И чужие лица.

— Тебе оно надо было? — удивился бандит.

— Не надо, — не спорил я. — Думал, рыкну, и — все.

— Ну?

— Нахальный шкет попался. Мелкий и нахальный. Бить будете — спрашивает.

— Ну? — не понял Рыло.

— Что? — не понял и я. — Облажался, конечно.

— Кто?

— Я. Кто же еще. Не бить же его было, в самом деле...

— Бить плохо, — согласился многоопытный приятель задумчиво. — Такие иногда и мне попадались.

— И как? — поинтересовался я.

— Хата его далеко? — спросил Рыло.

— На десятой Фонтана. Рядом.

Он распахнул дверцу моей машины.

— Поехали, гляну, что за клоп такой духовитый.

Я, дурак, повез его к даче. Любопытство взяло. Занятно стало пронаблюдать этого захватчика-наглеца в общении с Рылом. И Рыло пронаблюдать... Я, конечно, насмотрелся на его производственные успехи в прошлой совместной деятельности. Но тут случай особый. Хорошо, если бы этот дохляк задал бандиту тот же вопрос, что и мне.

Дохляк тот же вопрос и задал:

— Вы что, будете меня бить? — Может, заранее вызубрил текст, уповая на его обезоруживающий эффект. Спросил и выпучил на бандита неморгающие глаза.

Рыло какое-то время огорченно взирал на умника.

Я взирал на Рыло. С любопытством и назиданием во взгляде: видишь?..

Но теоретик-сосед чего-то недосчитал.

— Будете? — нахально переспросил он.

— Чего ж нет? — душевно удивился Рыло.

— Вы серьезно?..

Когда «рыжик», кувыркнувшись, полетел под самовольно переставленный забор, сбитый с ног ничуть не дрогнувшим кулаком Рыла, я растерялся. Слишком неожиданно все произошло. Отвык я от Ленькиного цинизма.

Тот шагнул к слабо шевелящемуся, свернутому в

калачик интеллигенту. Равнодушно шагнул. Угрожающе равнодушно.

— Сдурел, — спохватился я. В сердцах оттолкнул дружка. — Со всей дури лупить...

— Его? Со всей дури? — удивился Рыло. — Зачем?

— Иди уже...

Через невысокий забор я увидел, как от дачи к нам, причитая, бежит молодая женщина в замызганном халате. Еще увидел радостного Пуриса, тактично притаившегося за приоткрытой калиткой .

Чувствовал я себя скверно. Омерзительно было. За себя.

— Пошли, — сказал Рыло. Подтолкнул его к машине.

— Ша, — посоветовал тот жене нокаутированного легковеса. — За два дня не переставите забор — спалю хату. — Рыло повернулся ко мне. Спросил: — Все?

— Придурок, — сказал я. — На старости лет мог бы набраться... — Не договорил. Не знал, чего не мешало бы Рылу набраться к старости. Слишком многим был он обделен всю жизнь.

История на этом не закончилась. Через две недели я узнал от Пуриса, что у соседа случился пожар. Сгорела дачная беседка. Вместе с манежем, в котором дышали воздухом пять крохотных щенков соседской спаниелихи.

Пурис сообщил мне об этом при случайной встрече. Сообщил, конечно, без удовлетворения, но и без заметного осуждения. Единственное, что внятно прочиталось в его взгляде, — это обеспокоенность.

Оказывается, сосед рискнул проявить характер, не спешил с восстановлением законных границ. Но после пожара вернул забор на место и съехал с дачи.

Новость потрясла.

— Он был у тебя? — спросил я.

— Кто?

— Рыло... Тот, с которым я тогда...

— Нет. С тех пор его не видел.

«Гаденыш, — ошалело думал я. — Сидели, небось, пили. С такими же ублюдками, как он. Допились. Поехали резвиться. Совсем из ума выжил. От старости и от безделья».

Но я винил в случившемся не Рыло. Себя и Пуриса.

И все же, когда Рыло в следующий раз встретился мне на Ришельевской и с вопросом: «Как оно?» протянул руку, я ожесточил взгляд. Тихо прорычал:

— Выродок.

— Не понял...

Я не заметил его протянутую руку. Не попрощавшись, пошел своей дорогой...

С тех пор я отказывал всем новым добропорядочным знакомым, обращавшимся с просьбами о мордобое.

Пурис, при моих нынешних принципах и удаленности, теперь мог огорчать меня только дилетантскими статьями. Но умудрился изыскать и свежий вариант. Выдал на меня рекомендацию, по которой мне светило стать героем статьи разве что в многотиражке дома престарелых.

— Зачем ты приехала? — спросил я. — Если я — в тапочках.

— Я не поверила.

— Кому?

— Пурису.

— Почему?

— Никогда ему не верила. Мутный он.

Я глянул на нее с удивлением. Пуриса на мутность не прикидывал. Нормальный юноша, интеллигентный, делающий карьеру. Как и многие, с кем меня свела новая приличная жизнь.

— Поверила «Запискам», — вдруг сообщила она.

Я смутился. Реплика сбила меня с толку. Купила.

«Дождись завтра, — думал я. — Не разочарую».

— Над чем сейчас работаешь? — спросила она.

Я на секунду замешкался. И выдал:

— Думаю, не взяться ли за «Украину бандитскую». — Этот вариант ответа, по моему разумению, должен был устроить искательницу своих и чужих приключений.

Но ответ разочаровал ее:

— На этих бандитских делах все подурели.

— Почему? — уперся я. — Смотря как писать...

— Не уговаривай себя. Хочешь стать как все — пиши.

— Необязательно как все... Присмотрел вот идейку: сравнивать, как было — как стало.

Ей было безынтересно то, что я нес. Хотя нес я убежденно:

— В Одессе такие люди были...

Мгновение назад идейки у меня не было. Не было намека на нее.

— Люди всегда одинаковые, — язвительно проявила внимание собеседница.

Я снисходительно улыбнулся. Решил: самое время бросать наживку. Равнодушно предложил:

— В Одессе типажи уцелели... Могу познакомить. Типчики в аккурат для твоего материала.

«Куда ты денешься», — я мысленно потер руки.

Асханова глянула на меня с тоской.

«Зевнет», — удивился я.

И угадал. Она невоспитанно распахнула свой надменный, с узкими яркими окантовками рот. Зажмурилась.

Я не дождался окончания зевка. Обеспокоенно спросил:

— Хочешь, познакомлю?

Асханова соединила губы. Какое-то время смотрела на меня с сочувствием. Дескать, и рада бы проявить такт, да где ж его взять. Объявила:

— Не хочу.

Глава 8

Домой вернулся в час ночи. Усталый, не уверенный в завтрашнем успехе.

Ольга встретила меня без малейшего укора в глазах. Проявила любопытство:

— Как она?

— Стерва.

Я пристально глянул на жену.

— Правда, интересно, — виновато улыбнулась Ольга. — Какая она?

— Острая, — сказал я.

— Тебе такие нравятся, — спокойно напомнила моя женщина.

— Мне нравятся тонкие.

— Это рядом, — заметила Ольга.

— С тонкими надо быть внимательным, с острыми — осторожным.

...Долго не мог уснуть. Вспоминал прошедший день. Пытался просчитать предстоящий. Потом спохватился: чего маюсь? Далась мне Асханова. Задела? Мало задевали? И статья далась... Рекламная кампания — Сашины проблемы. Еще не известно, кто больше потеряет от того, что комбинация сорвется. Если эта пресловутая авантюристка упускает шанс набраться впечатлений, почему я должен пыжиться? Цацкаюсь с ней, как...

Но авантюристка своего не упустила... И цацкаться с ней мне не пришлось. Повод заманить москвичку на премьеру подготовленного в ее честь спектакля возник сам собой. Непредвиденно. Им оказался Рыло.

Днем мы с Асхановой устроились за столиком в баре «Воронцов» на Дерибасовской. Сквозь стеклянную тонированную стену наблюдали за уличной неспешной жизнью. Болтали под включенный диктофон.

Я уже смирился с тем, что постановка не состоится. Не рассчитывая на успех, лениво присматривал момент еще разок попытать счастья: предложить ей знакомство с персонажами будущей статьи.

Без энтузиазма отбивался от атак собеседницы, норовящей достать меня штыками вопросов эротического свойства. Вяло удивлялся тому, что тема карт ее почти не интересует.

Вдруг увидел Рыло.

Правильнее сказать: Рыло увидел меня. Умудрился разглядеть сквозь затемненное стекло, проходя мимо. Наша последняя встреча, видно, не давала ему покоя.

Ленька какое-то время стоял рядом с нами, в полуметре от столика. Отделенный от него стеклом. Бесцеремонно всматривался: не обознался ли.

— Какой классный дядька, — заметила Асханова.

Я хмыкнул.

Рыло на людей творческих не мог не произвести впечатления. Как и на всех прочих. При росте чуть выше среднего и пропорциональной комплекции он поражал осанкой и походкой. Он ничуть не нес себя, что свойственно большинству простых смертных. Двигался с рациональной грацией зверя. И излучал нечто звериное. Не злобное, а именно звериное. При первом же взгляде на него понималось: может ударить. А то и убить. Не от ненависти. А просто... Будет смысл — убьет.

Лицо не вредило первому впечатлению.

Рыло когда-то был знаменитым боксером, и печать былой славы навечно осталась на его физиономии. Хотя... Лицо скорее говорило о том, что с защитой у знаменитости было не все в порядке. Оно всегда выглядело свежепобитым. Распухшим, размассированно бурячным, с заплывшими щелками глаз. Как при такой физии бороться с безрадостной кличкой? Ленька и не боролся. Он и в этом был рационален. Рыло — и ладно. И людям удобно, и для работы польза.

— Кажется, он идет к нам... — неожиданно оживилась моя барышня. Испуг и азарт послышались в ее голосе. — Твой знакомый?

Я не ответил. Демонстративно повернул голову в сторону, противоположную той, откуда ожидалось прибытие знакомого.

— Здорово, — пробасил сверху Ленькин бас. — Гляжу, ты — не ты...

— Что надо? — утомленно спросил я, поворачиваясь к нему.

— Ты го-онишь, — искренне озадачился бывший приятель, усаживаясь на свободный стул. — Чего рычишь? Это за того жиденка? — Рыло был суржиком, но с выражениями в адрес однокровников не осторожничал. — Сам дал работу...

— Я дал? — не утерпел, взвился я.

— А кто?

— Иди к ... матери, — взяв себя в руки, вежливо посоветовал я.

Долгое знакомство с Рылом научило: терпения на мой счет у него в избытке. Ни разу не исчерпалось.

— Объяснить можешь? — не унимался терпеливый Рыло.

— Пошли, — сказал я Асхановой. Встал, помог выбраться из-за стола и ей.

Рыло, пожилой уже, известный всему городу бандит, озадаченно наблюдал за нами снизу вверх. Взгляд его не был обиженным. Ленька для этого был слишком рационален. Он всего лишь хотел понять: за что я с ним так...

Но больше он не сказал ни слова. Молча пронаблюдал, как мы покинули бар.

Мигрировав в «Пассаж», мы продублировали брошенный впопыхах в «Воронцове» заказ.

— За что ты с ним так? — неожиданно вкрадчиво поинтересовалась Асханова. В голосе ее явственно прозвучало уважение.

— Это не интересно...

— Он — классный, — повторила она.

Я усмехнулся.

— Страшный и классный. И знаешь...

Я посмотрел на нее и увидел, что она улыбается. Не язвительно — по-человечески. По-женски. Я это выражение на ее хронически высокомерном лице наблюдал впервые.

Она продолжила:

— Я увидела, каким ты можешь быть. Не только благодушным...

— В каком смысле? — недовольно буркнул я.

— Почему он терпел? Ты так разговаривал с ним. Пусть даже он твой хороший знакомый. Но он же страшный... Ты давно знаешь его?

Эта московская барышня была наивна, как большинство много мнящих о себе столичных обывателей. Но речь ее мне понравилась.

— Давно. Но и тогда я был благодушным.

— Почему он не обиделся?

— Потому, что я прав.

— Для него это имеет значение?

— Обычно нет. Но иногда — случается. Со своими.

— Ты — свой... — не спросила, заключила она. — За что все-таки ты его так?

Я подумал: почему не рассказать? История не ахти какая романтичная. Но статье пойдет на пользу. Из нее Асханова поймет, что не всегда знакомые держали меня за добродушного. Пуриса, само собой, не вложу. Обозначу его условно: интеллигентный приятель.

И я поведал ей историю с дачей и поджогом. Поведал умышленно будничным тоном.

Асханова слушала, не перебивая. Даже не стала менять кассету в диктофоне. Вряд ли ее могла потрясти сама история. Скорее заинтересовала в свете заинтриговавшего образа бандита.

— Ты, правда, думаешь, что это он? — спросила она после паузы, когда я закончил.

Глянул на нее с сочувствием.

— Уверен? — повторила она вопрос.

Я не ответил. Усмехнулся. Подумал, может, обрадовать эту декоративную еще и тем, что за Рылом как минимум одна «мокруха».

— Этот твой интеллигентный приятель — Пурис? — спросила неожиданно она.

— Нет. С чего ты взяла?

— Не знаю. Похоже на него.

— Не он.

Асханова помолчала и вдруг мечтательно выдала:

— Знаешь, а я бы с ним поговорила.

— С Пурисом? — прикинулся я простачком.

— С этой... с этим Рылом.

Шанс я не имел права упустить. И я его не упустил. Посмотрел на часы: они показывали полтретьего.

— Поехали, — сказал я. — Поговоришь.

Глава 9

— Куда мы едем? — спросила Асханова в машине.

— На точку. Они там время от времени собираются. Сегодня среда?

— Да.

— Должны быть.

Она помолчала. Было заметно, что не уверена, хочет ли на точку. Но я не спрашивал, а она почему-то не смела перечить. Занятно, непривычно было наблюдать ее в роли уступившей лидерство.

— Он что, с Дерибасовской — прямо туда? — задала она все же резонный вопрос.

— Может, задержится. Но, думаю, подойдет. — Я был снисходительно уверен. Как и положено лидеру.

— Кто там будет еще?

— Люди. Его дружки.

— Такие же, как он?

— Примерно.

— Ты их знаешь?

Я хмыкнул:

— Познакомимся.

Опять помолчали.

— Что за точка? — спросила спутница обеспокоенно.

— Сауна.

Она растерялась. Я сделал вид, что не заметил этого. Или что для меня это не имеет значения.

На этот раз она молчала очень долго. Потом произнесла:

— Надеюсь, ты знаешь, что делаешь.

Я посчитал, что комментировать замечание не стоит. Тот, кого я из себя корчил, имел право промолчать.

— Они будут голые? — глупо спросила Асханова.

Я усмехнулся:

— Откуда в сауне голые?

— Мало ли. Ты сказал: точка. Может, там решают дела.

— Решают. Но это не правление колхоза. Там решают и отдыхают — разом. Все увидишь сама. И пообщаешься.

— Женщины будут?

— Как минимум одна.

— Я?

— Да.

Подумал: не перегнуть бы палку. И так дрейфит. Как бы не соскочила до срока. Сообщил без иронии:

— Думаю, будут. Отдыхают же люди.

— Проститутки?

— Спросишь сама.

— Они решат, что я тоже?

— Тебя это волнует?

— Да. — И после паузы. — Я раздеваться не буду.

Я равнодушно пожал плечами: как захочешь.

Всю дальнейшую дорогу до санатория молчали. Я рулил с беспечным видом. Чувствуя нарастающую обеспокоенность Асхановой, со злорадством думал: «То-то же».

Уже припарковал машину, уже довел спутницу до двери в нужный нам корпус, уже взялся за ручку...

Она вдруг сообщила:

— Я не хочу туда.

— Тыц... — сказал я. — То хочу поговорить, то не хочу.

— Уже не хочу.

Я распахнул дверь. Женщина неуверенно, но послушно перешагнула за мной порог.

Позавчера, возвращаясь от Мишки Краба, я изучил дислокацию на месте, пообщался с вахтершей. Заказал сауну и предупредил, что подъеду позже своих друзей.

— Ваши на месте, — поведала мне сейчас вахтерша, добавив авторитета в глазах Асхановой и вдохнув в последнюю некоторую дозу уверенности. Раз на месте «мои», значит, ожидаемая ситуация не так сомнительна.

— Не балуют? — важно спросил я.

Затылком почувствовал, как вытаращилась на меня московская знаменитость.

— Как всегда, — ответствовала вахтерша.

— Если что не так, сразу ко мне, — предупредил я вахтершу и прошествовал по коридору к двери, о расположении которой впервые узнал позавчера.

Дверь оказалась не запертой. Переступив порог, мы с Асхановой вошли в небольшую прихожую. Зимой здесь, по-видимому, оставляли верхнюю одежду. Сейчас на крюках допотопной общественной вешалки висели четыре комплекта, мягко говоря, немодной мужской одежды. Одинаковой умеренной загрязненности джинсы, несвежие футболки, рубашки, майки. Обувь у основания вешалки тоже была не та, какая вызывает у окружающих уважение к ее владельцам. Поверх одной из кип одежды были цинично вывешены вызывающе огромные черные семейные трусы.

Они заметно обеспокоили Асханову.

Но развиться испугу не дал возникший на звук хлопнувшей двери Мишка Краб. Сообщник предстал перед нами, завернутый в простыню, с одним оголенным плечом. С виду — сенатор римлянин. Но явно с бодуна после очередной оргии.

— О, — издал он. — Какие люди!

Такое приветствие из уст «сенатора» предполагало во мне как минимум императорскую особу.

— Это Дарья, — проявил я склонности демократа.

— Михаил, — представился сенатор Краб.

— Народу много? — поинтересовался я.

— Со мной — четверо.

Я подумал, не спросить ли при Асхановой про Рыло. Решил не рисковать. У Краба могло хватить ума осведомиться:

— Кто такой?

Я задал другой вопрос:

— Женщины есть?

Мишка озадачился. О женщинах договора не было. Но напоминать об этом он не стал.

— Нет...

Я сочувственно глянул на Дарью. Обрадовал перспективой:

— Сегодня королева — ты.

Та взирала испуганно.

— Предупреди, чтобы вели себя прилично, — отдал я распоряжение Мишке. — Дарья — московская журналистка. Между прочим, знаменитость. Так что пусть не особо там...

Нечто вроде благодарности мелькнуло в глазах знаменитости.

— Передам, — сказал Краб. — Только... — Он замялся.

— Что?

— Там Безвредный. Ты же его знаешь. Для него авторитетов нет. — Мишка поддерживал игру. «Разводил» по всем правилам. Асханову следовало подготовить к тому, что при всем моем авторитете возможна неувязочка.

— Иди, — отправил я его. — Пусть не блатуют.

— Кто такой Безвредный? — спросила москвичка, когда Краб удалился, а я стянул футболку.

— Освободился недавно. Никак не привыкнет к воле, — сказал я спокойно. — Между прочим, приятель Рыла.

— Может, я не пойду? Подожду тебя на скамейке в санатории.

— Ты что? — не понял я. — Краб всех уже предупредил. Чего-то ты... По репортажам — бывалая. Прошла крым и рым.

— Вот именно, — вдруг усмехнулась она. — Хватит.

Я уже был в плавках. И обнаружил: при всем ее беспокойстве во взгляде Асхановой присутствует и любопытство. Она нахально пялилась на меня. Ждала.

«Щас», — подумал я. Спросил:

— Так и не разденешься?

— Нет.

— Ну и я — нет. — Взял одну из сложенных на скамье простыней. Облачился в одеяние римлянина. Сказал: — Не дрейфь. — И шагнул в предбанник.

В предбаннике за прямоугольным деревянным столом восседали четверо «сенаторов». Дули пиво из советских стеклянных бутылок, заедали его копченой рыбой. Бумага, расстеленная на столе, была вся в рыбьих объедках.

Кроме Краба, в пире принимали участие трое. Устроившийся во главе стола Безвредный и двое щуплых гавриков с расписанными татуировками скелетными плечами и воробьиными бицепсами.

Гаврики явно были из тех, кто больше корчит из себя блатных, чем является ими на самом деле. Смотрели на нас, вошедших, с положенным вызовом, но и с готовностью оказать уважение.

Их я не особо рассматривал. Видел только Безвредного. Хотя не смотрел на него. Во всяком случае, не в упор.

Я зря опасался, что Безвредный опустился, деградировал за те десять лет, что я его не видел. Странно, что опасался. При первом же давнем взгляде на него должен был понять: он из тех, кто не деградирует. Что бы там ни было, пребывает в некоем своем мире и, конечно же, не даст ему, миру, прийти в запустение. А что там снаружи, в мире всеобщем... Это ему до...

— Давайте к столу, — радушно пригласил Краб. И представил гостью по имени. Меня представлять не стал. Подразумевалось, что меня и так все знают.

— Одежда — это зря, — заметил один из гавриков Дарье.

— Уймись, — сказал я. — А то и тебе придется вырядиться в парадное. Дама пожаловала. Кстати, не твой фрак висит в прихожей? Шестидесятого размера.

— Его. — Гаврик мотнул головой в сторону Безвредного.

Я глянул на того. И не удержал, отвел взгляд.

Безвредный смотрел из-под бровей. Нехорошо смотрел, неприветливо. С вызовом. Из того, своего мира — на чужака.

Я перевел взгляд на Асханову. Она пребывала в гипнозе. Испуганно взирала на Безвредного. Явно ошалела от общества, в которое попала.

— Париться идешь? — спросил Краб.

— Позже. Сейчас — по делу. Даша имеет пару вопросов к одесситам. Дарья, давай. — Я тронул ее за руку.

Асханова вздрогнула, непонимающе уставилась на меня.

— Можешь начинать пресс-конференцию, — сообщил я.

— Да... — Она не понимала, о чем я.

— Хм, — сказал я. — Посиди пока, расслабься. — Слегка потянул ее за руку вниз.

Она присела на скамью. И вновь глянула на Безвредного.

«Все слишком скоро, — подумал я огорченно. — Бездарь — это о Безвредном. — Сразу видно: дружок Рыла. Никакой тонкости, изящества. Вылупился, как...»

Я видел, что Безвредный смотрит уже только на москвичку. Гипнотизирует. Нагоняет ужас.

Прикинул, может, и впрямь пойти пока попариться? Пусть эта ошалевшая разгипнотизируется, придет в себя. Решил не рисковать. Не выпускать ситуацию из-под контроля. Как бы этот бездарь-маг не доконал ее взглядом. Того и гляди, кондрашка хватит.

То, как развивались события в последующие несколько минут, не вызвало у меня ничего, кроме досады. За Мишку, этого недобитого наперсточника, за никчемных рахитичных собеседников-гавриков, за Безвредного, которому больше подошла бы кличка Бесполезный. За себя, доверившего спектакль этой гоп-компании.

Спектакль явно был провален. Актеры понятия не имели, что следует играть. Вызывали чувство неловкости за их бесталанность.

Сцена «застолье блатных на точке» унынием больше походила на «вечерю тихопомешанных монахов». Дохляки-гаврики с гадливыми выражениями на лицах пялились на прихожанку Дарью. Краб взял на себя роль дежурного по трапезе. Отлучился, доставил пару граненых стаканов, налил гостям пиво. Притих в ожидании.

Впрочем, было одно утешение. Асханова не замечала бездарной игры. Она несколько раз жалко покосилась в мою сторону. Но неизменно возвращала испуганный взгляд на монотонно пожирающего рыбу Безвредного.

Досада оказалось не худшим из ощущений, какие мне довелось испытать в этот вечер.

Я только подумал, что придется брать инициативу на себя. Наспех придумывал тему из жизни этих якобы Робин Гудов, которую следовало обсудить. Не успел придумать. И с инициативой опоздал. Асханова опередила.

В ней словно переключился некий тумблер. Переключила его она сама. Для этого на несколько секунд опустила глаза вниз, притаилась. Когда подняла их, была уже другой. Той, от которой я успел отвыкнуть. Самоуверенной, насмешливой журналисткой. Стервой.

— Зачем ты меня сюда привез? — спросила она у меня ехидно. С вызовом для всех.

От неожиданности я не нашелся с ответом. Гаврики-монахи растерянно застыли с блаженными физиономиями и не донесенными до ртов ошметками рыбы.

Только Безвредный, склонившись над столом, продолжил как ни в чем не бывало жевать. И пялиться исподлобья на пришелицу.

— Помыться, — сказал я.

— Помыться в компании одесситов, — вежливо встрял с уточнением Краб.

— Помыться я могла у себя в номере. Там хотя бы журчит унитаз. Все веселее.

Это уже было черт-те что. Конечно, лучшая защита — атака. Но не психическая же...

Эта ненормальная продолжила:

— Вы правда — одесситы?

Ответить никто не рискнул.

— Ты чего раздухарилась? — не понял я. — Имеешь, что спросить — спрашивай.

— У кого? Думала, тут действительно одесситы. «Из бывших», — передразнила она меня. — Покойники, что ли?

«Ты хотела посидеть на лавочке», — чуть было не напомнил я. Сдержался. Предстояла сцена развязки, которая должна была спасти спектакль.

— Будешь спрашивать по делу? — строго задал я вопрос.

— Что это за одесситы, которых надо тянуть за язык? — съязвила она.

— Тогда я спрошу, — подал вдруг голос Безвредный. Неожиданно спокойный, даже печальный голос.

Я сразу напрягся, подобрался. Уставился на него. Краем глаза успел заметить, что Асханова подобралась тоже.

— Ты знала, куда идешь? — спокойно спросил Безвредный.

Психическая атака захлебнулась. Женщина ответила не сразу и без малейшего ехидства:

— Знала...

Безвредный одобрительно кивнул. Вытер измазанные рыбой пальцы о бумагу на столе. Распорядился:

— Тогда чего ждешь? Раздевайся.

Глава 10

Это он круто взял. Сразу: «Раздевайся». И... Меня словно нет рядом. Но ведь подразумевается, что я — не последний здесь человек, из авторитетов.

Сам виноват. Хватило мозгов связаться с бандитом да еще с только-только освободившимся, на кого пенять?

Впрочем, после освистания, какое позволила себе Асханова, такое продолжение — не худшее. Эвон как ее подкосило. Куражиться вмиг расхотелось.

Запал москвички мгновенно улетучился. Грустный тембр голоса Безвредного напрочь парализовал ее волю.

Пора было вступать мне.

— Ша, — сказал я Безвредному, нахально принимая его взгляд. — Упился, что ли? Так сходи окунись.

Я заметил, что и у гавриков, и у Краба глаза наполнились растерянностью. Во взгляде Асхановой ничего, кроме ужаса, не читалось.

На мрачной физиономии Безвредного не дрогнул ни один мускул. Разве что запавшие глаза излучили едва заметное любопытство. Недолгое.

— Зачем ты ее привел? — спросил он.

— Тебя забыл спросить, кого мне водить, куда и зачем, — насмешливо ответил я, по-прежнему с вызовом глядя на бандита. Вдруг ощутил забытое чувство преддверия серьезной стычки. Давненько не приходилось демонстрировать дух.

— Зря, — просто сказал Безвредный. Аккуратно свернул бумагу с объедками, отодвинул ее. Продолжил: — Зря не спросил. Ты теперь кто?

Я промолчал.

— Ты теперь фраер, — поучительно поведал он. — Ушел — на здоровье. Тебе кто-то полслова сказал? Живи как знаешь. Но и там, и тут нельзя. Нехорошо мутить...

— Я мучу?.. — с вызовом спросил я.

Не нравился мне этот диалог. Во-первых, Безвредный опять брал слишком круто, во-вторых, чувствовалось: говорит он... искренне.

— Мутишь. — Безвредный был спокоен. — Людей подставляешь.

— Кого я подставил?

Бандит глянул на меня снисходительно, дескать, сам знаешь, кого. Но и сказал:

— Ее. — И перевел взгляд на Асханову.

Та заметно побледнела. Глаза ее были округлены от страха. Я почему-то не испытывал удовольствия от того, что спектакль спасен, что происходящее — достоверно.

— Это ты так решил? — подал я реплику. — Что я ее подставил?

— Что тут решать? — вяло удивился Безвредный. — Привел — молодец. Зачем только волну поднял?

Я помолчал. Уверенно, с насмешкой разглядывал собеседника. Полюбопытствовал:

— Ты ее себе присмотрел?

— Какая разница?

— Есть разница, — продолжил я развивать напор. Оглянулся на гавриков и Краба. Трое «сенаторов», похоже, отказались от решающего голоса. Пребывали в замешательстве. На Асханову постарался не смотреть. Зрелище было не для бездушных. — Если себе присмотрел — бери, — предложил я.

Безвредный промолчал. Озадаченно.

Я решил его не томить.

— Но ты — жулик с понятиями, — не спросил, согласился я. — За слова отвечаешь.

Бандит сощурился: к чему весь этот треп?

Я объяснил, к чему:

— Назвал меня фраером. Придется ответить. Если нет — фраер — ты.

Он усмехнулся:

— Кому отвечать? Тебе?

«Что он себе, гаденыш, позволяет! — расстроенно подумал я. — Эта полуобморочная, очухавшись, может все вспомнить».

— И мне, и людям, — я качнул головой в сторону «сената».

— Людям отвечу, — неожиданно согласился Безвредный.

— Куда денешься, — хмыкнул я и потянулся к

рассыпанной на столе колоде. Собрал ее. Спросил: — Во что?

Безвредный не шевельнулся. С некоторым недоумением заметил:

— Точно, фраер. Кто ж с тобой катать сядет?

— Ссышь? — схамил я. И услышал, как шумно сглотнул кто-то из гавриков.

— Оборзел ты среди своих лошков, — спокойно прокомментировал хамство бандит. Шевельнул желваками. — Давно не обламывали?

— Это ты оборзел. У хозяина, — спокойно ответил я. — Будешь катать?

— Деберц, — деловито сообщил Безвредный. — До пятисот одного. Беру триста форы.

— Точно, оборзел. — Я перетасовал колоду. Покосился на Асханову.

Та не верила в происходящее. Может, считала, что видит сон. Не самый приятный в своей жизни.

— На сдачу, — сказал я, бросив колоду на стол, предлагая сопернику вытянуть карту: кто сдает первым.

— Сдаю только я, — сообщил Безвредный, собрав карты.

Ну, наконец-то. Пьеса возвращалась в русло сценария.

— Кто же из нас фраер? — с сарказмом заметил я. — Людей бы постеснялся. Тоже мне, блатной. — Разрешил: — Сдавай.

Безвредный по-тюремному прошелестел колодой, дал срезать. Раздал.

Я не успел впасть в благодушное состояние от того, что все идет по плану. Потому что сразу же, с самого начала игры, с первой сдачи понял: он играет всерьез. На выигрыш. На его выигрыш. Понял и все

остальное. И то, что Безвредный вовсе не играл роль, когда разговаривал со мной, и то, что его тексты насчет Асхановой — не шутка. Он намерен заполучить ее.

Но и ошалеть от этого понимания я тоже не успел. Не было у меня времени на сантименты. Партия предстояла всего одна. Я не имел права ее проиграть. Даже думать не имел права о том, что будет, если проиграю. Мог думать только об одном: о том, как выиграть. Без паники довести до победы игру, которую выиграть было невозможно. Условия, в которые загнал меня этот ублюдок, в которые я загнал себя сам, не оставляли мне шанса. Но и об этом я не имел права помнить. Я обязан был найти шанс. Выиграть, вытащить из самолично сотворенного болота эту перепуганную дуреху. И себя.

И с самого же начала я с тоской понял: соперник не подарок. Тюремная школа его игры, основанная в первую очередь на подозрительности, перестраховке, не давала мне развернуться.

Но шанс я нашел. Что его было искать? Даже перебирать арсенал не пришлось. В такой ситуации мог выручить только один. Нахальный, дерзкий трюк, передавая который мне, учитель Маэстро когда-то сказал:

— Отработай и забудь. Это на черный день. И чтоб ты знал: в Союзе его знают человек пять, не больше.

Насчет черного дня Маэстро, конечно, загнул. Но использовать прием я позволил себе всего дважды за всю карточную карьеру.

Первый раз сдуру, на виду у пляжников, обкатал новинку на одном из своих, из тех, кто считал себя патриархом пляжа. Патриарх имел обыкновение форсить тем, что дал путевку в жизнь целой плеяде прибрежных шулеров. И впрямь, многие из наших вышли из-под него. Но выходцы, как один, оказывались игроками среднего пошиба, годными для промысла только на территории родного питомника. Это-то ничего, без популяции середнячков игровая жизнь на пляже зачахла бы. Кому бы скармливались середнячки-лохи? За селекционную работу Патриарха уважали. Меня в нем смущало другое. Эта квочка имела бесстыдство время от времени заявлять выводку, что знает о картах все.

Как уважающий себя игрок посмеет хотя бы надеяться на такое? А тут нет-нет, да и выслушивай этот бред.

Надо было видеть физиономии коллег после той игры. Долго не могли успокоиться. И не поняли, что произошло, а косились с опаской. Что, если случившийся с мэтром конфуз, несмотря на всю его невероятность, не случаен?

Вторично я прибег к трюку в Черновцах.

Мы с приятелем в течение недели нагастролировали тысяч тридцать старыми. Уже уезжать собирались, до поезда час оставался. Приводят на точку ростовского исполнителя. (Именно приводят. Он уже несколько дней след в след за нами шел. Колоски со свежеубранных полей собирал. Никак догнать не мог. Помогли ему местные, обиженные. Доставили на поле, на котором мы только-только уборочную затеяли.) Этот комбайн и попер на нас в лобовую атаку. Предложил игру «за все». На все тридцать тысяч.

По уму, от поединка стоило отказаться. Да как откажешься, когда лишняя тридцатка как манна небесная.

Любой исполнитель, ввязываясь в игру, на все сто не самообольщается. Допускает, что может нарваться на себе подобного.

Ростовский таковым и оказался.

Ушлый, зараза, ничего не проглатывал. Приходилось играть на голом фарте и технике. Не посмел я недельный заработок доверить таким ненадежным подсобникам.

В нужный, решающий момент использовал заветный прием. И опять... Надо было видеть рожи. И самого хлебороба, и тех, кто радел за его успех. (Получили мы тогда, правда, только полкуша. Вторая половина пошла на гонорар приятелям-бандитам, организовавшим получение. Но это уже другая история.)

Сейчас, в игре с Безвредным, трюк я имел право использовать на законном основании. День, пожалуй, можно было уже считать черным. Во всяком случае, Асханова вряд ли углядела бы в нем другие оттенки. Да и я веселящих тонов не наблюдал.

Вот только... За пару пробных раздач мы оба набрали по сто с лишним очков. Но у меня только они и были. А у Безвредного до пятисот не хватало какой-то мелочи. Любой катала согласится: ситуация гиблая. Уважающий соперника и себя игрок партию при таком счете обычно сдает. Но сейчас я бы сдал не партию — Асханову.

Я не просто использовал трюк. Я исполнил его дважды. Дважды в одной партии.

Чтобы читатель понял, что это значит, можно попробовать подыскать аналог произошедшему. Например, сравнить ситуацию с той, когда противник, прицелившись из ружья, нажимает на курок, но пуля нежданно-негаданно вылетает из приклада. Получив смертельное ранение, стрелок повторяет попытку. Сравнение, конечно, ни к черту. Кличка то у соперника была Безвредный, а не Безумный.

Проще изложить идею самого приема (без технических подробностей, разумеется).

По карточным правилам, если во время игры у кого-то из игроков обнаруживается лишняя карта — «лишак», то все его очки записываются сопернику. Трюк заключается в том, что в нужный момент, когда противник мысленно потирает руки в преддверии крупного набора, у него объявляется «лишак». И не имеет значения, кто сдавал карты (если он — даже лучше). Не важно, пересчитывал ли он свои перед тем, как сделать первый ход. При этом я к его картам не притрагивался. Но «лишак» в нужный мне момент всплывет у него.

Обычно одного такого всплытия достаточно, чтобы решить исход партии. В игре с Безвредным мне ничего не оставалось, как дать ему почувствовать себя идиотом дважды.

Когда «лишак» обнаружился у него в первый раз, бандит на несколько секунд замер. Не сумел скрыть растерянности. Недоуменно разглядывал оставшуюся в руке после розыгрыша карту. Зыркнул на меня. Но не подозрительно, всего лишь расстроенно. Не пришло ему в голову, что это мои проделки. Во взгляде его было больше досады, чем злости: дескать, недоразумение вышло, считай, что повезло.

Но и с произошедшей оплошностью проиграть партию ему было сложно. Мы оба понимали это. Понимание давало право: ему — усмехнуться, мне — позволить себе сверхнаглость. Что — право... Я просто вынужден был заставить уважаемого бандита ознакомиться с ощущениями горемыки, повадившегося наступать на грабли.

Вновь оставшийся с «лишаком», Безвредный окаменел. На этот раз всего лишь на мгновение. Небрежно швырнул карту на стол. На меня даже не взглянул.

Жестко, глубоко шевельнулись желваки на его скулах. Он все понял. Как было не понять, когда он, наученный недавним опытом, до розыгрыша самолично пересчитал карты, которые сдал себе, и точно знал, что случайности быть не могло.

— Это у вас от вожделения? — участливо осведомился я.

Я ощущал себя посетителем музея восковых фигур. С удовольствием наблюдал живописные экспонаты, окружавшие меня.

Экспонаты-«сенаторы» во все глаза испуганно пялились на изваяние-Безвредного. Асханова без малейшего понимания в глазах таращилась на меня.

Первой ожила фигура бандита. Безвредный потянулся к колоде, намереваясь продолжить игру.

Я согласно кивнул. Снисходительно. Партия была не доиграна. Формально, конечно. По очкам исход ее уже был решен.

Странно, что я не обеспокоился уверенностью, с какой он раздал карты. Насчет того, что в новой жизни я набрался фраерских замашек, Безвредный был не так уж не прав. Обеспокоиться стоило.

Впрочем, минутой позже — минутой раньше...

Через минуту я объявил:

— Партия.

— Сколько очков? — равнодушно уточнил соперник.

— Тебе надо, ты и считай. Я объявил партию.

— Пятьсот одно есть? — чего-то допытывался бандит.

Я усмехнулся. Человек становится идиотом, это его личное дело. Помогать ему в этом я не буду.

— «Закатал», значит? — проникновенно заметил Безвредный. Проиграл, значит.

Проникновенность мне очень не понравилась.

Я промолчал.

— Ты — закатал, — поведал бандит.

— Сдурел? — зачем-то спросил я.

— Сдурел, — не спорил он. — С тобой катать, надо быть придурком. Это Маэстро натаскал тебя с «лишаками»?

— Если ты передумала брать интервью, то, может, пойдем? — обратился я к Асхановой, вставая. Сделал пару непринужденных шагов к двери. — Сегодня в «Пассаже» грузиночка поет джаз. Я заказал столик. — Глянул на «сенаторов». — Спасибо за компа...

— Ты проиграл, — спокойно напомнил Безвредный.

— Помаши дядям-одесситам, — изо всех сил закапывался я в иронию.

— Весь свой дух можешь сунуть себе в задницу, — выдал вдруг бандит. — Журналистка останется здесь.

— Ну, что ты скажешь, — обескуражился я. — Не получается по-людски. — Я стал жестким, вперил взгляд в Безвредного: — Кто закатал?

— Ты.

Я промолчал. Ждал комментариев. Дождался.

Безвредный прокомментировал:

— Играли до пятисот одного. Кто их набрал, тот — закатал.

Вот оно что... «Солдатская причина». Одна из самых «солдатских», с которыми приходилось сталкиваться.

— Пойдем на люди? — спросил я.

— Они не люди? — Безвредный не глянул на приятелей.

Я глянул только на Краба. Тот, уже оживший, был поглощен выделкой рыбьей шкуры.

— Эти-то? — с сомнением сказал я. — Краб, есть мнение?

— А? — встрепенулся кочегар.

Я усмехнулся.

— Может, переиграете? — предложил мой должник.

— Пошли, — сказал я Асхановой, до сих пор пребывающей на скамье. И в наркозе.

Сказал для того, чтобы сказать хоть что-то. Знал точно, так просто нас не выпустят. Безвредный не тот персонаж, который всего лишь произносит слова. Но что он предпримет? Затеет заурядный мордобой? Вряд ли. Конечно, эти скелетики — какое-никакое подспорье ему, но он не из тех, кто рассчитывает на поддержку. Зато из тех, кто без сомнения пустит в ход кухонный нож, провонявший рыбой. Явно на него и рассчитывает.

— Тебя не держат, — сообщил Безвредный, удивительно спокойно глядя на меня.

«Опережу с ножом — притихнешь», — подумал я. Шагнул к Асхановой. Поближе к столу, к ножу.

Сделал еще шаг, нагнулся. Одной рукой взяв женщину за локоть, другой... Я не потянулся к ножу. В этом уже не было смысла.

Откуда в руке Безвредного возник пистолет, я не понял. Не видел, чтобы он опускал руку, не видел, чтобы поднимал. Впрочем, не особо и смотрел. Делал вид, что он меня не интересует.

— Тоже неплохо, — буркнул я, почему-то без страха глядя в черное отверстие ствола. — Зажигалка?

— К стене, — спокойно сказал Безвредный.

— Щас, — огрызнулся я. — Засунь его себе в задницу.

Мне действительно не было страшно. Ничуть не верил, что он выстрелит. Ситуация была не той, в которой стреляют. Подержать под прицелом, нагнать жути, это да, на это он мог рассчитывать. Но должен же понимать, что я не полный лох.

— Завалю, — удивительно равнодушно объявил бандит и взвел курок.

Не знаю, что больше обеспокоило меня. Щелчок при взведении или это равнодушие. И то, и другое. И третье. Мысль: «У Рыжего с ним считались. Что ему стоит... По нынешним-то временам».

— Это кто ж тебе такую кликуху дал? — поинтересовался я, отступая к стене, покосившись на застывшую в ужасе мордаху Асхановой. — Мало подходящих кличек? Например, Добрейший.

Безвредный без каких-либо эмоций взирал на меня тремя темными зрачками. Двумя — из запавших глазниц, третьим — из ствола.

— Спиной ко мне, — произнес он.

Я, изобразив, что делаю ему одолжение, повернулся к стене. Полюбопытствовал при этом:

— Думаешь, если на старости лет устроишься по сто семнадцатой, на зоне пожалеют?

Шороха за спиной не услышал. Сразу же в уши врезался визг Асхановой. Нечеловеческий, поросячий визг, не ожидаемый из ее хрупкого горлышка и эстетствующего ротика. Должно быть, он и заглушил все прочие шумы.

Я нервно обернулся на визг... Попытался обернуться. Не успел. И удара не почувствовал. Просто услышал, что так же внезапно, как начался, визг — прекратился...

Глава 11

Занятная штука — бессознательное состояние. Только что слышал, как визжит женщина, и тут же... тишина. Все мирно, никто не целится тебе в затылок из пистолета, никто не торопит принимать решение: как выходить из неприятного положения. Да и в положении нет ничего особого неприятного. Разве что затекла придавленная рука да тянет неудобно вывернутую шею. Лежал бы себе и лежал, разглядывая часть обшарпанной стены и потолка санаторской сауны.

Если бы еще не надо было шевелиться... Движение разрушило иллюзию беспечности. Боль в голове плеснулась, как застоявшаяся вода в графине. Выплеснула в память муть, которой я самолично изгадил свое беспечное существование.

Я сел, ощупал голову. Чуть выше затылка обнаружил незнакомую возвышенность, эпицентр боли. Безрадостно удивился тому, как шустро Безвредный умудрился меня отключить. При всей своей флегматичности расстояние в несколько шагов преодолел бесшумно. Прежде чем я успел хоть что-то заподозрить. И само отключение осуществил профессионально. Должно быть, пистолетом. Сволота.

Я попробовал нагрузить мозги размышлениями о случившемся. Нагрузка пришлась кстати. Отвлекла от боли.

Лучшей анестезией оказался самый главный, самый безрадостный вопрос: что с Асхановой.

Долго и тупо не мог подумать ни о чем другом. Уже встал на ноги, уже добрался до предбанника. Уже оделся, а он все был при мне, этот вопрос. Без малейшего проблеска ответа.

Осторожно, чтобы не плескать в графине-черепе, зашнуровал кроссовки. Поднялся с корточек. Вдруг вспомнил о Крабе-гаденыше. Усмехнулся.

Уныло прошагал по темному коридору к вестибюлю, в котором под фикусом восседала в гнезде вахтерша. Женщина неискренне улыбнулась мне. Как клиенту, которого намеревалась заполучить в постоянные.

— Что-то быстро, — опечалилась она. — У вас еще час.

— Мои давно ушли? — спросил я.

— С полчаса. Сказали, что вы еще попаритесь. Если желаете, у нас есть пиво...

— Женщина, с которой я пришел, ушла с ними?

— Да... — Вахтерша растерялась. — Что-то не так?

— Так, — сказал я. — Всего доброго. — Распахнул тяжеленную дверь с мутным стеклом и шагнул на воздух.

И чуть не столкнулся лбом с входящим Крабом.

Должник отпрянул и тут же, словно опасаясь, как бы я не засветил ему промеж глаз, поспешил с объяснением:

— Я — за тобой.

Я вышел за ним попятившимся. Стал спускаться с крыльца. Краб за мной.

— Где москвичка? — спросил я сухо.

— Безвредный увез.

— Куда?

— Не... не знаю.

— Он же у тебя живет.

— Месяца два как съехал. Так, наведывается иногда.

— Где обосновался, ты, конечно, не знаешь?

— Не знаю. Где-то в центре.

Я уже был у машины. Краб заискивающе догнал меня. Усевшись, прежде чем закрыть дверцу, я заметил:

— Хороший ты, Миша, парень. Надежный... — Удивившись, зачем говорю это, изготовился захлопнуть дверцу.

— Погоди. — На Краба было жалко смотреть. Он явно был противен сам себе. — Я сам не ожидал... Он сразу ничего не сказал. Только потом...

— Что сказал потом?

— Что ты... — Краб замялся.

— Говори, Миша. Вешай лапшу, — поощрил я.

— В натуре. Он сказал, что ты...

— Ну?

— Скурвился. Копаешь под своих. Собираешь досье. Мол, и так многое знаешь, да еще менты у тебя в подельниках. Со своей стороны дела подбрасывают.

Я удивился. Безвредный мог наплести что угодно. Но информация, которую сообщил Краб, взялась не из воздуха. Откуда Безвредный мог знать о книге, которую я не собирался писать?

— Когда сказал?

— После того как тебя пистолетом по...

— Ты поверил?

Краб пожал плечами:

— Что я мог? Ты же молчал. — Он укорил меня за недавнее молчание вполне серьезно.

— С чего он взял, что я копаю?

— Сказал, что на их точку, возле парка, приходил фраер. Твоя «шестерка». Представился, мол, от тебя. Про давние дела спрашивал. Про которые только менты и свои знают. И ты про них знал.

Ничего себе оборотик. Пока я благоразумно уворачиваюсь от бандитской темы, кто-то еще более благоразумно копается в ней, прикрываясь моим именем. Я узнаю об этом только сейчас, по уши увязнув в неприятностях. Увязнув по вине этого более благоразумного копателя.

— Что я мог сказать? — огорченно заключил Краб. — Ты же с журналисткой пришел. Все сходилось.

— Как выглядел фраер? — спросил я.

Краб удивился:

— Откуда я знаю. — Озарился догадкой. — Он что, не от тебя?

Я не ответил. Прежде чем захлопнуть дверцу, сказал:

— Если этот выродок Безвредный объявится, дай знать.

Краб с готовностью кивнул.

От последней моей реплики толку быть не могло. С таким же успехом можно было требовать верности у чужой жены или ожидать, что бродячий пес будет брать пищу только из твоих рук.

Не доезжая до Пересыпьского моста, я остановил машину. Задумался. Куда еду? Что предприму, чтобы вытащить Асханову из переплета, в который та угодила по моей милости? Где искать ее? Где искать ублюдка Безвредного? И вообще, что это за ход с его стороны, «наехать» на московскую знаменитость? Совсем, что ли, сдурел? Оценивая умственные способности бандитов, я никогда не занимался приписками, но на обрывки извилин в их узколобых черепах привык надеяться.

Последнее дело просчитывать поведение рецидивиста с ампутированным мозгом. Но пришлось попытаться сделать это.

Как Безвредный поступит с Асхановой? Изнасилует? С него станется. Но он мог бы сделать это на месте. Без рисковой суеты с похищением. Зачем она ему? Пусть он имеет ко мне претензии за то, что я «копаю». Решил наказать? Или надеется что-то поиметь за нее? На выкуп надеется? Бред.

У фортеля, который выкинул Безвредный, могло быть только одно объяснение. Он не прижился на воле и ищет повод вернуться на казенное довольствие. Но повод он подобрал не самый подходящий. Не из тех, что добавляют авторитета.

Больше всего беспокоил меня вариант, который я гнал от себя, но который мог оказаться самым реальным. Если у бандита «поехала крыша», он, удовлетворив похоть, мог пойти на убийство. Для того и увез женщину. Человека удобнее транспортировать, пока он живой.

Еще я доразмышлялся до того, что обращаться в милицию не имею права. Не потому, что окончательно настрою против себя всех своих, бывших.

Во-первых, это ничего не даст. Не помнилось мне ни одного раскрытого за последний год похищения. Или убийства. Во-вторых, «сенаторы», да и Краб дадут показания: спектакль с разыгрыванием знаменитости в карты организован мной. И вахтерша сообщит, что сауну заказывал я. То, что меня закроют, вряд ли поможет Асхановой.

Размышления не дали ничего, кроме угнетенного состояния. Приходилось надеяться на лучшее. Беспочвенно надеяться. Что еще оставалось делать? Еще оставалось искать Безвредного. Я знал, с чего начну поиск. Вариант был один. Но прежде, чем заняться им, следовало заскочить домой. Отметиться, успокоить Ольгу. Предупредить, что, возможно, меня не будет всю ночь.

Глава 12

Ольга меня «сосчитала». Несмотря на то что я добросовестно и беспечно потирал ладони в преддверии ужина. Не промолвила и слова тревоги, даже улыбнулась. Но концовка улыбки не удалась. Сползла до срока, обнажив обеспокоенный взгляд: «Что случилось?»

— Да, — подтвердил я. — Поужинаю и уйду. Эта неугомонная намерена провести ночь в казино. Не брошу же ее...

— Нет, конечно, — сказала Ольга, сочувственно улыбнувшись.

— Никто не звонил? — спросил я, чтобы сменить тему.

— Саша.

— Издатель? Чего хотел?

— Интересовался, как Асханова.

Я кивнул. Мне казалось, я умело играл роль проголодавшегося мужа, у которого дела складываются до неприличности удачно.

— Когда ты собираешься работать? — усмехнувшись, поинтересовалась Ольга.

«Кто его знает...» — подумал я кисло. И ответил:

— Асханову выпровожу и займусь. Телефон отключим...

Я не договорил. Обеспокоившись предстоящим отключением, звякнул телефон.

— Ну вот... — Я, отложив нож, поднял трубку, продолжая жевать, сказал: — Алло...

Я сразу догадался, кто звонит. Может, из-за акающего акцента, а может, из-за того, что меньше всего хотел бы сейчас услышать голос именно этого человека. Мужа Асхановой.

Для начала он уточнил, я ли это. Тут же без обиняков категорично спросил:

— Где она?

Я испугался. И вопроса, и тона. Словно он мог уже знать, что его жену похитили и что я имел к этому отношение.

— Думаю, в гостинице. — Я придал голосу интонации воспитанного человека, терпеливого к чужим бестактностям.

— Вы уверены, что Даша не у вас? — не церемонился он. Воспитанность обычно воспринимается как разрешение сесть на голову.

— Могу уточнить у жены, — сказал я.

Собеседник помолчал. Я молчал тоже. Он вдруг спросил:

— Когда вы видели ее в последний раз?

Постановка вопроса обеспокоила. Так спрашивают следователи, когда уже известно, что имеются пострадавшие или пропавшие без вести.

— Два часа назад.

— Где?

— У входа в гостиницу.

Он опять помолчал. И вдруг влупил:

— Из гостиницы она съехала. Выписалась. Я звонил туда.

Я сглотнул. Глупо спросил:

— Да?

— Вы этого не знали?

— Нет.

— Когда она выписывалась, ее сопровождал мужчина. Это были не вы?

Я снова сглотнул. Осторожно поинтересовался:

— Вы спросили, как он выглядел?

— Мне не были обязаны отвечать.

— Это был не я.

— А кто?

Я удивился. Что за нахальство приставать ко мне с подобными вопросами. Нахальство и глупость. А то он не знает свою жену...

— Думаю, кто-то из наших журналистов. У нее собирались брать интервью одесские газетчики. Все-таки столичная знаменитость...

Подхалимаж собеседника не тронул. Он напомнил, по какому поводу звонит:

— Где она?

Я почти не мешкал. Ухватился за первую подвернувшуюся легенду.

— Она планировала посетить Каролино Бугаз. Курортную зону под Одессой... Странно, что не предупредила.

Успел подумать, что легенда, подвернувшаяся под руку, удачна. Дает возможность выиграть время и уклониться от дальнейших вопросов.

— Думаю, она — уже там, — заключил я.

Он опять притих. В трубке было слышно его сердитое дыхание. Мне казалось, у собеседника не должно быть оснований мне не верить. Но он все испортил:

— Думаю, вы лжете.

— Гм, — сказал я.

— Говорю для того, чтобы вы были в курсе: я знаю об этом.

Я подумал, как бы поудачнее обидеться. Не успел придумать. Он бросил трубку раньше.

Я потер скулу своей. Опустил на рычаг.

На просчет варианта, при котором Безвредный повезет жертву в гостиницу выписываться, меня не хватило. Это его поведение не лезло ни в какие ворота. Ведь какой риск. И, конечно, он пошел на него не по глупости. Я его недооценивал. У этого гада свои планы. Ни воспитательная работа в отношении меня, ни похоть тут ни при чем. Хотя как побочные эффекты его основной задумки допустимы.

Поведение Безвредного, во-первых, подтверждало его хладнокровие, во-вторых, давало понять, что он объявится сам. И в-третьих, главных, — обнадеживало. Самое страшное, что могло произойти с Асхановой, не случилось.

Я обнаружил, что вот уже бог знает сколько времени смотрю на Ольгу. Заметив ее обеспокоенный взгляд, спохватился. Беззаботно объяснил:

— Эта зараза кого-то подцепила. Для нее сутки без мужика такое же испытание, как час без «Мартини». Может загнуться.

— Она пропала? — спросила Ольга просто.

Я устало посмотрел на нее. Понял, что толку от моего вранья, как от... Отодвинул тарелку. Изображать голодного мужа было уже не обязательно.

— Да, — сказал я. — Она пропала.

Задолго до того

В класс его привела учительница Нина Александровна, классный руководитель. Молодая, щуплая, в очках, с зачесанными и собранными сзади в пучок волосами.

Открыла такую же большущую, как в его бывшей школе, дверь, на которой было написано «4 г», и с порога сообщила вскочившим из-за парт ученикам:

— Ребята, прошу любить и жаловать — Алик Чирков, наш новый ученик.

— У нас в коммуналке соседа Федю все зовут

Аликом. Потому что он алкоголик, — радостно во весь голос выдал кто-то. Класс обрадовался сказанному. Засмеялся.

— Курочкин!.. — укоризненно сказала учительница.

Алик проследил за ее взглядом и увидел своего первого врага, лопоухого толстяка, глаза которого выглядывали из-за бруствера румяных щек.

— А что... — обиделся толстяк. — При чем тут я? Его так все зовут.

Учительница безнадежно махнула рукой. То ли на Курочкина, то ли разрешая всем сесть. Класс истолковал жест в свою пользу. С грохотом полез за парты.

Нина Александровна прошла к доске и несколько секунд оценивала обстановку, приговаривая:

— Куда же мы тебя посадим?..

Алик ждал. У двери.

— Давай пока к Гуревичу. — Учительница указала Алику на первую парту, за которой в одиночестве сидел сосредоточенный очкарик. Явно зануда отличник.

Класс почему-то вновь обрадовался. Заволновался.

— Нашему Алику тоже всегда не везет, — выдал сзади неугомонный Курочкин. И все опять засмеялись.

— Курочкин, вызову первым!.. — пригрозила учительница.

И это заявление не подпортило классу настроения. Разве что Курочкину.

Только Гуревич остался невозмутимым. Продолжил листать тетрадку. Даже не взглянул на обустраивающегося под боком соседа.

Обустраиваться Алику особо было нечего. Кроме тетрадок в линейку и в клетку и новенького пенала с карандашами, резинкой и ручкой с запасными перьями, в портфеле его ничего не было. Мать сказала, что учебники ему выдадут в школе. Пока не выдали. Может, забыли, а напоминать, клянчить Алик не собирался. Впрочем, учебники и не понадобились.

— Сочинение, — объявила Нина Александровна.

— Сочинения в четвертом классе не пишут, — поняв, что вызовы к доске отменяются, обнаглел Курочкин.

— Тогда рассказ, — неожиданно согласилась учительница. — На тему: «Как я провел лето».

Алик достал тетрадку в линейку. Раскрыл. И увидел, даже не увидел — почувствовал, что сосед Гуревич, раскрыв свою и клюнув ручкой чернильницу, отстранился от него. Словно опасаясь, что он, Алик, попытается списать. Как будто он и Алик провели лето одинаково.

Лето у них не могло быть одинаковым.

Вряд ли у этого умника летом отец пошел по четвертой ходке. На зону. И вряд ли ему, умнику, как Алику, приходится делать вид, что он верит матери. Верит тому, что отец отправился в тайгу на поиск каких-то особых ископаемых. И вряд ли у соседа очкарика в конце лета погиб лучший друг, оказавшись в момент обрыва троса под зависшей над ним вязанкой труб. И ему, очкарику, опять же приходится делать вид, будто он верит, что друг уехал в долгосрочную командировку.

Правду об исчезновении двух близких ему людей Алик узнал от дворовых пацанов. И обе они, правды, не оказались для него таким уж потрясением.

Ну, с отцом — ладно. Одиннадцать лет — серьезный возраст. В нем уже положено и самому догадываться о смысле слова «ходка». Но гибель дяди Саши... Почему она не оказалась потрясением?

Наверное, потому, что одиннадцать лет — недостаточный возраст для осмысления слова «смерть».

Что значит: дяди Саши не стало, когда он, Алик, помнит о нем. Не просто помнит, чувствует его рядом, знает, как бы он поступил в той или иной ситуации, что бы сказал. И мерит его мнением свои поступки, слова.

Смерть в детстве представляется всего лишь расставанием. Хоть и продолжительным, но временным. Весьма вероятно, правильно представляется.

Так что насчет веры в командировку — он не особо и притворялся.

И еще... Вряд ли Гуревичу, которого класс явно знает как облупленного, а значит, давно... так вот, вряд ли ему пришлось в начале осени, бросив все родное: пацанов, знакомый до каждого запаха двор, близкое, свое море, перебраться в чужой, состоящий только из асфальта и домов город.

Алик отвернулся от соседа. И, отвернувшись, нарвался на взгляд девчонки с заостренным вздернутым носом, соседствующей с ним с другой стороны. Через проход. Не подсматривающий взгляд — откровенный, изучающий.

Алик смутился под этим взглядом. Хотя настраивал себя не смущаться ничем. Впрочем, остроносая почти сразу отвела глаза. Спокойно направила их в тетрадку.

Алик тоже уставился в свою.

Но эта девчонка еще какое-то время была у него

перед глазами. Со своим длиннющим хвостом за спиной и самой спиной, вызывающе выпрямленной.

Алик обмакнул перо. Он понятия не имел, о чем будет писать. Придумал. Написал о том, как с друзьями собирал в море мидии и жарил их на выпрямленном куске ржавой бочки. Только об этом.

Как будто летом других забот, кроме пожирания мидий, у него не было.

Нина Александровна оказалась злопамятной. За десять минут до окончания урока объявила:

— Стоп! Курочкин... собери тетради.

— Мы не успели... — загудел класс.

— Не страшно, — успокоила учительница. И изрекла, пожалуй, самое ценное на том уроке, но вряд ли кем-то усвоенное: — Рассказ хорош недосказанностью. — И еще добавила негромко, непонятно. Явно не ученикам — себе. Усмехнувшись: — Впрочем, недосказанность и недорассказанность — не одно и то же.

Курочкин, решивший, что отделался легким испугом, отправился между грядками парт собирать урожай тетрадок. Наивный.

— Куда? — удивилась Нина Александровна, когда он, доставив стопку на ее стол, вознамерился вернуться на место. — Давай к доске. Пиши.

— Что писать? — после паузы обиженно спросил толстяк. Обижен он был явно за свой напрасный энтузиазм при сборе урожая.

— Ты лучше знаешь, — съехидничала учительница. — Как ты сказал: «У нас в коммуналке соседа Федю все зовут Аликом потому, что он алкоголик». Напиши это предложение и разбери его по частям речи.

Конечно, Курочкин сделал ошибки и в слове «коммуналка» и в слове «алкоголик». Не говоря уже о запятых. До разборки на части дело не дошло. Медлительного хитрюгу спас звонок.

— В следующий раз, прежде чем говорить глупости, подумай, в состоянии ли ты их правильно написать, — посоветовала ему в спину Нина Александровна.

Класс хохотнул.

Безучастными к всеобщему веселью остались только Гуревич, Алик и сам Курочкин. Гуревич был занят складыванием в портфель своей школьной амуниции.

Алик был ничем не занят. Он равнодушно глядел на шагнувшего от доски в проход между партами Курочкина.

Окопавшиеся в щеках глаза толстяка были направлены на него, Алика. И излучали ненависть.

На перемене класс остался в коридоре. Разбился на группки. Несколько компаний девчонок были заняты разговорами, то и дело переходящими в нашептывания друг дружке в ухо. Пацаны вели себя менее степенно. В одной компании что-то интригующе доставали из карманов, показывали друг другу. В другой заходились от хохота. Только Гуревич в одиночестве пристроился у окна. С распахнутой книжкой.

Алик тоже отошел к окну. К другому, конечно. Безрадостно изучал чуждый пейзаж школьного двора.

— Плохо начинаешь, — услышал он за спиной уже знакомый голос. И справился с желанием обернуться. Продолжил изучать школьные пристройки.

— Меня ведь из-за тебя вызвали... Эй, я с тобой разговариваю... — Из голоса Курочкина вдруг исчезла начальная снисходительность.

Алик обернулся.

— Знаешь, что за это полагается? — приободрился толстяк.

Алик серьезно смотрел на него снизу вверх. Молча.

— Щелбан, — подсказал Курочкин тоном, похожим на тот, каким объявляют в цирке коронный номер. И, сделав пальцами зловещее кольцо, поднял руку. Правую. Левая рука толстяка безмятежно покоилась в кармане брюк.

Курочкин изобразил стремительное движение кольцом.

Алик не шелохнулся. Он перевел взгляд куда-то в сторону. Туда, откуда почувствовал взгляд. Остроносая соседка, та, что с гордой спиной, явно невнимательно слушала нашептывание подруги. Под это нашептывание с интересом наблюдала за сценой у окна.

Кольцо растаяло в воздухе, на манер папиросного.

— Духовитый, шкет!.. — то ли удивился, то ли восхитился Курочкин. И тоже перевел взгляд. Полюбопытствовал, что смогло увлечь новенького в такой ответственный момент.

И вдруг посоветовал:

— На нее не пялься. И строй из себя поменьше. Повезло тебе, что Келы сегодня нет. Ему эти уроки до фени.

И совсем уже неожиданно протянул пухлую ладонь:

— Ладно, мир...

Алик отвернулся к окну. Не прикоснувшись к ладони. И, оборачиваясь, увидел, как от соседнего окна поверх очков на него смотрит зануда Гуревич.

— Ну-ну... — растерянно пробурчал за спиной Курочкин.

Алику вдруг стало его жалко. Он пожалел о том, что не пожал толстяку руку.

— Кела придет — посмотрим, что запоешь, — услышал еще Алик. И перестал жалеть.

Следующим уроком был труд. Потом физкультура.

На труде Алик, как и все, пилил доски для школьного сарая. Физкультуру просидел на скамеечке у школьной спортивной площадки. На пару с Гуревичем. Гуревич настырно читал все ту же книжку. Он оказался единственным в классе, освобожденным от физкультуры. Явно по причине хилости здоровья.

Алику пришлось отсидеть урок на скамейке, потому что у него не было формы.

Они с Гуревичем не перемолвились пока ни единым словом. Не только сейчас, у площадки — за все время знакомства. Если тот факт, что они оказались за одной партой, вообще можно было назвать знакомством. Впрочем, Алик ни с кем в классе еще словом не перемолвился. Он пока слушал. И присматривался.

И со скамейки присматривался. К учительнице Нине Александровне, строго и ехидно отдающей команды. К регулярно взрывающимся хохотом своим новым соученикам. К неуклюжему Курочкину, по поводу которого соученики чаще всего и взрывались. Но тщательнее всего он присматривался к остроносой.

И, наблюдая ее, гордую, тонкую, напоминающую своим вздрагивающим хвостом жеребенка, которого Алик как-то видел на одесском ипподроме... Так вот, следя за ней, Алик все больше укреплялся в мысли... не в мысли — в ощущении: все эти перемены в его жизни не так безнадежны, какими представлялись ему три урока назад.

Последним уроком была математика. Нина Александровна явно была озабочена проблемой: как не дать подопечным заскучать. Мало того, что математика шла после физкультуры, так еще в середине урока, после решения сообща очередного примера из учебника она объявила:

— Ну а теперь, как всегда, займемся вашей сообразительностью.

И взглянула на Гуревича. Обратилась к нему. Но не как учитель к ученику. Как взрослый ко взрослому:

— Вы, надеюсь, готовы?

Гуревич не стал отвечать на бестактный вопрос. С достоинством выбрался из-за парты, направился к доске. И принялся рисовать на ней клетки. И в клетки вписывать буквы. Мелом орудовал по памяти. Явно тщательно подготовился.

Алик смотрел на доску во все глаза. С того момента, как на ней возник квадрат, восемь клеток на восемь, и в клетки стали попадать не связанные в слова буквы, он почувствовал зуд в душе. В нем встрепенулся азарт. Это была головоломка. И это был сюрприз. Второй сюрприз, делающий его нынешнюю жизнь, пусть ненадолго, но не такой уж бессмысленной.

Гуревич закончил рисование. Снисходительно посмотрел не на класс, на учительницу. Та не обиделась. Спросила:

— В чем смысл?

Гуревич пояснил. Но опять же не классу — ей:

— Зашифрована фраза. Требуется найти ключ и прочитать.

— Все слышали? — спросила Нина Александровна у класса. — Думайте. Кто первый решит — пятерка.

В классе не ощутилось особого энтузиазма. Ученики, похоже, уже имели богатый опыт напрасного напряжения мозгов. Только несколько, явно отличников-хорошистов, приняли сосредоточенный вид.

— Кому нужны эти слова, — выдал Курочкин. И размечтался: — Мне бы ключ от сейфа найти.

Эта головоломка Алику прежде не попадалась. Попадались подобные. Ключ к разгадке обязан быть на доске. Одна из букв с краю мало того что в клетке, так еще и очерчена кругом. Что это дает? Ключ, конечно, в этом круге. Но что они, круг и буква, в нем дают? Вроде ничего. Может, это и не ключ. А всего лишь начало фразы. Остальные клетки все одинаковые. Сколько их? Восемь на восемь. Шестьдесят четыре. Ну и что? Назад... Нет, не назад. Это же шахматное поле. Только без черных клеток. Если бы Гуревич какие-то из клеток зачертил мелом, то букв не было бы видно. И потом... Он, Гуревич, специально мог не зачертить. Чтобы, не дай бог, никто не догадался.

Ну, допустим, шахматы. Тогда ключ — один: только ходы фигур. Фигуры ходят или по прямой, или по диагонали. Но это неинтересно. Да и сразу проверяется. Если начинать из круга, от буквы к соседней букве по прямой — белиберда получается. Слова не выходят.

Значит, это ходы конем. Точно, конем. И буква, которая в круге, стоит на месте коня. Алик мысленно сходил конем. И ощутил знакомое щемящее чувство первооткрывателя. Приближение успеха, открытия.

Фраза пошла. После двух-трех сбиваний, все буквы встали на свои места.

«Еслижелаешьнаучитьсячемунибудьучисьнепременнонаучишься».

Хорошисты и отличники не отчаивались. Продолжали морщить лбы и носы, глядя на доску.

Нина Александровна лукаво ждала. Гуревич не ждал. Он явно потерял интерес к происходящему. Привычно читал.

Алик не без труда подавил позыв поднять руку. Вспомнил, что не собирался ничему удивляться. И подумал сейчас, что и удивлять, корчить из себя умника, навроде этого Гуревича, тоже негоже. Выскочки, даже те, которые выскакивают оправданно, вызывают раздражение. Как тот же Гуревич. Правда, Алик не предполагал, что возможность удивить ему представится. Но вот представилась. И он сдержал порыв утереть соседу нос.

И именно то, что он не вызвался сам, потрясло класс, когда...

Нина Александровна оказалась терпеливой. Ждала долго. Молча. Слова, которыми нарушила собственное молчание, адресовались почему-то Алику. Может, она, ехидина, спохватилась, что за весь день еще ни разу не прошлась по новенькому. Спохватилась и прошлась. Сказала ехидно:

— А что наш новенький?.. За все уроки я не слышала от вас ни одного слова. Или вы у нас тихоня? Это, конечно, хорошо...

И Алик не утерпел:

— Когда люди говорят, они думают не так качественно.

Класс затих. Разом.

Только Курочкин подал голос:

— Ни фига себе!..

Учительница явно изумилась. Настолько, что не обиделась. Превратила изумление в улыбку. Искреннюю. Даже восхищенную. И спросила:

— И что же вы втихаря насоображали? Может быть, решили загадку?

— Решил, — просто сказал Алик.

И не услышал — почувствовал, как сосед Гуревич хмыкнул. Не отрываясь от книги.

— Тогда зачем скрывать? Поделитесь открытием, если не жалко...

— «Если желаешь научиться чему-нибудь, учись. Непременно научишься», — деланно равнодушно сказал Алик.

И не удержался, глянул на Гуревича. Тот уже не смотрел в книгу. Смотрел сквозь нее. Секунд пять. Потом озадаченно уставился на доску. Перевел взгляд на Алика. Сощурился, силясь что-то понять.

— Верно? — спросила у Гуревича озадаченная учительница. Озадаченная, но доброжелательная.

Гуревич не ответил. Но он не сказал «нет». И класс охнул. А Курочкин повторил:

— Ни фига себе...

Действительно, то, что новенький тихоня решил головоломку, припасенную штатным умником Гуревичем, не лезло ни в какие ворота. Но еще больше не лезло ни в какие ворота то, что, решив ее, он смолчал. Не только, можно сказать, добровольно отказался от пятерки, но и не поспешил потрясти всех, что непременно сделал бы каждый из находящихся в классе.

В этот момент Алик отчетливо понял, какое это иногда удовольствие — жить по законам собственного мира. (Если, конечно, законы приличные.) И дядя Саша жил так. Жил явно с удовольствием, которое другие не понимали.

Сейчас удовольствие было конкретным. В первую очередь в виде конкретного взгляда остроносой гордой соседки.

— Ну-ну... — Нина Александровна тоже пристально поразглядывала Алика и под этот свой взгляд поинтересовалась у Гуревича: — Ефим, вы приготовили для нас еще что-нибудь? Сегодня, как видите, мы справились. Без обсуждения, втихаря (слово «втихаря» она выделила), но достаточно быстро. Может, предложите нам еще что-то?

Гуревич явно был из тех, кому всегда есть что предложить окружающим. Какую-нибудь бяку-проблему.

Он привычно снисходительно... пожалуй, более снисходительно, чем в первый раз, направился к доске. И снисходительно же, не задумываясь, начертил на ней мудреную геометрическую фигуру.

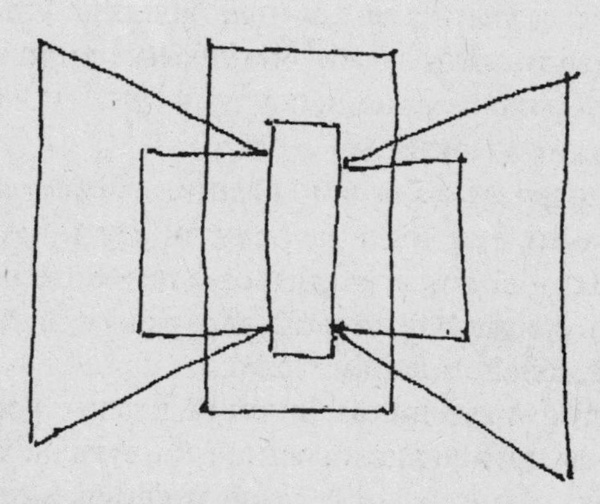

Начертив, вернулся на место.

— Что это? — спросила у него учительница, как у равного. — Что надо сделать?

Гуревич уже был в своей книге. Не отрываясь от нее, произнес:

— Нарисовать, не отрывая руки, не проводя по одной линии дважды и... — Он сделал паузу и вбил, как ему казалось, последний гвоздь: — И не пересекая между собой линий.

Класс даже как-то растерялся. Причем, похоже, растерялась и Нина Александровна. Во всяком случае она переспросила назидательно:

— Вы уверены, Ефим?..

— Уверен, — отрезал Гуревич, глядя в книгу.

Задачка действительно на первый взгляд была за гранью разумного. Особенно сбивало с толку условие: не пересекать линии. Алик помнил, что, когда они с дядей Сашей впервые нарвались на нее в журнале и он, Алик, поспешил с заявлением, что это же невозможно, дядя Саша промолчал. А потом неспешно, задумчиво произнес:

— Почему невозможно? Пересечение, крест, это же необязательно две прямые. Из двух углов тоже можно сварганить крест. Вот так их приложить (он начертил два приложенных друг к другу угла). Тогда пересечения не будет.

Несмотря на понятый принцип пересечения, эту головоломку они тогда не решили. Чуть-чуть не сошлось. Пришлось дожидаться следующего номера журнала, чтобы убедиться: задачка решаема. Убедившись, дядя Саша посетовал:

— Олухи мы с тобой. Видишь, как все просто. Но ничего, по пути верному шли, чуть-чуть не хватило.

И вот сейчас на доске была та самая фигура.

С беспокойством насмотревшись на доску, Нина Александровна, все еще возвышающаяся над Аликом, взяла себя в руки. Улыбнулась. Ехидно заметила:

— Это вы, Ефим, перегнули палку. Не то что урока, жизни не хватит...

Гуревич посмотрел на нее исподлобья, поверх очков. Назидательно выдал фразу, которую также, похоже, разыскал в головоломке:

— Просто подумать — тоже полезно.

Учительница не спорила. Даже поддержала его идею, обратившись к Алику:

— Может, вы поделитесь с нами ходом рассуждений?..

И Алик поделился:

— Пересечение — это не обязательно две прямые. Из двух углов тоже можно сложить крест. Если их приложить...

— Нарисуйте, — предложила удивленная Нина Александровна.

Алик пошел к доске. Взял мел.

Класс затаился.

Алик помедлил чуток. И не стал показывать, как соединять углы. Сразу взял и нарисовал всю фигуру. Не отрывая руки, не проводя по одной линии вторично и не пересекая линии.

По мере того как след мела складывался в фигуру, напряжение в классе нарастало. Нарастало в тишине. Даже Курочкин забыл про свое: «Ни фига себе».

Класс ожил еще до того, как сомкнулись начало и конец линии. Ожил по сигналу, который выдала учительница. Нина Александровна трижды шлепнула ладонью о ладонь, обозначая, по-видимому, аплодисменты.

Алик закончил. Положил мел на полочку. И, обернувшись, старался не смотреть на остроносую.

И услышал веский голос Гуревича:

— Он знал...

— Зачем вы так, Ефим... — огорчилась учительница недоброжелательности любимчика-отличника.

— Знал? Скажи! — вдруг жестко, но запросто, не как умник, потребовал Гуревич у Алика.

— Знал, — сказал Алик.

Он не подумал о том, что его не поймут. Не поймут, почему он отказывается от триумфа. Он просто жил по своим законам. Он вспомнил, что задачу эту не решил даже дядя Саша. Как он, Алик, мог посметь вообразить себя выше дяди Саши.

— И первую задачу — тоже знал? — спросила Нина Александровна.

— Нет, — качнул головой Алик. — Первую не знал.

Он глянул на Гуревича. В упор. Поразительно, но, вычислив хитреца Алика, отличник не вернул взгляд в книгу. Силясь что-то понять, пялился на соседа поверх очков. Как будто только-только увидел. И в глазах очкарика не было пренебрежительности, к которой Алик уже успел привыкнуть.

Алик, идя в школу, не собирался никого удивлять. Но удивил всех дважды. А некоторых даже трижды. (Остроносую, Гуревича и Курочкина его поведение на переменке у окна тоже озадачило.)

Вторично он потряс весь класс, и не только класс, почти всю школу, по окончании уроков. После той самой математики.

Алик чуток задержался в классе, отвечал на вопросы Нины Александровны о его, Алика, «житье-бытье». Попрощался, укрепившись в мысли, что «классная» ему попалась классная. Пошел из школы.

Выйдя на крыльцо, обнаружил такую мизансцену. Ученики разрозненным караваном тянулись из школы, как стадо, утолившее жажду из реки знаний. Тянулись через заасфальтированный двор к воротам. У входа в школу, у самых ступенек он увидел остроносую, беседующую с подружкой, с той самой, которая ей нашептывала на перемене.

Остроносая увидела Алика и явно занервничала. Нехорошо занервничала. Стрельнула беспокойным взглядом куда-то в сторону ворот.

Алик посмотрел. У ворот на скамейке устроились несколько пацанов. Трое сидели лицом к школе и один стоял к школе спиной. Спину Алик узнал. Курочкина была спина. Толстяк вдруг обернулся к крыльцу, увидел Алика и тут же принялся что-то говорить сидящим. Не всем — тому, который в середине. Явно второгоднику-переростку, большущему, с большущей челюстью, с большущими нависшими бровями, но с маленькими глазками и крохотным вздернутым носиком. Этот центральный очень походил на питекантропа, нарисованного в учебнике истории.

«Кела», — понял Алик. Безрадостно понял.

И еще понял, что потому остроносая и обеспокоена, потому и не спешит к воротам, что у них, у ворот — Кела.

Алик пошел через двор. И вдруг увидел бредущего впереди себя дохляка Гуревича. Удивился. А этот-то чего задержался? Вид у отличника был понурый. Сникший вид. Как будто тот чего-то ждал, а потом понял, что ждать бессмысленно, и подался восвояси ни с чем.

Несмотря на нашептывание Курочкина, Алик все же надеялся, что ему удастся пройти мимо зловещей компании. Зря надеялся.

Питекантроп заговорил, когда Гуревич поравнялся со скамейкой. Злорадно заговорил:

— Что, жиденок, думал: не будет Келы, дадут портфель понести. Шестерка ты, шестерка... Но ничего, иди. Тебя мы не трогаем. Папа профессор... Столько вони будет.

Питекантроп перевел взгляд на Алика.

— А тебя, шкет, придется учить. Пацаны говорят, не знаешь, как себя положено на новом месте вести. Стой, кому сказал!..

Последнее он выкрикнул, потому что Алик рискнул продолжить движение. Спокойно продолжить.

Вскрик и обратил внимание на происходящее всей школы. Даже те, кто уже был далеко за воротами, остановились. Всеобщее внимание вдохновило Келу на показательный урок.

Питекантроп несолидно вскочил. Опасался, что шкет рванет со всех ног. Лишит его, питекантропа, удовольствия от безмятежной демонстрации собственного превосходства.

Алик не рванул. Остановился и обернулся. Не мог не обернуться, потому что Кела дернул его за плечо. Дернул и отпустил, нарвавшись на сосредоточенный взгляд шкета. Подозрительно сосредоточенный.

— Точно, духовитый шкет, — удивился Кела взгляду. Удивился, но опасности не почуял. Продолжил урок. — Это пройдет. По носу нащелкаю... — Держа левую руку в кармане, он небрежно мотнул правой, рассчитывая щелкнуть Алика по носу.

Алик не моргнул. Просто отвел голову назад. На пару сантиметров. Этого было достаточно, чтобы питекантроп промахнулся.

— Ни хера себе, борзота, — опешил Кела. И достал из кармана левую руку. Но двинул в Алика опять же правой. Большой, взрослой, собранной в кулак. Попытался двинуть по-настоящему.

Отец последние три года учил Алика бить непременно в челюсть.

— В челюсти — сознание, — неожиданно научно повторял он. — Печень, солнечное сплетение — тоже неплохо, но это на кого нарвешься. Есть такие, что держат удар. В челюсть никто не держит. Натаскивайся на нее, и все будет путем. Из любого положения с любой руки.

Алик натаскивался. В основном из всех положений после ухода от удара. Потому что дядя Саша непонятно настаивал:

— Сразу — не надо.

Этот его удар не был «сразу». Кела-то мотнул рукой по-настоящему.

Попасть в его челюсть было легко. Большая она была, выдвинутая, созданная для попадания.

Алик попал. Ушел под медленную громоздкую лапу и врезался кулаком в незатейливое сознание питекантропа. От ноги, со спиной.

Отец был бы им доволен. Дядя Саша, возможно, нет. Именно поэтому он, Алик, пытался пройти мимо Келы и компании незамеченным.

Келу не откинуло назад. Слишком увесистым он был для того, чтобы изменить траекторию движения. Он подался за своим провалившимся в пустоту кулаком и кулем повалился на асфальт. Шмякнулся в него лицом. Боли явно не почувствовал. Потому что к моменту падения был уже без сознания.

Алик внимательно посмотрел на тех, кто остался на скамейке. Сидящие отвели глаза. Полное лицо Курочкина откровенно пошло пятнами. Он не то чтобы испугался. Был в каких-то своих мыслях. Похоже, представлял, что могло произойти с ним на перемене.

Алик постоял еще чуток в некоторой растерянности над нокаутированным Келой. И решил: дружки сами приведут в чувство. Продолжил путь к воротам.

Он старательно не смотрел по сторонам. Но все видел. Видел полную ошалелость окружающих.

Если бы он сказал себе, что она, ошалелость, ему неприятна, он бы солгал. Но не задирать же было ему руку в победном жесте, как после боя на ринге. И он шел. А потом услышал уже знакомый низкий голос остроносой:

— Тихоня, давай знакомиться. Меня зовут Тоней. А его — Фимой. — Соседка пристроилась шагать рядом. По другую руку от нее брел неотрывно косящийся на Алика Гуревич, которого она за руку и держала. — Он, между прочим, неплохой. Просто не такой, как все. И вынужден задаваться. Ты тоже будешь задаваться? Не задавайся, ладно?

Алик кивнул. Имя Тоня доконало его.

На следующий день все было не так, как в первый.

Первое, что было не так, это отсутствие Курочкина. Не то чтобы его совсем не было. Он не был виден. Насколько может быть не виден в ограниченном пространстве рослый упитанный мальчик с малиновыми щеками

Все было не так и в смысле отношения к нему класса, включая почему-то и Нину Александровну. Алик весь день ловил на себе взгляды окружающих.

Уважительные, опасливые взгляды («классная» посматривала с познавательным ехидством).

Он вынужден был задуматься: как бы так держаться, чтобы и в своем мире быть, и другие не думали, что он задается. Пока ни до чего особенного не додумался.

Хорошо, что у него уже были Гуревич и Тоня, с которыми он общался на переменах и переглядывался во время уроков.

То, что Алик выбрал для дружбы Тоню, а она ответила взаимностью — это всем было понятно. Но его уважительное отношение к Гуревичу всех сбило с толку. Тем более что все знали: задавака Гуревич давний, тайный Тонин воздыхатель.

Тем больше было у всех оснований коситься в сторону троицы, так удачно скучковавшейся в одном месте.

Откуда одноклассники могли знать, что вчера они долго гуляли втроем. Что поначалу говорила в основном Тоня. Что помаленьку разговорился и Гуревич, у которого дома, оказывается, залежи журналов. В том числе и «Советской милиции». Что у него и специальные сборники головоломок целую полку занимают. И вообще Гуревич оказался и впрямь славным малым, которому его исключительность навязали другие. И который явно тяготится ею, исключительностью. Алик не формулировал это так заумно, но он почувствовал, что так все и обстоит.

И он почувствовал главное, и впрямь сделавшее его измененную жизнь осмысленной: он нажил друзей. Не первых подвернувшихся. А таких, каких и сам бы не смел себе придумать.

Вчера, гуляя, они добрели до дома Гуревича. Фима позвал в гости, глянуть его коллекцию. Тоня у него уже бывала, а Алик не посмел отказаться.

Пошли.

— Здравствуйте, Тонечка, — елейным голосом встретила гостей на пороге женщина с ярко накрашенными губами и шиньоном на голове.

Увидела Алика, несколько секунд в упор разглядывала его ничуть не елейным взглядом и крикнула в квартиру:

— Лев, иди посмотри. Фима привел мальчика. У нас от него не будет проблем?

Сбоку в проеме одной из распахнутых дверей возник Лев. Сморщенный, вполне старенький мужчина с большим нельвиным носом, но зато с львиной шевелюрой. Мужчина посмотрел на Алика поверх очков с толстенными линзами и безапелляционно выдал:

— Будут.

— Тогда проходите пить чай, — велела Фимина мама, львица.

— В моей комнате, — заявил вдруг Фима. И пошел через гостиную. По пути пояснил: — Алик тоже увлекается головоломками.

— Еще один, — вздохнула хозяйка. — У всех глупости на уме. Кто будет учиться?..

Состояние Алика, оказавшегося в комнате Фимы, в этой пещере Соломона, не описывается единственным словом: потрясение. Он ощутил и ревность. Может быть, даже ее — в первую очередь. Потому что сразу же вспомнил и самого дядю Сашу, и атмосферу счастья, какую на протяжении многих лет испытывал в дяди-Сашиной квартире.

А потом они с Фимой провожали Тоню домой и, возвращаясь, решали устную головоломку. Вот такой, неожиданно густой, вполне счастливый день перепал Алику вчера. Перепал как подарок, как «хлеб-соль» новому жителю не понравившегося ему города.

Но это было вчера...

По окончании уроков они вышли из школы втроем: Тоня, Алик и Гуревич. Уже ничуть не маскируя дружбы.

При всей своей близорукости первым опасность разглядел Фима. Еще с крыльца разглядел. И тихо, испуганно сказал:

— Смотри...

Алик посмотрел. На той самой скамейке сидела компания. Большая компания. Человек семь. Курочкина среди них не было, зато был Кела. Сбоку сидел, с краешку, так, что его здоровенная задница наполовину свисала со скамейки. И еще... Сидел он кротко, как шавка, знающая свое место, знающая, что оно, место, с краю.

Всю скамью занимали взрослые пацаны. Лет четырнадцати-пятнадцати. Не делающие вида, что они бывалые. Бывалые — на самом деле. С папиросами в зубах (это на школьном-то дворе), с наколками. Все они предвкушающе смотрели на троицу. Питекантроп Кела аж цвел от предвкушения.

Алик испугался. Не того, что его побьют, может быть, даже подрежут. Испугался того, что это произойдет у всех на глазах. И самое страшное: на глазах у Тони.

(В том, что ни ее, ни Фиму эти бывалые не тронут, он был почему-то уверен.)

Сколько можно было стоять... И он шагнул с крыльца. Сказав на всякий случай своим:

— Я один. Стойте здесь.

— Не надо... — испуганно схватила его за рукав Тоня.

— Мы с тобой, — глупо изрек и Гуревич.

— Здесь стойте, если что — позову, — велел Алик. Как будто у него был план.

Фима и Тоня остались на крыльце. Поверили в наличие плана. Просто послушались. Как лидера, который знает, что делает.

Алик шел к скамейке. Остановился напротив. И стал смотреть на того, который в центре. С самыми исколотыми кистями рук.

— Пи...дец тебе, — сказал сбоку Кела.

— Где кончать будем? — спросил еще кто-то. Из боковых. И щелкнул выкидным ножом. Прямо на школьном дворе, перед окнами школы, на виду у всех заполнивших школьный двор. Заполнивших, но расступившихся.

Алик молчал. Ему было очень страшно. Но сзади на крыльце стояла Тоня. И еще он помнил давний совет дяди Саши.

«У сволочей ничего не проси. Просьбами их не проймешь. Если что они и уважают, то только достоинство. Хотя оно их и раздражает».

Тот, который с ножом, вальяжно встал. Шагнул к Алику. Обошел его, как экспонат в музее.

Алик изо всех сил старался не обращать на него внимания. Он смотрел на центрального. Понял, что этот тут главный. И еще видел, что главный пялится на него с любопытством. Сощурясь, но не злобно. Вроде как изучает и ждет, что будет дальше.

И тогда Алик сказал этому, наворачивающему круги, который с ножичком:

— Не мельтеши.

— Не понял?.. — изумился тот. И растерянно посмотрел на главного. Вроде как ждал от того растолкования. Не дождался, прошипел Алику: — Да ты че, урод?..

— Шпон, отвали, — сказал вдруг главный. И встал, и, подойдя к Алику, протянул исколотую руку. Представился:

— Серега, кличка Матрос. А ты Алик. Так? Чирков. Твой батя с моим чалится. Тут на зоне. Случайно узнал сегодня. Хорошо, что узнал... Подрезали бы... Неудобно бы было. Ну да ладно... — И сообщил громко, чтобы расслышали все. Не только эти, со скамейки, но и вся школа: — Его батя с моим — на соседних нарах. По четвертой ходке. Все понятно? — И вновь негромко, только Алику: — Твой привет передает. Если хочешь что сказать — говори. Передам.

Так вот почему они с матерью переехали в этот душный город. Чтобы быть ближе...

— Дядя Саша умер, — просто сказал Алик. — Передай.

— Пойдем, помянем, — предложил Матрос.

Алик отрицательно качнул головой. Повернулся к крыльцу, глазами показал друзьям: пошли. И протянул Матросу руку:

— Пока.

Матрос не спорил.

Его компания озабоченно, недоуменно смотрела вслед удаляющейся троице.

Сам Матрос смотрел просто с любопытством.

Глава 13

Все стало проще. Исчезла необходимость выдумывать объяснение для Ольги: по какой причине я ухожу на ночь глядя.

Уже оказавшись на улице, удивился себе: зачем

пытался ее провести? Чтобы не волновалась? А то она, связавшись со мной, не готова в любой момент к волнениям. Она не задумывается над вопросом: верить ли моим регулярным заверениям, что вот теперь (после каждого очередного фортеля) мы заживем спокойно? Разумеется, не верит. Сам я в это верю искренне.

Я шел на хату Валета. На одну из точек в районе парка Шевченко. Точка эта единственная — сохранилась до сих пор. Сохранилась как «малина».

За годы своей карточной карьеры я был у Валета раз пять. Не глянулось мне у него. Ни в какое сравнение не шла его хата с хатой Валеры Рыжего.

Дело было не в самой квартире. Дома-то похожи. Даже комнат и там и там по две. Интерьер и порядки — аналогичные. Завсегдатаи, как из одного инкубатора. Все самобытные, разновозрастные, ничего общего не имеющие со строителями светлого будущего, изображенными на плакатах у входа в парк. Хотя и этим, не плакатным, в жизни пришлось коечто преодолеть, вкусить испытаний и невзгод.

Все на обеих «малинах» было похоже. Но одна, Валета, была заурядной, такой, каких в каждом районе — раза в три больше, чем опорных пунктов милиции, а другая, Рыжего, — единственной в городе. Дело было всего-то в хозяине, в самом Рыжем. В законченном алкоголике, которого блатным можно было назвать с большой натяжкой.

К Рыжему люди приходили не только пересидеть розыск, обсудить с коллегами ситуацию или планы, уколоться или трахнуть озябшую в подворотне жрицу любви. К Рыжему приходили отойти душой.

Кстати... Насчет того, чтобы уколоться или урвать дешевой любви, на хате Рыжего было непросто.

Первое не приветствовалось самим Рыжим. Второе безжалостно пресекала зазноба хозяина, Наташка Бородавка. Она же — Маня, она же — Тетушка. Даже случайный взгляд возлюбленного на приведенную грешницу понимался Бородавкой как похотливый. Вызывал неизменную реакцию. В легком случае, при благодушном настроении, Маня затевала устный скандал. В тяжелом — хваталась за нож. Дважды самого Рыжего после проникающего ранения выхаживали дружки-постояльцы, отнесшиеся к неприятности с пониманием: семья есть семья.

Хата Рыжего была не просто «малиной», она была домом для своих. Чужие, те, кто бывал здесь от случая к случаю, завидовали прижившимся. Порой открыто, что было уникально для мира людей, у которых сентиментальность не в чести.

Вот уже восемь лет, как этот оазис, эта мекка местных пьяниц и жуликов прекратила существование.

Когда Рыжий умер, поперхнувшись котлетой в кафе-«стекляшке» на Белинского, его осиротевшие постояльцы долгое время, как призраки, являлись по ночам в родной до каждого запаха одесский дворик, тыкались в заветную дверь полуподвала. Еще с полгода жильцы соседних квартир просыпались от монотонных двойных ударов в подъезде. Пришельцы подолгу тарабанили условным стуком в незнакомую бронированную дверь.

Очень скоро, уже через месяц после того, как Рыжего не стало, жилплощадь заняло общество с ограниченной ответственностью. Никого из жильцов двора смена хозяина легендарной квартиры не обрадовала. Тогда во дворе тоже жили люди из бывших. Из тех, кто еще не умел радоваться чужому горю.

К тому моменту я уже завязал. Но известие о смерти Рыжего осиротило и меня. И я еще долгое время являлся сюда. Конечно, не стучал в дверь. Всего лишь смотрел на окна и чувствовал в горле ком. Зачем-то мне нужны были эти приходы. Я приходил сюда как к могиле, как к склепу, за железной дверью которого погребено прошлое. Погребен я сам, прежний. Тот, у которого из забот было всего три: добыть фраера, сохранить репутацию у коллег, не промельтешить в глазах друга. Ну и, конечно, влюбить в себя каждую понравившуюся женщину.

За последний год я совершил паломничество сюда всего пару раз. Сказывалось закономерное затухание памяти.

Несколько раз встречал наших. Тех, с кем когда-то делил эту крышу над головой. От них и узнал, где теперь обитают.

Сироты Рыжего, из тех, кто уцелел, помыкались-помыкались, да и перебрались к Валету. Что оставалось делать? Когда отлучают от титьки, приходится приноравливаться к харчам, которые дают.

Рыло, насколько я знал, был теперь у Валета частым гостем. Особенно с тех пор, как остепенился, женился на Лидасике. Его-то я и рассчитывал застать.

Первое, что бросилось в глаза на «малине» Валета, это... Нет. Первое ударило в нос. Удушливый запах человеческой нечисти. Именно человеческой. Животные смердят благороднее. Наверное, потому, что им это можно простить.

Впустили меня по тому же условному стуку. Впустил пожилой дохляк, ничуть не удивившийся незнакомцу. Бросив, как своему:

— Закрой, — он отбыл в глубь логова.

Я щелкнул замком.

Стараясь дышать самой верхушкой легких, шагнул из темного коридора в освещенную комнату, осмотрелся.

Леньки у Валета не было. Было человек семь народу, весьма опустившегося вида. В том числе пара женщин, вызвавших сострадание. Не к ним — к мужчинам, вынужденным довольствоваться партнершами такого возраста и кондиции.

Все здесь осталось как прежде.

Я вспомнил свой первый приход сюда. Валета до этого я не знал. Хозяин выглядел на шестьдесят. А может, на сто шестьдесят. Производил впечатление уже умершего. Умершего и неудачно мумифицированного.

Когда-то я видел фильм о вскрытой усыпальнице фараона. Египетский пахан смотрелся свежее. Может быть, потому, что не претендовал на то, что все еще жив. Этот, впрочем, тоже особых претензий на одушевленность не выказывал. Почти не двигался, только время от времени равнодушно поводил зрачками из глубоких глазниц. Вот зрачки-то... Потом я их вспоминал. Долго не мог забыть. Зрачки оказались ничуть не вылинявшими, пугающе неуместными на изможденном лице. Что больше всего может потрясти на лице усопшего? Конечно, осмысленный взгляд. Если он к тому же недобрый, пронизывающий насквозь...

В то, первое посещение этой хаты я бестактно подумал о хозяине: «Сколько протянет?»

Валет на десять лет пережил Рыжего. Пережил, прикидываясь мумией.

Зрачки Валета за то время, что я не видел его, ничуть не поблекли. И сам Валет не изменился. По-прежнему выглядел на шестьдесят. Или на сто шестьдесят. Восседал в позе лотоса на грязном одеяле. При обтянутых пергаментной кожей костях, глубоких глазницах и этом самом взгляде напоминал уже и йога при исполнении. Сходству мешало засаленное одеяло и окружение, исповедующее более приземленную философию.

На меня, вошедшего, почти не обратили внимания. Только дамы глянули с некоторым любопытством.

Я сразу понял: несмотря на нетленность интерьера и хозяина, несмотря на то, что среди присутствующих обнаружились знакомые физиономии, все не так... Время тронуло и эту усыпальницу.

Эти люди уже мало что могли в этой жизни, в этом городе. Мало что значили. Они знали об этом. И смирились.

Присутствующие заметно делились на две разновидности. На тех, кто окончательно смирился, и на тех, кто еще трепыхается. Еще заглядывает в отсыревшие пороховницы. Вторая разновидность относилась к первой без осуждения. Что осуждать, когда трепыхайся — не трепыхайся...

Разница между ними была в первую очередь возрастная. Духарились те, кто помоложе, лет сорока-пятидесяти. Таких было всего трое. Те, кто постарше (человек семь), опустились вполне. Сидели кто на стульях, кто на полу. Медитировали по двое — по трое над гранеными стаканами. Молодняк, эти самые засорокалетние, держались живее. Перемещались по квартире. Разливали дешевую водку. Роль обслуги их не задевала. Во-первых, они не обслуживали, а ухаживали за старшими, во-вторых, кому, как не им, не сдавшимся, заниматься этим. И, в-третьих, того и гляди самим придется затихнуть над стаканами. Думать об этом страшно. Гнать лучше такие мысли... Гнать и доказывать не только кому-то — себе: до этого далеко.

Двое стариков шлепали по клеенке на столе грязными картами. Еще один рядом вяло елозил алюминиевой ложкой в сковородке с коричневыми макаронами.

Дамы косились на меня с пола. С постеленного у стены матраца, на котором они до этого, по-видимому, секретничали под водочку.

Задержавшись в дверях, оценив обстановку, я пробрался к Валету. Тот отслеживал мое приближение равнодушными глазницами. Расшаркиваться в приветствиях не было смысла. Здесь и дружков, откинувшихся с зоны, встречали сдержанно — стаканом водки, предложением женщины, вопросом:

— Как там?

На то, что хозяин узнает меня, я не рассчитывал. Потому и спросил без обиняков:

— Рыло был?

Валет не ответил.

Но он узнал меня. Зрачки его вдруг пальнули... Не злобой — они постоянно светились ею — презрением.

На мгновение взгляд смутил меня. С чего это он?.. Но я тут же спохватился. Начхать хотел на эмоции, одолевающие этот живой труп. Уточнил жестко:

— Рыло заходит?

Валет молчал.

За спиной послышался булькающий звук, не вызывавший двоякого толкования. Кого-то стошнило.

Я не обернулся. Услышал, как хриплый голос деловито сообщил:

— Шайка на коридоре.

И все. Ни суеты, ни возгласа раздражения. Только звякнул о пол таз. И где-то сбоку один собутыльник сочувствующе заметил другому:

— Горелому не пошло.

Я все-таки оглянулся. Чтобы удостовериться, что Горелый — тот, которого я знал. Удостоверился. Удивился тому, что шрамы от ожогов на лице давнего знакомого, в этот момент нависшего над тазом, не так бросаются в глаза. Годы, что ли, их отшлифовали? Хоть кому-то время пошло на пользу.

Мужик за столом продолжал как ни в чем не бывало уминать макароны. По беспечно-унылой физиономии едока можно было предположить: распоряжение насчет шайки отдал он.

Вид жующего доконал меня. Я поспешил отвернуться.

Зловоние сгустилось. Захотелось рвануть на улицу, принять оздоровительный глоток пыльной атмосферы Французского бульвара.

Я сдержался. И в смысле желания выйти, и в смысле желания нагрубить хозяину за издевательскую медлительность. Спросил еще раз, расширенно:

— Где могу найти Рыло? Или Безвредного?

Хозяин перевел взгляд мимо меня. Кому-то поведал:

— Это он.

Я понял: это он обо мне. Оглянулся еще раз.

Решил, что Валет обращается к дохлой парочке картежников за столом. Но на реплику хозяина отреагировал любитель итальянской кухни. Отреагировал кивком.

Сообщение Валета и реакция обжоры мне не понравились. И в том, и в другом было опять же презрение.

— Будешь говорить? — жестче, но еще вежливо уточнил я.

Валет насмешливо изрек:

— Сам пришел.

Я психанул.

— У тебя не только с нюхом, но и со слухом проблемы. Не хочешь говорить — не надо. Так и скажи. По-людски. А то... делаешься поцем...

— Хомяка он заслал, — огласил Валет.

Все очень оживились. Зазвучали реплики:

— Этот?

— Тю, я его вспомнил. Рыжий пригрел.

— А-а... Точно. Катала.

— Ссучился, хлопец.

— Бывает. У нас на «крытой» один на пятый год крысятником стал.

— Время поганое...

— При чем время?.. Если человек гнилой.

— Пацана подставил...

— На то и катала. Других подставлять.

— Ну-да... Если бы не Валет, порвали бы Хомяка.

— Ну его к черту. Безвредному на один зуб...

Я растерянно слушал эту белиберду. Обернулся к аудитории. Цыкнул:

— Ша. Совсем из ума выжили. Что лопочете? Какой Хомяк? — Я посмотрел на Горелого, уже отодвинувшего шайку. Когда-то я относился к нему с брезгливостью из-за его профессии карманника. Сейчас получалось, что роднее Горелого в этом гадюшнике у меня никого нет. Ответ, если бы и получил — только от него.

Но не получил. Услышал просьбу одной из барышень:

— Если будем опускать, я — первая.

Все притихли. Оставлять прозвучавшее без ответа я не имел права. То, что Рыла мне не видать, мог бы понять с самого начала. Теперь нужно было хотя бы сохранить лицо.

Я не спеша сделал несколько шагов к матрацу. Остановился напротив дамочки. Барышня нахально скалилась мне беззубым ртом. Стакан с водкой держала в руке. Я строго понаблюдал ее секунд пять и галантно носком туфли выбил стакан из руки. Граненое стекло со звоном брызнуло от стены. Водка разлилась еще в полете.

Женщина не вскрикнула, не взвилась от возмущения и боли. Сжалась и сникла. Привыкла сникать, нарываясь на силу.

Но тишина в хате стала зловещей. Слышно было даже урчание в чьем-то животе.

Публика пребывала в состоянии потрясения.

Дело было не в барышне, не в стакане. В водке. К ней здесь относились как к святыне.

Первыми оправились молодые. Ни одного из них я не знал по прежней жизни. Да и вряд ли это сейчас помогло бы. До этого они из разных углов комнаты равнодушно прислушивались и наблюдали.

Из разных углов и двинулись ко мне. Не равнодушно, но и не спеша.

— Пи...ец вам, ребята, — очень спокойно сказал я. — Цацкаться не буду.

Ребята продолжили движение. Ни тон, ни текст их не тронули.

Чувствовал я себя противно. По многим причинам. Но в первую очередь потому, что шансов уцелеть у меня не было.

Выручил меня Валет.

— Ша, — остановил он молодежь. И заговорил со мной: — Сам пришел — это хорошо. Ссыкуна зачем подставил? Если бы замочили пацана? И нам, и ему горе. Один ты — в плюсах.

— Какой пацан, можешь сказать толком? — озлобился я.

Валет несколько секунд пялился на меня. Я подумал: объяснит. Не объяснил. Доверительно сообщил:

— По-хорошему — бить надо тебя. — Он перевел глазницы на бандитов. Дал толкование заступничеству: — Хату он засветил. Порвем, что дальше? Доживем уже здесь...

И опять мне. Проникновенно:

— Не ходи сюда. Не ищи горя. И на другие хаты не ходи. Всем передадим. Встретят плохо.

— Передай тогда и Безвредному: если не одумается, ему — пи...ец, — сказал я. И под невероятную тишину в квартире вышел в ночь.

Глава 14

Мне отказали от дома. В прошлые времена этот факт стал бы пятном позора. Сейчас ничего, кроме ехидного смешка, вызвать не должен был бы. Но вызвал. Не недоумение, не сожаление, не тоску... Полноценную обиду. Словно мне запретили приходить на могилу близкого человека. Уличив в предательстве, которого на самом деле я не совершал.

С этим я засыпал. Пытался заснуть. Бессоннице

в первую очередь способствовали мысли об Асхановой.

В дерьмо я влез по самые уши. Асханову затащил еще глубже. Где она? Как с ней обращается этот придурок? Что ее ждет?

На что горазд Безвредный, я не знаю. Вряд ли заурядный трах доставит похищенной особые потрясения. Хотя мне от ее восприятия насилия не намного легче. Насилие — оно насилие и есть. Безвредный может оказаться садюгой. Моя уверенность, что на мокруху он не пойдет, весьма жиденькая. А если, не дай бог...

Рано или поздно редакция газеты или муж подадут в розыск. Милиция сразу возьмется за меня. В свете показаний Краба и вахтерши санатория «отмазаться» мне не удастся. Но дело не только в этом. Дело в том, что... Как с этим жить дальше?

Какой тут, к черту, сон...

Вариантов выбраться из дерьма у меня было не густо: один. Вернуть Асханову. Невредимой и предпочтительно до того, как начнется розыск.

Вариант гнилой. Вся надежда на Рыло. Он один может помочь добраться до Безвредного. Если захочет помочь. Но чего ему не хотеть? За вчерашний день он единственный не отверг общения со мной. Вопрос: почему? Если все эти усопшие или усыпающие подурели, почему Рыло держится? Он среди них не самый проницательный. В любом случае нужен мне он. Мне бы сейчас не бессонницей мучиться, а ставить на него силки.

Но с некоторых пор искать Рыло в полночь бессмысленно. С тех самых пор, как он женился. В темное время Лидасик держит супруга при себе. Опасается, что милый попадет под дурное влияние улицы или хулиганы обидят.

Я вернулся мысленно в хату Валета. Бойкот — не на пустом месте. Меня отвергли после того, как некто юный, по кличке Хомяк, якобы от моего имени копал под наших. В открытую копал, с посещением точек. Интересно, специально хотел подставить или всего лишь искал материал? Скорее второе. Подставил — заодно. По недалекости. Сволота. Каково мне теперь? Будучи отлученным от дома.

Горелый, и тот слова не замолвил. А когда-то в глаза заглядывал. Простое «здоров» — как комплимент принимал. А тут, когда меня поносили, знай себе блевал и в ус не дул.

Дожился. Поддержкой Горелого дорожу.

Когда мне было двадцать пять, ему стукнуло пятьдесят.

В перерывах между выходами на маршрут он пропадал у Рыжего. При мне, под мои брезгливые взгляды, они с компашкой обсуждали производственные проблемы. Кто кого страхует, когда меняются, все такое.

К карманникам я относился презрительно с тех пор, как стал свидетелем истерики женщины с ребенком, у которой вытащили последнее. Презрение — это все, что мог себе позволить. В условиях устава хаты Рыжего. Сам Рыжий моего отношения не одобрил. Да и я время от времени думал так: «Мне то хорошо, женщины с грудными детьми на руках в карты на последнее не играют». Но марочку держал. Смотрел на карманников искоса, неприязненно.

Пренебрежение способствовало их уважению ко мне. Особенно усердствовал с уважительными взглядами Горелый. Его очень ценили коллеги. Стремились попасть с ним в связку. Ссорились иногда за это право.

Изуродованное лицо было хорошим прикрытием. Если в работе случался сбой и пассажир уже запасался дыханием, чтобы поднять кипеж, Горелый его опережал. Принимался орать: дескать он, фронтовик, горел в танке, почти весь сгорел, а теперь вынужден стоять в этом вонючем трамвае, рядом с вонючими... Пассажиру становилось совестно. И за свою подозрительность, и за окружающие запахи.

Горелый на самом деле горел. Но не в танке, а в аппаратной послевоенного кинотеатра, в которую он, еще будучи пацаном, полез с целью похищения пленок. Отчего-то пленки загорелись. Пацана спасли, но обширные стягивающие шрамы остались на всю жизнь. Иногда казалось, что Горелый доволен судьбой. Считает, что ему подфартило в жизни.

Историю Горелого рассказал мне Рыжий. Очень его веселила танкистская легенда.

Почему-то тот факт, что и Горелый отвернулся от меня, задел больше всего. Чего ему было не отвернуться? Помнит, небось, мое давнее презрение. Да и задело скорее другое. То, что самому понадобилось его доброе отношение. И впрямь... дожился...

Подставивший меня Хомяк, конечно, собирает материал для «бандитской» темы. Не знаю, для кого. Для Саши, для Москвы... Московский снабженец предупреждал: возьмут другого. Взяли. И прикрываются моим именем. Зачем?.. Может, чтобы легче копать было, а может, и еще какую цель присмотрели. Представляю, что напишут. С каким отношением, в каких тонах. И под моей «крышей»...

Но что я могу сделать? Как помешать? Никак. Разве что написать самому... Вот так. Просто. И некуда деваться.

Только сначала нужно найти Асханову...

Глава 15

Утром первым делом я отправился не на поиски Рыла, а в гостиницу.

То, что Безвредный повез похищенную выписываться — не лезло ни в какие ворота. Ради чего он рискнул так подставиться? Недооценивать бандита теперь я не имею права. Одного раза достаточно с головой. В реестре неписаных правил профессиональных аферистов есть и такое: и переоценивать, и недооценивать клиента — плохо. Но лучше переоценить, чем недооценить.

В гостинице постояльцев обслуживала другая смена персонала. Те, кто мог наблюдать выписку Асхановой, сменились рано утром.

Все, что я смог выяснить: москвичка съехала вчера в шесть часов вечера. Выходило, что Безвредный из сауны прямиком повез ее на выписку. Еще одно я узнал: паспорта у приезжих не отбирают. Версия о том, что похититель намерен вывести жертву из города и, возможно, самолетом, не подтвердилась.

Оставалось единственное объяснение.

Ход с выпиской нужен был бандиту для того, чтобы журналистку как можно дольше не хватились. Значит, он вычислил, что в милицию я не подамся. Со своей стороны, сделал все, чтобы выиграть время. Вот тебе и отсутствие мозгов. Еще и меня, гад, просчитывает. Может, спутать ему планы, пойти к ментам?..

С этим скорее капризным, чем толковым размышлением я выходил сквозь услужливо распахнутые двери гостиницы. И, выходя, увидел знакомую физиономию.

Швейцар оказался вчерашним.

— Когда вы, бедные, отдыхаете? — посочувствовал я, вручая ему доллар.

Вместе с долларом старик готов был принять любые сочувствия. Ловко, как фокусник, смял купюру в кулаке. С готовностью откликнулся:

— Не говорите. Куда деваться... Сменщик попросил до обеда за него...

— У вас одни знаменитости. Небось, каждый с форсом?

— К знаменитостям привыкши.

— Кстати... Помните, вчера я был с женщиной?

— С Дарьей-то? Как не помнить? Женщина известная. — Интонации у дедка были почему-то старомодно российские. Угодничать при таких сподручнее. — Съехала вчера.

Мне послышалось, он произнес: «вчерась».

— С ней был мужчина, — напомнил я.

— Без мужчины такой женщине — нельзя, — проявил понимание дед.

— Обратили внимание, как он выглядел?

Швейцар поспешно мотнул головой:

— Рази всех упомнишь...

Я попробовал напомнить:

— Молодой такой мужчина. Блондин с голубыми глазами и волосами до плеч. Может быть, он даже в номер с Дарьей не поднимался. Подождал ее здесь, в холле.

Швейцар озадаченно уставился на меня. Но и возражать не стал. Не клюнул на провокацию. Профессиональные привычки взяли верх. Дед не раскололся.

Со швейцарами я научился договариваться еще в прежней, карточной жизни. Пятидолларовая купюра сгинула в старческом кулаке так же чудотворно.

Привратник словно включился от брошенного жетона:

— Не, — сказал он. — Этот был стриженый и модный.

— Модный? — я растерялся.

— Ну да. Небритый. Сейчас у них мода — не бриться. Ходют заросшие, сердитые. И внизу он ее не ждал. Как зашли рядышком, под руку, так и поднялись наверх. И спустились под ручку.

— Даша вам ничего не сказала?

— Мне?.. — Вахтер даже испугался такого допущения.

— Может, администратору? Сказала или хотела сказать. Вы человек опытный, по взгляду не заметили?

— Что замечать... На меня и не смотрела. Зачем ей смотреть? При таком кавалере.

— Может, ему что сказала? Или он ей? Не слышали?

— Не слышал. Да они и не разговаривали. Точно.

— Мужчина, значит, видный?

— Видный. Как вы. Только сердитей.

— Если увидите его еще раз, узнаете?

— Я? — Вахтер озадачился. — Тут все видные. Вы — опять же...

Я полез за долларами.

— Не-е, — сделав усилие над собой, пресек мое движение старик. — Не узнаю. При моей работе какая память. Вот и вас завтра могу не узнать. Не серчайте...

— Как раз меня можете запомнить, — сказал я.

— Не-е, — еще раз проблеял дедок, явно предупреждая. — Не запомню. Стар уже...

Я усмехнулся и пошел прочь. И этот старик отказался быть моим свидетелем...

Глава 16

Рыло я нашел у «стекляшки». У столовой, в которой Рыжий когда-то поперхнулся злосчастной котлетой.

Сколько я знал Рыло, точка эта была исходной во всех его ежедневных перемещениях. Те, кто желал его повидать, могли быть уверены: у «стекляшки» он отметится. Если, конечно, неспокойные бандитские дела не уведут Ленчика из города. Или если пунктуальности не помешают менты.

Как случилось, что уважаемый в городе бандит привязался к этому достойному бомжей месту, сказать сложно. Так же сложно, как понять, что ежедневно приводит Наума, крестного отца одесских катал, в парк у вокзала. Или что влечет на пляж десятой станции Фонтана игроков, привыкших к апартаментам интуристовских гостиниц. Хотя, что тут сложного? Влечет то же самое, что и меня к дверям бывшей хаты Рыжего...

Рыло облюбовал эту точку в то время, когда государство лишило его крыши над головой. Казенной крыши лишило в связи с окончанием срока заключения, а потолок собственной Ленькиной квартиры был отнят у него потому, что... Кто знает, почему? Государство всегда считало ниже своего достоинства отвечать на подобные провокационные вопросы. Как и на такой, например: где ставшему на путь исправления гражданину приклонить голову на ночь после трудового дня.

Государству виднее. Оно время от времени проводит переписи населения и точно знает, сколько в стране одиноких пожилых женщин.

Все было рассчитано точно. В бомжах Ленчик

пробыл недолго. Месяца три кантовался у Рыжего. Потом месяц числился работником порта и жил в расположенном в этом же квартале портовом общежитии. (Если бы в родном Леньке районе оказалось общежитие театра балета, он попал бы в труппу.)

Когда Лене надоело мыкаться по чужим углам, он взял да и воспылал сэкономленной за пять лет строгого режима страстью к Лидасику.

Увидев впервые Лидасика, я растерялся. Впал в недоумение. Как смогла она, интеллигентная женщина, учительница, вступить в законный брак с бандитом? Как мог он, известный всему городу сорокапятилетний бандит, вступить в брак с шестидесятилетней женщиной?

Но все было честно. Обе стороны заполучили то, к чему многие идут всю жизнь. Причем некоторые так и не доходят.

Ленька, кроме устойчивого материального положения, приобрел имидж добропорядочного гражданина, очень полезный при оформлении очередного протокола.

Лидасик разжилась мужем. Дождалась, так сказать, рыцаря. Прозвище «Рыло» звучит, конечно, не так благородно, как, скажем, «Львиное сердце», но тоже довольно известно.

С Ленькиной избранницей я познакомился у Рыжего. Рыло тогда устроил смотрины. Представил будущую жену своему кругу. И показал суженой место, где он имеет обыкновение проводить время. Атмосфера мальчишника должна была успокоить благоверную, унять то и дело вспыхивающую ревность.

Рыжий наскоро организовал на «малине» субботник. Кое-кого выставил за дверь. Как Пигмея замаскируешь под интеллектуала, когда он в наколках, как в загаре, и в речи его, кроме мата и жаргона, только предлоги? Выставленные даже не подумали обижаться. Дело такое: у кореша судьба на карте. Можно потерпеть.

Лидасик окружением возлюбленного осталась довольна. Ожидала худшего. Убогость обстановки объяснила для себя тем, что хозяин Валерий Ильич всецело поглощен духовными проблемами. Прочие присутствующие показались ей людьми тактичными, умеющими вежливо слушать.

Будешь тут слушать, когда от недоумения язык отнялся.

Лидасик, о которой все уже были наслышаны, оказалась сухонькой старушкой, ехидной, со слегка косящим правым глазом. Этот ее дефект очень мешал тогда переглядываться нам, ошалевшим. Нельзя было знать точно, куда направлен подозрительный взгляд гостьи.

У меня тогда возникла дополнительная проблема в общении с уважаемой учительницей. Воображение взялось упорно рисовать бесстыдную картинку.

Похабник Рыло за несколько дней до этого выпросил у Рыжего завалявшийся на «малине» порножурнал. Просьбу пояснил так:

— На полке его пристрою. Лидасика к себе — спиной, и буду смотреть. Хоть какое-то подспорье...

— Что, никак? — посочувствовал тогда Рыжий язвительно.

— Посмотрел бы на тебя... — обиделся на насмешку Рыло. — Там пять волосинок.

В тот же день, позже, я поймал Леньку на лжи.

Вновь сетуя на интимную повинность, сердцеед обмолвился уже о трех волосинках.

И вот при встрече, глядя на Лидасика, я видел эти... То три, то пять.

С тех пор прошло лет десять. Лидасику нынче под семьдесят. Ленька выглядит на те же сорок пять. Как он? Небось, всю квартиру обклеил наглядными пособиями.

Мизансцена, которую я застал у «стекляшки», за последнее десятилетие не изменилась.

Рыло стоял, опершись задом о металлические перила, ограждающие тротуар от дороги. Несколько безвозрастных алкашей, обступив вожака Леньку, заторможенно жестикулировали. Вожак равнодушно слушал.

Не доходя до сборища, я поймал Ленькин взгляд. Кивнул: подойди.

На этот раз руку я ему подал. Ленчик протянул свою без спешки. Так, словно я не посылал его при последних встречах.

— Нужен Безвредный, — сообщил я строго.

Рыло не удивился.

— При встрече передам.

— Нужен срочно. Когда передашь?

— Я знаю?.. Как получится.

— Чем раньше, тем лучше.

Рыло кивнул.

— Лучше для него, — уточнил я. И после паузы спросил: — Чем он сейчас промышляет?

Бандит удивился. Вопрос был бестактным.

— Зачем он тебе? Наехал на кого?

— Наехал, — передразнил я. — Передай ему, выродку, чтобы москвичку отпустил сегодня. Днем прилетает ее муж. Поднимет кипеж. И еще... если он тронул ее хоть пальцем...

— Кого? — спросил Рыло.

— Москвичку. — Я злобно отвернулся. Потом сделал вид, что... так и быть объясню: — Знаменитую журналистку. Асханову.

Леня явно не понимал, о чем я.

— Какую журналистку?

— Знаменитую. Этот ублюдок ее выдернул. Вырубил меня. Волыной по черепу. Когда очухался — ни его, ни москвички. Люди передали: увез.

Мало-помалу Ленькин внутричерепной механизм сдвинулся с мертвой точки.

— Когда это было?

— Вчера вечером. В сауне.

Рыло смотрел на меня непонимающе.

— Баба была со мной, — сказал я.

— А-а, — понял Леньчик. — И что?

— Ты еще не опохмелился? — догадался я.

Рыло не обиделся.

— Передам, — просто сказал он после паузы.

— Если не отпустит москвичку, кипеж начнется такой, что мало не покажется. Всех перетрясут. Я его крыть не буду.

Глазные щелки на лице Рыла сузились. Взгляд стал чужим. Пристальным и жестким.

Я разозлился:

— Что щуришься? Он, сволота, меня подставляет, волыной по балде, как молотком по ореху, а я буду цацкаться?..

— Тот щенок таки от тебя был, — усмехнулся вдруг бандит.

— Какой? — Я понял, о чем он. О ком.

— Который к Валету приходил. Вынюхивал.

— Да пошли вы... — скривился я.

— Я тебя отмазывал, — вновь усмехнулся он. — Перед нашими.

Я на мгновение задумался. Решил все же сказать. Сказал:

— Не от меня.

Рыло кивнул.

Я понял: он мне не верит. Уже не верит.

— Безвредному передам, — сказал он сухо. — Если он захочет слушать.

Глава 17

Наума, крестного отца одесских игроков, я нашел в парке.

Гуляющая публика принимала Крестного за старичка, которого дети или внуки (а то и правнуки) отправили в парк подышать воздухом.

Крестный никогда не корчил из себя супермена. Но ошибиться на его счет можно было только издали. Несмотря на тихий, вкрадчивый голос, неброскую манеру одеваться, стариковскую доброжелательность, от Наума веяло властностью, способностью на поступок. Только совсем невнимательный лох мог впасть в заблуждение. Принять его за пенсионера, которому не обязательно уступать место в транспорте.

Наум не изменил сложившейся десятилетиями привычке ежедневно приходить в парк. Раньше эта известная в городе игровая точка была для него офисом под открытым небом. Совершив обход играющих, Крестный располагался на скамеечке. Совмещал нужное с желанным. Общался с природой и принимал посетителей.

Точка уже несколько лет пребывала в запустении. Столики и скамейки покосились, краска на них облупилась. Когда-никогда здесь могла приютиться стайка пенсионеров шахматистов.

Но Наум неизменно являлся в парк. Обойдя пустые столы, усаживался на скамейку, дышал воздухом. Обязательно приносил еду и пустые стаканы. Еда предназначалась местным собакам, стаканы — местным карманникам, которые между выходами на маршруты устраивали здесь перекур. И те и другие к Науму относились преданно, с теплом. Собаки виляли хвостами и готовы были порвать любого, на кого кормилец посмотрит плохо. Карманники обращались неизменно на «вы» и не позволяли себе материться, если он мог услышать.

Я иногда заглядывал сюда в перерывах между работой.

Наум виду не подавал, но и не скрывал: ему по душе мои визиты. Когда-то я числился в его любимчиках, но из карт ушел с его благословением.

«Записки шулера» ему вручил лично. Один из первых экземпляров. Рассчитывал на выговор, но при следующей встрече Крестный кратко одобрил:

— Правильно написал. Главное — люди.

И пожурил:

— Только не всех вспомнил.

— Места не хватило, — оправдался я.

В этот раз я, усевшись рядом с Наумом, терпеливо выслушал стариковские сетования на дороговизну и возрастные болезни.

Потом спросил, просто, без подъездов:

— Безвредного знаешь?

— Кто его не знает, — просто ответил и Крестный.

— Где бывает?

— Ищешь?

— Ищу.

— Для книжки надо? — спросил Наум.

— Нет. — Я помолчал. — «Бок» запорол.

— Он или ты?

— Он.

Крестный кивнул. Манера у него была такая — кивать, даже если не верил или был не согласен.

— Его «бок», его и проблемы, — резонно заметил Наум.

— «Бок»-то — его, а проблемы — мои. Подставил меня, гаденыш.

— Бывает, — понимающе прокомментировал он. И замолчал.

Проблема, с которой я пришел, в том виде, в каком ее подал, удивить не могла. Опыт Крестного больше частью состоял из ситуаций, в которых кто-то кого-то подставлял.

Если я рассчитывал на помощь, должен был объяснить подробнее.

— Комбинацию затеял. Надо было «развести» одну...

— «Кинуть?» — равнодушно уточнил Наум. Равнодушие было ложным. Если я «развязал», взялся вновь «разводить», то с меня и спрос другой. И в смысле работы, и в смысле доли.

— Не на бабки. Журналистку надо было «развести».

— Безвредного взял в партнеры? — удивился Наум.

— Кто знал, что он...

— Спросил бы заранее.

Я виновато промолчал.

— Да, — кротко вздохнул Крестный. — Зачем вам теперь советы. Все сами...

Я хотел сказать, что дело выеденного яйца не стоило, что приставать по таким пустякам к нему, Крестному, смешно и стыдно. Не сказал. Понял: вздыхает он по другому поводу. Крестники стали его забывать.

— С Безвредным партнировать нельзя, — дал запоздалый совет Наум. — Сам по себе он. Без планки.

— Понял уже.

— Хорошо подставил?

Я усмехнулся.

— Лучше некуда. Меня вырубил, журналистку увез... А она знаменитая. Из Москвы звонили. Муж приедет, к ментам пойдет. Такая постановочка начнется...

Наум смотрел себе под ноги, но не равнодушно, как обычно. Недоуменно.

— Странно, — сказал он.

Я подождал, не поступят ли разъяснения. Поступило сообщение:

— Где он сейчас бывает, не знаю. Насчет твоей знаменитости выясню. Зайди на днях.

«Хорошенькое дельце, — подумал я кисло. — Тут каждая минута, как со скипидаровой клизмой».

Но требовать спешности от Крестного было верхом неприличия. Даже в моей ситуации. Он и сам понимал необходимость спешки.

— По точкам похожу, — сказал я. — По тем, что уцелели. Может, кто знает.

— Не надо, — сказал Наум. И после паузы добавил: — Не ходи. Сам узнаю.

Я догадался. Спросил:

— Кто-то приходил от меня?

Он не ответил. Посмотрел на меня чуть дольше, чем обычно. Тогда заговорил я:

— Молодой парень? Сказал, что от меня, спрашивал за старые дела? Кое-что знал? Так?

Наум пожал плечами: может, и так.

— Он не от меня, — сказал я.

Наум кивнул. То ли моим словам, то ли своим мыслям.

Я уже пожал ему руку, прощаясь, уже повернулся, чтобы уйти, когда Наум сказал:

— И сюда приходил. Спрашивал...

Я напрягся.

— Как выглядел?

— Молодой, толстый, мордатый. Щеки, как у суслика. — Крестный подождал, не вспомню ли лжегонца.

Я попытался вспомнить. Не смог. Не было у меня такого знакомого. Посвященного в месторасположение «офиса» Крестного и бывших «малин».

— Всем говорит, мол, ты не приходишь сам потому, что завязал. Мол, не знаешь: вдруг люди тебя не примут...

— Сучонок, — вырвалось у меня.

Наум согласно кивнул.

— И мне так сказал. Не знает, что заходишь...

— Что спрашивал?

— Лоховские вопросы. Тоже книжку, видать, пишет. За бандитов интересовался. Но кое-что знает...

— Все думают, что он — от меня. Вчера у Валета чуть не порвали.

— Оно тебе надо? — спросил Наум. — Ходить к Валету?

— Надо. Безвредного искать надо.

— О Безвредном узнаю.

Я вновь пожал протянутую старческую ладонь.

— Не нервничай, — сказал Крестный на прощанье. — Он не от тебя. Я знаю.

«Слава богу, хоть так», — подумал я.

Задолго до того

Пятнадцать лет — еще не тот возраст, в котором подвергаются сомнению понятия детства. В пятнадцать все еще крепка уверенность, что первой любви положено длиться до гроба, что предательство самый страшный грех, что унижаться, угодничать негоже ни за какие блага. И само собой, что деньги — фигня, за которую можно купить леденцы или мяч, сходить в кино или, банкуя в очко, испытать фарт по-крупному, поставив на кон рупь. Что за них не купишь ни эту самую единственную любовь, ни дружбу, ни тем более жизнь. В том смысле, что ими, деньгами, нельзя оценить ничью, пусть даже самую чужую тебе жизнь.

В пятнадцать — первородные понятия еще держатся. Как молочные зубы. Не то что в восемнадцать, а тем более в девятнадцать, когда челюсти наливаются остротой и жесткостью — рви, кого хошь.

Девятнадцатилетний Матрос давно сменил молочные понятия о жизни на те, которые расшатать значительно сложнее и которые можно только выбить. Без надежды, впрочем, на то, что на их месте вырастет нечто более потребное.

План у него был взрослый. И он делился им с пятнадцатилетним Аликом, перехватив того поздно вечером во дворе между «хрущевками».

Алик слушал. Уже успел выслушать главное. Общую идею плана.

Идея была такая: грабануть инкассаторов, забирающих выручку в магазине женской одежды. Не просто грабануть. Застрелить их. Обоих. Впрочем, при всей простоте у идеи были нюансы.

По информации, имеющейся у Матроса, инкассаторы забирали деньги из магазина пять раз в неделю. В среду и в воскресенье инкассация не проводилась. В воскресенье — потому, что в магазине выходной и забирать было нечего. В среду — потому, что... А хрен его знает, почему. Может, сами инкассаторы не желали одним выходным довольствоваться. А может, у них, у инкассаторов, в этот день какой-то свой переучет проводился. Как бы там ни было, в четверг они забирали выручку за два дня. Почему-то именно этот факт вдохновлял Матроса на убийства. Словно он прицениился и пришел к выводу, что жизнь двух людей дороже однодневной выручки магазина верхней одежды, но, бесспорно, дешевле выручки двухдневной.

Итак, в четверг инкассаторы забирают из магазина двойную выручку. Один сидит в машине, другой с сумкой выходит из магазина...

— Что я, фраер, их у магазина мочить, — подчеркнул в этом месте рассказа Матрос продуманность плана. Хмыкнул: — В центре города, палить... Менты через пять секунд повяжут. Я-то уже по «взросляку». Вышка обеспечена. Нема дурных. Мы их за городом хлопнем...

От этого «мы» Алик вздрогнул. В душе. Но промолчал. Слушал.

Дальше в плане значился выход Алика. Не совсем выход, потому что по плану Алик должен был лежать. На дороге. На пустынном отрезке шоссе, там, где с одной стороны дороги — плавни, с другой —

лесопосадка и завод (такой километровый отрезок между районами города имел место), Алик окажется на пути инкассаторской «Волги». Вместе с валяющимся велосипедом и лужей крови.

Матрос был в курсе, что инкассаторам не положено останавливаться. Но он был уверен в действенности задумки.

— Не проедут же они мимо... Как это проедут... ребенок же... (Значит, помнил, волчонок, как это: жить по-людски.)

В тот момент, когда «Волга» остановится, он, Матрос, начнет инкассаторов мочить. Из уже припасенного «ТТ».

Дальше Алик умывается (бутылка с водой тоже будет припасена — и это продумано!) и с деньгами, завернутыми в газету в авоське, катит на велосипеде в одну сторону.

Матрос, тоже на велике — в другую. Пистолет, отъехав метров двести, он забросит в плавни и запомнит место, куда бросил (зачем? — об этом потом).

Вот такую простенькую и беспроигрышную, как ему, Матросу, казалось, идею излагал он Алику. (Тогда фильм «Весь мир в кармане» с подобным сюжетом еще не вышел на экраны.) Излагал не для того, чтобы Алик, любитель головоломок, смог праздно оценить красоту и изящество замысла. Благородно предлагал за участие — треть дохода.

— Все твои дела — развалиться на дороге рядом с великом. Репу и балду, конечно, томатным соком я тебе оболью. Ничего, за такие бабки потерпеть можно. В сетку еще бутылку с кефиром сунем и хлеб. Для отвода глаз. Да и кто тебя, пацана, остановит?

— Сам придумал? — спросил Алик хмуро.

— Нет, — спокойно признался Матрос. — Батя

это дело замышлял. Еще до того, как взяли. Я тогда случайно услышал, как он с корешами план разрабатывал. Это еще три года назад было. Они тогда хотели меня на дороге подложить. Не успели. Их за прошлые дела взяли.

— Насчет среды... Это же три года назад такой распорядок был. Может, выходной поменяли. Или отменили.

— Не отменили. Я проверял. И шубы за десять «штук» до сих пор висят.

Алик надолго затих. Что он мог сказать? Сознаться наконец, что они с Матросом из разных миров? Все эти годы ему было как-то неудобно разочаровывать Матроса. Тем более что и виделись они не часто и дел у них общих не было. Все их случайные общения состояли из двух-трех фраз. Матрос спрашивал:

— Что бате передать?

— Все путем, — отзывался Алик.

Иногда еще Матрос одобрял:

— В школе власть держишь. Молоток. Будут проблемы, дашь знать.

У Матроса была своя шайка. Он пару раз звал Алика в компанию. Потом перестал звать. Решил, что Алик — волк-одиночка. Это Матросу было понятно. Вызывало уважение.

Все эти годы Матрос считал, что он и Алик — из одного мира. Больше того, считал, что они связаны не только понятиями одного мира, но и одной бедой. Потому и пришел сейчас как к своему с идеей.

Алик молчал. Сознаться-то было несложно. Тем более что до того, как Матрос перехватил его, он пребывал в таком настроении... Он шел к друзьям. К Фиме и Тоне. Сегодня они договорились встретиться у

Фимы. Тоня обещала вновь принести самиздатную «Мастер и Маргарита», которую ее мать еще раз выпросила у подруги до утра. Они собирались за ночь дочитать роман.

А тут вот Матрос. С такой идеей. Алик еще и потому молчал, что просчитал, какие следующие ходы сделает Матрос в случае его, Алика, откровенного отказа. Не то чтобы решил: дай-ка просчитаю. Опыт решения головоломок сработал.

За себя Алик не опасался. Матрос считает его слишком своим, чтобы беспокоиться о том, что Алик его сдаст.

Конечно же, он найдет другого подельника. И, конечно же, доведет задумку до исполнения. До расстрела людей.

Как он, Алик, мог помешать этому? Никак. Заложить Матроса — значило предать. А в пятнадцать лет предательство, как известно, самый страшный из всех смертных грехов. Больше того, если сейчас он, Алик, сознается, что он — чужак, он потеряет последнюю возможность хоть как-то повлиять на отморозка-приятеля. Если возможность влиять вообще имеется.

Алик рискнул поискать ее, прощупал Матроса. И заодно тянул время. Спросил со значением:

— Ствол чистый?

Матрос улыбнулся тоже значительно. И решил, что в самый раз добить подельника изяществом плана. Сообщил:

— Ствол — паленый. На нем два жмурика.

И на изумленно-непонимающий взгляд Алика пояснил:

— Один шнырь «бок» запорол, сдал ментам отцовского кореша. Цаплю. Слыхал?

Алик отрицательно качнул головой.

— Цапля — блатной известный, — продолжил Матрос. — На нем сельсоветская касса висела. Шумное дело было. Этот шнырь, тоже блатной, его по пьяни сдал. Менты в штатском были. Он их на троих под «стекляшкой» раскрутил, подумал, что алкаши, ну и сам раскрутился. По пьяни, в разговоре. Наши узнали, перо прописали. Этот решил ментов «замочить». Думал, зачтется. «Замочил» одного. Но Цаплю все равно взяли. В общем, зарезали шныря. Гантели за пазуху, и — в ставок. Знаешь, где подземный источник... И ствол в карман сунули. Чтобы, если менты найдут, не сильно искали, кто его «замочил». Менты за своих — лютые. А я место знал, куда шныря бросили. Вчера нырнул пару раз. Вот он — ствол. «ТТ».

Матрос достал из-за пояса огромный пистолет. Ему явно не терпелось показать добычу кому-нибудь, кто мог бы оценить и сам факт того, что она у него, у Матроса, есть, и то, как добыча ему досталась.

Алик оценил. И его передернуло.

Матрос подождал. Кажется, удивился тому, что подельник не изъявляет стремления подержать пистолет. Сунул добычу назад, за ремень.

— Дело сделаем, я ствол — опять в карман шнырю. Если его в ставке найдут — и инкассаторов на него повесят. Четко?..

Алик, помедлив, кисло кивнул. И заметил:

— Стремное дело.

— Да че стремное?!.. — взвился Матрос. — Железное...

Он вдруг затих. Осекся. Словно понял, в чем дело. Изложил понимание:

— Конечно, тебе рисковать стремно. Если что, Тонька ждать не будет. За жиденка пойдет...

Алик шевельнул желваками, и Матрос заметил это. Сменил тон на более деликатный:

— Да ты пойми — она все равно за него пойдет. Потому что он — профессорский сынок. Ты же у него в хате был, видел, как они живут... А ты кто? Босота. Бабам нужны бабки...

В девятнадцать лет другие понятия о жизни. Не лишенные резона. Но, как известно, недоступные пятнадцатилетним.

Алик молчал. Он думал. Не о плане. О том, как бы поступил сейчас дядя Саша. Дяди-Сашино поведение представилось сразу. Он бы отнял у Матроса пистолет, взял бандита за шкирку и дал пенделя. Только всего этого делать дяде Саше бы не пришлось. Потому что никто никогда не посмел бы прийти к нему с таким планом.

А к Алику посмели. Что-то в его, Алика, мире сложилось не так, раз план прозвучал. И спросить совета, что не так и как выходить из этого «не так»... спросить об этом было некого. Выход надо было искать самому. Самому, без дяди Саши, решать эту чудовищную головоломку.

Решение, впрочем, могло быть только одно. Алик уже знал, что не откажет Матросу. Не потому, что «бабам нужны бабки», а чтобы оставить себе и неизвестным ему инкассаторам шанс. Инкассаторам — шанс остаться в живых, себе — шанс найти выход.

Но спросил еще:

— Никому больше не предлагал?

— Да ты че? — изумился Матрос. — Кому такое предложишь. Как ствол достал — сразу к тебе.

— Я знаю?.. — по-одесски неопределенно пожал плечами Алик. — Курочкин, я видел, к тебе подмазывается.

— Ну да, ты его отшил, вот он и не знает, к кому

прибиться. Я тебе говорю: он — мент. Вырастет, в менты пойдет. Знаешь, почему? Если человеку не удается стать блатным, он в менты идет. Потому что ментом каждый стать может.

Матрос помолчал и добавил то, что укрепило Алика в уверенности — отказываться нельзя:

— Была у меня мысль — этого Курочкина по-настоящему замочить и на дороге подбросить. Но эти же могут не остановиться. Он в последнее время совсем раскоровел. Какой, на хер, ребенок. А ради взрослого могут не остановиться. Так что я прикинул, если ты откажешься, какого-нибудь шкета замочу. Может, кого из ментовских сынков выберу.

— Надо все обдумать, — сказал тогда Алик.

— Да что там думать? — удивился Матрос. — Как божий день...

— Думать надо всегда, — веско сказал Алик. Так веско, будто процесс думания уже пошел.

— Завтра же четверг... — занервничал Матрос. Он, конечно, был старше и план считал отшлифованным, но и Алика уважал. За молчаливость и за известные всем способности того решать всякие заковыристые задачки.

— Отложим на неделю, — подытожил Алик после паузы. — Ты все просчитал. Я тоже хочу просчитать. Понаблюдать, прикинуть...

В этом был резон. Наблюдением за магазином Матрос себя не обременил. Терпения не хватило. Что там было наблюдать... Но, может, кореш и прав. Понаблюдать пару дней за магазином не помешает. Приличные гоп-стопники так бы и сделали. Тем более что теперь наблюдать будет не он, не Матрос.

— Лады, прикинь... Где меня искать, знаешь. И запомни — следующий четверг... — Матрос встал, протянул Алику исколотую татуировками руку.

Напомнить Алику напоследок, чтобы тот ни словом никому, Матрос даже не подумал. Для этого он считал сообщника слишком своим.

Алик продолжил путь к друзьям. К Тоне и Фиме. К самиздатному Булгакову. Продолжил с еще большим вдохновением. Тот, кому проезжающая машина обрызгала грязью всю репу, тоже стремится в душ с повышенным энтузиазмом. Разговор с Матросом никак не разрушил его, их, мир. Даже не покусился на него.

Алик вспомнил:

«Тонька ждать не будет... За жиденка пойдет. Он профессорский сынок. А ты — босота». Он вдруг возненавидел Матроса. И еще острее почувствовал, что дороже этих двух людей, Тони и Фимы, у него никого нет.

Конечно, он ничего не скажет друзьям. Понятно, что сам разговор с Матросом — табу. Он, Алик, даже не намекнет, что некая проблема вообще возникла. Незачем беспокоить их...

Он придумает выход. Сегодня же вернется домой и начнет придумывать. Не раньше, чем вернется. Потому что раньше он будет слушать, как Тоня грудным вибрирующим голосом читает про флегматичного Мастера и переживающую по этому поводу Маргариту. И по дороге домой не будет придумывать, потому что все еще будет жить в услышанном. В нем и в атмосфере Фиминой комнаты, в которой на Тоню можно смотреть сколько угодно и слушать сколько угодно. И наблюдать за то и дело недовольно хмыкающим по поводу прочитанного Фимой.

Алик забылся сном под утро. Не придумавший ничего, но вынужденный признать: у задачи, которую он сам себе поставил (как увернуться от плана, предложенного Матросом, и не просто увернуться — как не дать плану осуществиться), так вот, у задачи этой есть только один вариант решения. Единственный безрадостный вариант. Придумать план другой. В котором не будет убийства. И просто человеческого горя.

Он перебрал все прочие варианты и отбросил их. При всей очевидности и простоте они не годились.

Подхватить воспаление легких и проваляться пару недель в больнице? Не поможет. В лучшем случае Матрос дождется выздоровления. В худшем — провернет все без Алика. И подельник у него при этом может оказаться не обязательно доброволец. И не обязательно живой.

Предупредить милицию по телефону о готовящемся преступлении? Откровенное стукачество. Причем стукачество откровенно его, Алика. Оно бы и пусть, главное — люди в живых останутся. Но иди знай, в каком другом деле Матрос пистолет в ход пустит.

Алик рассматривал и такие варианты, как прокол шин у инкассаторской «Волги» и даже поджог магазина.

Но шины опять же дадут только отсрочку. Еще менее существенную, чем воспаление легких.

Пожар мог иметь смысл. Это был, пожалуй, лучший способ избежать придуманной Матросом беды. Но... Жалко было. Столько добра... Опять же люди могут пострадать. Вот тут-то Алик и решил: чем всему добру сгореть, может, и впрямь придумать что-то такое... Преступление придумать. Но такое, чтобы и убыток поменьше был, и людей не подставить.

Не то чтобы он вспомнил давнюю дяди-Сашину фразу, обращенную к отцу.

«Людей обижать легко. Ты попробуй государство обидь. Магазин небось не поставишь?» (Алик давно узнал, что значит «поставить» магазин).

Он не вспомнил эту фразу. Она сделала свое дело украдкой, лишь чуть-чуть шевельнувшись в подкорке. Если и дала наставление, то неуловимо, как шепот суфлера из темной будки.

На следующий день по дороге в школу Алик дал кругаля. Прошел мимо закрытого еще магазина. Осмотрелся на месте. Прочел на дощечке за стеклянной дверью: «Время работы с 9.00 до 19.00. Обед с 13.00 до 14.00».

Через дорогу от магазина на скамейке у крохотного фонтанчика белый согнутый старик кормил голубей. Алик засмотрелся. Голуби фамильярно лазали у старика на коленях, плечах, согбенной спине. Похоже, считали немощность старика гарантией собственной безопасности. Не терпелось им, мякиш хлебный вырывали и из сморщенных рук, и друг у друга из клювов.

Алик подумал. И, подойдя, присел на скамейку. Голуби насторожились. Некоторые взлетели. И, потрепыхавшись над стариком, опустились на прежние места. Продолжили борьбу за мякиш. Поглядывая, впрочем, время от времени на незваного соглядатая. Прикидывали, можно ли соглядатаю доверять.

Алик просидел как можно дольше, чтобы убедить сизарей, что доверять ему можно.

Первый урок начинался в полдевятого. Ему пора было идти.

Вечером он вновь был у магазина. В полседьмого. Опять посидел на скамейке. Старика в этот раз на ней не оказалось. Голуби были, но Алика за своего не признали. Мякиш, который он принес, подбирали, только брошенный на тротуар. Хоть и из-под самых ног.

Алик помешкал чуток, дождался момента, когда в магазине скопилось приличное число покупателей, и вошел в него. Тоже как покупатель. Во всяком случае, потенциальный.

Он никогда прежде не был здесь, но старался держаться непринужденно. Как завсегдатай подобных заведений. Побродил между перекладинами, увешанными плащами, куртками, пальто, шубами. Задержался в секторе одежды для подростков, поприценивался. Померил одну из курток перед зеркалом. Прикинул, что хоть вешалки и перекрывают обзор продавцам, но в зеркалах, расставленных по всему залу, отразиться можно весьма некстати.

Продавщиц было три. Две скучали, бродили по залу, время от времени без особого успеха пытаясь заговорить с покупателями. Третья сидела на кассе.

Алик не стал чрезмерно мозолить им глаза. Пробыл в магазине минут десять. Вернулся на скамейку. К голубям.

Стал ждать.

Без десяти семь одна из продавщиц, из тех, которые пытались обхаживать посетителей, встала на дверях. Вроде как рассердилась и решила никого больше не впускать.

Ровно в семь к уже закрытому магазину подъехала черная «Волга». Из правой передней дверцы ее ловко, с подчеркнутой небрежностью выбрался молодой мужчина, направился к стеклянным дверям.

Он был весьма таинственен: черный костюм, пистолет в кобуре, странная тряпичная сумка в небрежно отмахивающей руке. Но в беспечной его походке Алику заподозрилась наигранность. С подобной вызывающей беспечностью держатся обычно перед дракой те, кто не так уж и уверен, что победа будет за ними.

Стучать ему не пришлось. Одна из продавщиц, приметив «Волгу», опередила, поспешила открыть дверь.

Алик видел, что этот, в черном, общается с продавцами в глубине магазина, у кассы. Из-за вешалок разглядеть, что именно они делают, было невозможно. В просвете между одеждой была видна только черная слегка наклоненная над кассовым столом спина.

Через три минуты инкассатор уже шел к машине. С потяжелевшей сумкой и с еще более беспечным видом.

Глядя вслед отъехавшей «Волге», пятнадцатилетний Алик ощутил странное, неведомое ему до этого чувство. Чувство подарившего жизнь. Особый привкус чувству придавало то, что никто, кроме Алика, об этом не знал.

К утру следующего дня у него уже был план. Идея плана. Пока без деталей.

Для проработки деталей требовалось более тщательное наблюдение. Он вынужден был пропустить первый урок.

Голуби уже не чурались его. Нет-нет, да и выхватывали мякиш и из его просительно протянутой руки.

Старик его не замечал в упор (выцветшие глаза

вполне могли оказаться незрячими), и Алика это устраивало.

Это утро дало ему уйму полезной информации. И вечер дал.

Вечером Алик вновь был в магазине. Но присматривался не только к молодежным курткам. Минут пять проторчал у вешалок с дорогими женскими шубами. С изумлением поразглядывал ценники: «8000 руб.», «11 800 руб.».

Едва ли не каждый посетитель магазина подходил к шубам. Но при Алике ни одна из них не была примерена. Что примерена... Люди и трогали-то их с опаской. Словно опасаясь, что вот сейчас их разоблачат как лжебогачей.

Алик шубу, ту, которая стоила почти двенадцать тысяч, потрогал. И был подвергнут попытке разоблачения.

— Однокласснице подарок выбираете? — язвительно спросила издалека одна из продавщиц.

Алик снисходительно пощупал шубу еще раз. И после паузы снизошел до объяснения:

— У меня папа геолог. Скоро приезжает. Написал, чтобы я маме подарок присмотрел. Так и написал: «Посмотри, мол, шубы дорогие в магазине у нас есть? Или в Москве взять?»

Продавщица очень изумилась письму.

— Зачем в Москве?.. — осипшим голосом спросила она. — Подберем...

— Так и напишу, — успокоил ее Алик и продолжил осмотр шуб.

Еще он в этот вечер, проходя мимо кассы, уронил припасенный железный рубль. Полез за ним под кассовую стойку.

— Вот он... — обрадовалась находке кассирша.

Та, с которой Алик пооткровенничал про папины намерения, уже успела с кассиршей пошептаться.

Кассирша протянула Алику монету с видом: «Видишь, как мы к тебе относимся. Но уж и ты не подкачай».

Алик взглядом пообещал не подкачать.

Тем более он успел заметить все, что ему было нужно. А нужно ему было посмотреть, куда ведет провод, спускающийся к кассе с потолка по деревянной планке. Провод вел к большой красной кнопке, спрятанной сбоку под столом.

К следующему вечеру план был в принципе доработан. Желательно было еще разок побывать в магазине.

Алик привычно навестил голубей, которые уже вовсю орудовали и на нем, умудряясь не гадить на одежду. Уже собирался идти, когда услышал восхищенный голос Нины Александровны:

— Алик, ты? Ух, ты! Они тебя знают?

Алик скромно промолчал.

— Надо же... не ожидала, — заметила она. И еще, с недоумением: — Хотя почему не ожидала...

И вдруг предложила:

— Пойдем, поможешь мне пальто выбрать.

Это она вовремя подошла. Кстати.

Продавщицы сразу догадались, что сын романтического папаши привел мать. Поначалу подивились тому, что мать подалась в отдел дешевых пальто. Но Алик взглядом дал понять:

— Тсс... — В смысле, о папиных планах — молчок. Не испортите папе праздник.

Нина Александровна пальто не купила. Алик отсоветовал. Продавцы его критичный взгляд воспринимали понимающе. И с восхищенной завистью во все глаза смотрели на маму.

— Шубу не хотите примерить? — спросил у «классной» Алик, уже направляясь к выходу.

— Да что ты? — вроде как испугалась та. — Видел, какие там цены. Мне три наших города выучить надо.

Алик мельком подумал, что иметь много денег — это здорово. Потому что тогда можно запросто купить шубу «классной». Испуг учительницы его озадачил. Если уж такая женщина восхищенно пугается каких-то там шуб... Черт знает, что творится... И еще он вдруг подумал: когда дело выгорит, может, не отказываться от своей доли? Купить на нее училке эту злосчастную шубу. Если хватит.

— Померить-то можно, — снисходительно, как кавалер, у которого сумма для оплаты шубы уже в кармане, сказал Алик.

— Ворчать будут... — неуверенно засомневалась Нина Александровна.

— Эти? — Алик был сама снисходительность. — Сейчас увидите.

И он повел учительницу к шубам. И сам выбрал самую дорогую. Ту, которая за одиннадцать тысяч восемьсот.

На подобострастных продавщиц не смотрел. Не до того ему было.

Пока продавцы пялились во все глаза, пока «классная», ставшая похожей на молодую королеву, смущенно рассматривала себя в зеркале, кутаясь в шубу, как в плед, Алик был занят делом. Он прикинул, что длина шубы будет в самый раз. И вроде бы в шутку, уцепившись рукой за трубу, на которой висели шубы, на мгновение оторвал ноги от пола. Труба его выдерживала.

Другой информации ему и не требовалось.

В понедельник Алик пошел к Матросу. По вечерам тот обычно проводил время с компанией в одном из дворов. Не совсем во дворе, в выгоревшей от пожара дворницкой, на которую ЖЭК пока махнул рукой. Пацаны затянули стекла полиэтиленовой пленкой, принесли несколько диванных пружинных матрацев. Подруги сыскали где-то соломенную рогожу, постелили на пол. Проводка сгорела, поэтому жгли керосинку. В общем, адское получилось логово. Испепеленное, пропахшее гарью, со зловещими тенями. К тому же все помнили (и новеньким первым делом сообщали), что на пепелище два трупа нашли. Сгоревших. Под стать компании — логово.

— А, Молчун! — обрадовался Матрос. (Это за Аликом давно закрепилось, сразу — Молчун.) — Заходи. Ну-ка, пацаны, освободите место корешу на воровской нарке.

Алик с порога пригляделся к пацанам. Все были знакомы. Кроме одного, восседающего рядом с Матросом, не засуетившегося по команде хозяина.

— Кстати, давно хотел вас свести, случая не было, — спохватился Матрос. И представил Алика соседу: — Это тот, про которого я тебе говорил... Правильный пацан. — И Алику: — Зема, человек известный. Только откинулся...

Алик пожал снисходительно протянутую ему руку. Зема был взрослым, по-настоящему опасным. Явно предпочитающим словам действие.

Алик не стал вступать в противоборство с его исподлобным взглядом. Заметил Матросу:

— Есть разговор.

Матрос деловито встал. Пошел из логова.

Они устроились во дворе, на скамеечке, еще теплой от задниц доминошников.

— Твой план — фигня, — просто сказал Алик.

Матрос ошалело уставился на него. Потом голос его прорезался:

— Как это фигня?..

— А вот так. Ты знаешь, какое движение на той дороге?

— Какое? — машинально спросил сообщник. И спохватился: — Какое там движение? Машина в полчаса.

— Не в полчаса, а в две минуты. Я засекал. — Алик врал. Ни черта он не засекал. Но кто мог это проверить? — Так что за это время кто-то обязательно будет проезжать мимо. Дальше объяснять не надо?

Матрос молчал. Переваривал.

— Но это первое. Есть и второе. Ты в курсе, что в машине есть рация?

— Какая рация? — Матрос явно плыл.

— Портативная. Обо всех непредвиденных ситуациях они сообщают на базу. Так что если даже нам повезет и машин не будет... Еще до того, как остановятся, они передадут, что на дороге пацан и велосипед. Не доеду я потом на велосипеде. Раньше перехватят. И ты не доедешь.

Матрос был нокаутирован. Потом вдруг набычился:

— Я их все равно сделаю. В городе на светофоре. Сделаю и уйду. Дворами.

— В городе — менты. В пять секунд возьмут. Ты сам говорил. И по взросляку — «вышак».

— И хер с ним. — Матрос сказал, как шапку оземь бросил. — На мне долг — пять кусков. В рамс «закатал». Лучше «вышка», чем в фуфлыжники. Бабки нужны до субботы...

— Бабки будут, — спокойно сказал Алик.

Матрос замер. Осторожно спросил:

— Как это?

— Есть другой план, нормальный. Только нужна еще неделя.

— Неделю не дадут, — тускло сказал Матрос. — И так две отсрочки было.

Алику, действительно, нужна была еще одна неделя сроку, даже не неделя — среда. Чтобы перепроверить информацию, с которой в прошлый раз явился Матрос. Информацию о том, что в среду инкассация не проводится. По тону Матроса он понял: перепроверить не удастся. Отложить операцию не получится. Матроса приперли, он способен на все... Значит, придется рискнуть.

— Ты точно знаешь, что в среду бабки не вывозят? — строго спросил Алик.

— Век воли... — Матрос взирал на него, как на старшего. — Сам проверял. Две недели назад.

— Один раз проверял?

— Один.

Предстояло рисковать.

— Тогда слушай...

План Алика был такой...

В среду вечером, перед закрытием магазина, он прячется в торговом зале. Прячется, пока Матрос отвлекает продавщиц. В том, что ему удастся отвлечь тех, сомнений у Алика не было. Матросу достаточно, подойдя к кассе, ненароком засветить наколки. Итак, Алик остается на ночь в магазине.

Свет на ночь в зале оставляют. Правда, дежурный. Алик пробирается за вешалками к кассе и вскрывает ее. Выдвижной ящичек там хрупкий, отверткой вскроешь. Главное, не задеть кнопку, которая под столом. Но это легко. Кнопка предназначена для вызова милиции на случай ограбления. Ее случайно не нажмешь. Очистив кассу, Алик вновь прячется. До утра.

Утром, как уже проверено, первой в магазин приходит заведующая. Ровно в полдевятого. Отключает сигнализацию. И уходит к себе в кабинет. Ключ при этом оставляет в двери. Потом, через десять минут, приходит уборщица. Стучит в дверь. Директриса открывает ей. Потому и оставляет ключ в двери, что все равно открывать придется, а больше в магазине никого нет.

Так она, директриса, думает, что никого.

Для того, чтобы выйти, у Алика есть десять минут. Уйма времени. Если уборщица явится раньше времени или директриса опоздает, выйти будет трудней. Но тоже возможно. Уборщица то и дело в туалет за водой отлучается.

Вот такой план. По-настоящему простой, изящный. Матрос оценил, косил на Алика восхищенный взгляд. Потом риторически спросил:

— А бабок хватит? Это же за один день.

— Все бабки — твои, — сказал Алик.

— Как это?

— У тебя — долг.

Матрос надолго затих, пораженный благородством сообщника. Вроде как прикидывал, поменяйся они местами, сумел ли бы и он, Матрос, так...

Кажется, толком не решил. Предложил:

— Может, лучше я? А ты их отвлекать будешь...

Алик усмехнулся. Ответил, как старший, все обдумавший, младшему, неразумному:

— Ты по взросляку и по второму разу. А я по малолетке и по первому.

— Ну и хер с ним. Зачем тебе подставляться?..

— Потому что я смогу спрятаться, — четко, заостряя внимание на фразе, произнес Алик.

— Кстати, — спохватился Матрос. — Где там спрячешься? Если в туалете, так уборщица утром...

— В туалете нельзя, — согласился Алик. — Они еще вечером могут в него зайти. На дорожку.

— Ну?.. — Матрос пребывал в недоумении.

Алик усмехнулся. Решение этого нюанса, этой детали плана он считал своей находкой. Усмехнувшись, достал спутанный ремень. Матрос заметил блеснувший в свете подъездного фонаря металлический крюк.

— Я в шубе спрячусь, — с достоинством решившего головоломку выдал Алик.

— Как это? Они же висят. Ноги будут видны.

— И я повисну.

Алик встал, прошагал к турникам разной высоты, установленным у забора. Шагая, прикрепил спутанный ремень с крючком к своему брючному ремню. Подтянулся на самом низком турнике. Завис на мгновение на согнутой руке. Другой рукой накинул на турник у себя над головой крюк. И отпустил руки. Повис.

— Ни хрена себе, — присвистнул Матрос.

Алик вновь подтянулся, снял крюк. Вернулся к нему. Пояснил:

— Все это — в шубе...

— А если ее померить захотят, а ты уже в ней будешь?.. — проявил неожиданную толковость Матрос.

— Не захотят. За это я спокоен. Главное, чтобы в среду деньги в магазине остались... Ты точно уверен?

— Век воли... — повторил девятнадцатилетний Матрос пятнадцатилетнему главарю.

В полседьмого вечера они с Матросом сидели на той самой скамейке напротив магазина. Голуби подлетать не решались. Может, чувствовали напряжение сидящих, а может, просто, как и все, впервые видящие Матроса, опасались его.

Стемнело. Алик насчитал с десяток посетителей в освещенном зале магазина. Он ждал, когда посетителей станет меньше. Будет обидно, если его, шмыгнувшего в шубы, засечет случайный свидетель.

Еще двое вышли из магазина. Тянуть было опасно. Того и гляди, одна из продавщиц займет заградительную позицию у дверей. Алика, как своего, может, и пропустит. Матроса — точно нет.

Алик встал. Напоследок поинтересовался:

— Придумал, как отвлекать будешь?

Матрос снисходительно хмыкнул.

— Как? — спросил Алик.

— Спрошу что-нибудь...

— Только погромче. И наколками сверкни.

— Это понятно.

Алик пошел через дорогу.

Продавщицы его узнали. Заулыбались издалека.

Алик кивнул в ответ. Он был важен и уверен в себе.

— Ну, как понравилась маме шуба? — спросила одна.

— Главное, чтобы папе понравилась, — ответствовал Алик. — Я зашел узнать, что за зверь. Папа спрашивает.

— Песец.

— А-а... — сказал Алик и еще раз потрогал рукав.

И тут в магазин вошел Матрос.

Само его появление уже было отвлечением. Что-то он такое излучал, чреватое неприятностями, что окружающие сразу настораживались.

Матрос уверенно прошагал в другую, противоположную от Алика часть зала, где висели молодежные куртки.

Алик зря переживал, что может нарваться на случайного свидетеля. В тот момент все посетители могли свидетельствовать только о том, что в магазине объявился громогласный хам.

Вопрос, который Матрос заготовил для отвлечения, оказался таким:

— Сколько-сколько стоит этот куртяк?.. Восемнадцать рублей? Ох, ни х..я ж себе!.. — И без перехода: — Ну-ка, примерю.

Он снял свою затасканную куртку, под которой, несмотря на конец октября, оказалась рубашка с коротким рукавом. С рубашкой Матрос неплохо придумал. Продавцы не могли оторвать взгляды от наколок.

В этот момент можно было попытаться вынести из магазина пару-тройку шуб.

Алика шубы интересовали в другом смысле. Он,

чуть пригнувшись, вытянул из-за шиворота своей курточки крюк. Шагнул к вешалке, распахнул полы той самой, двенадцатитысячной шубы и, оказавшись между ними, ухватился за трубу, подтянулся на ней. И, повиснув на крюке, закрылся шубой.

Он специально сделал крюк похожим на вешалочный, чтобы со стороны тот не бросался в глаза. Да и кто за оставшиеся двадцать минут будет присматриваться?

Свисающими ногами он тронул полы шубы. Как он и рассчитал, ноги не выглядывали. Нужды напрягаться, подтягивая их, не было.

Матрос уже видел, что Алик исчез. Но еще какое-то время гудел в зале. Вряд ли для того, чтобы дать Алику время освоиться в шубе. Скорее просто вошел в раж.

Алику эта пара минут отвлеченного внимания продавщиц пришлась кстати. Он таки освоился.

Висеть, конечно, было не так легко, как он представлял себе, придумывая план. Но о том, что неудобства при висении будут, он знал заранее. Тренировался. Еще предполагал, что в шубе будет жарко. Правда, не думал, что жарко до такой степени. Он мгновенно вспотел. Еще и от напряжения. И успокоил себя: «Ничего, сейчас расслаблюсь. Недолго же».

С надеждой на расслабление он поторопился.

Почти сразу после того, как Матрос стих, раздались возмущенные голоса продавщиц.

Ушел — понял Алик. И подумал: «Может, раньше закроются. Рассерженные. Ждать-то им некого. Если Матрос не сбрехал...»

И вдруг услышал голос... «классной». Нины Александровны. Близкий голос, возле самой шубы. Училка обращалась к кому-то, по-видимому, к подруге:

— Вот эта.

У Алика шевельнулись волосы на макушке. Он почувствовал, что шубу, в которой он висел, тронули за рукав.

— Какой мех!..

— Да, — поддержала подруга. И тоже потрогала шубу. Скользнула рукой по поле. Алик, привыкший к темноте, увидел руку.

— Примерь, — предложила «классная».

— Что ты! — испугалась подруга. — Зачем?

— Чего ты стесняешься? Примерь. Продавцы здесь приветливые. А нам только и остается, что мерить.

Алик почувствовал, что чья-то рука взяла шубу за ворот.

«Все», — подумал он.

Как оказалось, рука за ворот толком не взялась. Только коснулась его. Легла на него. На него и на затылок Алика. И в этот момент раздался тоже близкий голос продавщицы.

— Девочки, мы закрываемся.

По-видимому, за шубу взялась подруга. И продавцы, раздраженные Матросом, решили не церемониться. Тем более у них сложилось впечатление, что конечное решение о приобретении шубы будет лежать не на самой матери, а на сыне. Сына-то рядом не было. Вот они и позволили себе толику запоздалого хамства.

Руку с ворота отдернули. И голос подруги прощебетал:

— В самом деле.. Уже время.

Сама Нина Александровна чего-то раздухарилась. Ехидно спросила у продавцов:

— Вы бы купили такую вещь без примерки?

— Женщина тоже хочет такую шубу? — то ли тоже съехидничала, то ли и в самом деле удивилась продавщица. — Извините, у нас такая только одна. — И добавила куда-то в сторону: — Лора, тут очередь за шубами, а ты переживала... — Значит, все же ехидничала.

— Как знаете, — гордо сказала «классная». И зацокала знакомыми каблучками, удаляясь.

— Все, — услышал Алик голос ехидной продавщицы. — Сил больше нет. Закрываемся...

Инкассаторов в этот вечер и впрямь не было.

Когда продавцы ушли, Алик повисел еще минут десять. То ли на всякий случай, то ли не решаясь приступить к самой ответственной фазе операции.

Потом подтянулся на трубе, снял крюк. Опустился на пол. И без суеты подался в глубь магазина. Скрылся за кассовой стойкой.

Перевел дух, остыл. Надел резиновые перчатки, которые утром купил в аптеке. Подумал и снял пока перчатки. Жарко в них было. А спешить с вскрытием кассы не имело смысла. Времени у него было навалом.

Он прикинул: ящичек можно вскрыть, не высовываясь из-за стола. Хотя рука может мелькнуть. Он помнил: с улицы касса просматривается. Часть ее. Так что имело смысл дождаться глубокой ночи, безлюдности на улице. Хотя и не терпелось все закончить пораньше.

Алик вдруг подумал: может, не ждать утра? Вскрыть кассу. И ломануться в стекло. Протаранить его, скажем, стулом. Сигнализация сработает, но сколько времени понадобится милиции, чтобы приехать? Даже если пара минут... За это время он уже сгинет между домами. Если, конечно, не нарвется на дежурный патруль. Или просто на сознательного случайного прохожего.

Идею ломануться он тут же отбросил, подумав про себя: «Нервы...» Головоломка, которую он решил, разрабатывая комбинацию, была изящной. Негоже было портить ее таким грубым продолжением.

Что ж, предстояло ждать...

Он просидел за стойкой долго. Шесть часов. Собирался вздремнуть — не получилось. Все, чем он мог занять себя — мыслями. И он думал. Думал, например, опять над словами Матроса о том, что бабам нужны бабки.

«Вишь, как «классная» загорелась шубой». Интересно: Тоня бы загорелась?

За все эти четыре года так и не выяснилось, кому из них, Алику или Фиме, отдает предпочтение Тоня. У каждого из кавалеров были свои козыри. С козырями Алика все понятно. Но и у Фимы имелся существенный. Он, Фима, был первым. Первым, кого Тоня когда-то выделила из толпы одноклассников. Первый... Пусть даже всего лишь первый выделенный... В пятнадцать лет это кажется весьма существенным.

Тоня если и определилась в выборе, то виду не подавала. Догадывалась, что, как только подаст, кого-то из них потеряет. Алик и Фима тоже это понимали. Поэтому тоже опасались определенности. Каждый из них опасался, приобретя возлюбленную, потерять друга. Так они и дружили. Втроем. Ровненько. Каждый избегая оставаться с Тоней наедине. Считая это нечестным по отношению к другому.

Еще Алик вспомнил слова Матроса о том, что он, Алик, держит в школе власть. Ничего он не держит. Даже ни разу после драки с Келой в школьном дворе не применил свое умение попадать в десятку, в челюсть.

Конечно, ему было приятно осознавать, что все, даже самые козырные старшеклассники, не позволяют себе лишку в отношении малышни. Не позволяют, пожалуй, именно из-за него, Алика.

Пару раз тогда же, вначале, он одернул здоровяков. Вежливо одернул, спокойно, словами. И тем хватило. Поняли: новенький шкет, который так здорово дерется и у которого в корешах сам Матрос, а батя и вовсе сидит... так вот, не любит этот странный шкет, когда кого-то прессуют. Курочкин, попытавшийся стать его, Алика, правой рукой, так и не понял, почему Алик не принял его угодничество. Почему предпочел ему Фиму. Жиденка, над которым насмехалась вся школа. Не понял и, судя по трусливо-ненавистным взглядам, не простил этого. Не Алику — Фиме.

Часы на стене магазина показывали час ночи, когда Алик решил: пора. Подумал, что, сделав дело, может быть, перестанет нервничать и сумеет вздремнуть.

Он вновь натянул перчатки, достал из проколотого внутреннего кармана куртки отвертку. Присев у кассы на корточках, попробовал выдвинуть ящичек. Тот, как и ожидалось, не поддался. Алик вставил в щель сверху отвертку, раздвинул щель рычагом. И им же попытался сдвинуть ящичек. Тот слегка выдвинулся. Рукой почти без усилий Алик выдвинул его. Правда, не до конца. Пришлось шарить сверху на ощупь. Извлекать перетянутые резинкой пачки денег и складывать на полу. В ящичке уже ничего не осталось. Кроме мелочи. Алик задвинул его на место. И принялся считать добычу. Это было просто, потому что ее посчитали заблаговременно. В каждой пачке под резинкой был листок, указывающий сумму. Одна тысяча. Пачек с такой надписью было семь. И еще на одной, более тонкой пачке значилось «543».

Алик стал запихивать деньги в карманы. Это оказалось непросто. Он подумал, что спешить нет смысла. Рассовать по карманам можно и под утро. Какая разница, где будут находиться деньги ночью. С этими пачками точно не вздремнешь. Все бока отдавят. Он уже запустил обе руки в боковые карманы, когда услышал возле магазина скрип тормозов.

Затаился за стойкой. Его подмывало выглянуть. Но он не рискнул. Сидел на полу, прижавшись спиной к стойке. Глядя перед собой, слышал, как бьется собственное сердце. Не чувствовал, а именно слышал. А потом перевел взгляд на потолок и увидал на нем мелькающие блики.

На машине, которая подъехала к магазину, была милицейская мигалка.

Первое, что он подумал: «А где же сирена?»

Второе: «Что я сделал не так?»

Третье: «Что делать дальше?»

Все три ответа были очевидны. Сирену просто не включили. В ночном пустынном городе в ней не было необходимости. Ящик кассы оказался на сигнализации, выведенной на милицейский пульт. А дальше можно было сделать только единственное...

Подъехавшие вполне могли сидеть у магазина на корточках. Но выбора у Алика не было. Он шмыгнул из-за стойки к вешалкам. Перебегая от одной к другой, добрался до своего начального укрытия, до шуб. Распахнул уже родную, обжитую. И, повиснув на крюке, сгинул в ней. Ему казалось, что сердце гремит в нем, как лягушка, которую они однажды в колхозе шутки ради накрыли крышкой в пустом ведре.

Грохот его мешал слышать разговор, который доносился с улицы. Но кое-что Алик все же расслышал.

— Ложное срабатывание, — сказал флегматичный мужской голос. — Зараза. Я следующим ходом «рыбу» делал.

— Поехали, чего зря стоять, — предложил второй. — Все чисто.

— Директрису все равно разбудили. Дождемся уже. — Это сказал третий... — Надо дождаться. А то потом опять вони будет.

Минут через десять приехала еще машина. Алик услышал женский голос:

— Что случилось?

— Сигнализация сработала...

За дверью помолчали. Явно осматривали замок.

— Открывать? — спросила женщина.

— Как хотите, — вяло отозвались милиционеры.

— Вы не могли сначала приехать, а потом позвонить? — директриса была раздражена.

Ей не ответили.

И вообще за дверью стало тихо. Затем хлопнула

дверца машины. Потом раздалось еще несколько хлопков.

«Неужто пронесло?!» — Алик боялся этому поверить.

Дверца хлопнула вновь.

Почти сразу вслед за этим он услышал:

— Раз уж подняли, давайте посмотрим. Чтобы не было потом...

И еще услышал, как проворачивается ключ в дверном замке.

Алик зажал сердце рукой. Так зажимают не вовремя кричащий рот.

По полу процокали женские каблучки. За ними тяжело пробухали ботинки.

— Все в порядке, — подытожила директриса, покружив маленько по залу, вернувшись из своего кабинета.

— Деньги на месте? — безразлично спросил кто-то из милиционеров. Такое впечатление, что спросил, чтобы хоть что-то сказать.

— А где же им быть? — в голосе директрисы прозвучал сарказм.

И через несколько секунд она выдала. На этот раз голосом, в котором сарказма нельзя было даже предположить:

— Денег нет.

— А они были? — Мужчины навострились.

— Конечно... Сегодня выручка — семь тысяч пятьсот сорок три рубля.

— Вызывай оперов, — будничто сказал один милиционер другому. — И дежурного следователя пусть прихватят.

Держать дальше сердце рукой, закрывать ему рот смысла уже не было.

Алик обреченно висел на вешалке. Как приготовленный к разделыванию кролик. Как тушка кролика. Даже полы шубы отпустил было. Потом спохватился. Ничего не происходило. Никто из находящихся в магазине не пытался его искать. Надежда вновь ожила: а кто его знает?.. Сдаться никогда не поздно. Алик осторожно потянул полы шубы друг к другу. И обнаружил, что сердце тоже притаилось, почуяло шанс.

Новые люди прибыли в магазин минут через пятнадцать. И среди них была женщина. Как понял Алик, она оказалась тем самым дежурным следователем.

Еще он понял, что никто его искать не собирается. Приехавшие прошлись по магазину. Осмотрели кассу. И все свели к разговорам.

Спрашивала в основном одна женщина другую. Следователь — директрису. Уныло спрашивала. Как будто ее, следователя, тоже не вовремя оторвали от домино.

Алик слышал вопросы:

— Как фамилии работников, которые закрывали магазин? Во сколько закрывали? Сколько было денег? В каких купюрах? Кто ставит магазин на сигнализацию? Какой код? Кто знает код?

— Непонятка, — вклинился вдруг кто-то из мужчин. — Кассу взяли явно свои. Что же, они про сигнализацию не знали?

— Думаю, это дело для ОБХСС, — равнодушно сказала следователь. — Вполне возможно, что продавцы сами деньги хапнули. А сигнализация подвела. Дала ложный вызов. Весьма вероятно, что кассира завтра уже не будет в городе. Знакомая история.

— Да вы что?!. — опешила директриса.

— Оставьте, — утомленно отозвалась милиционерша. — Вы за всех можете поручиться?

Ей не ответили.

— Не удивлюсь, если окажется, что парочку шуб прихватили, — продолжила изгаляться следовательша. — Шубки-то у вас почем?

Алик вдруг услышал приближающиеся шаги. Они стихли возле него.

— Ого! — сказала следователь. И тоже потрогала шубу, в которой укрывался Алик. Потрогала сначала рукав, потом провела рукой по поле. Точь-в-точь как подруга «классной». Только на руке милиционерши Алик успел разглядеть три кольца.

— Ну что, — сказала следователь, — опись сразу будем делать?

— Как знаете, — подавленно отозвалась директриса.

Еще какое-то время следователь стояла рядом. Потом пошла к кассе. По дороге сказала:

— Зачем нам эти проблемы? Пусть завтра обэхээсэсники разбираются. Магазин опечатаем, и — ладушки. Ключи отдайте. Завтра вам их вернут. Может быть. И, кстати, ребятки, — это она обратилась к милиционерам, — давайте-ка сгоняйте к кассирше. Может, она еще не успела сорваться... Завтра ищи ее свищи. — И вновь директрисе: — Давайте адрес.

Еще через пять минут все засобирались. Включили дежурный свет, сигнализацию. Разрозненные шаги протопали и процокали к выходу. В двери провернулся ключ. И еще какое-то время за дверью была слышна возня.

— Надеюсь, завтра мы вас увидим? — съязвила следователь там, за дверью.

Захлопали дверцами машины. И уехали. Все.

Алик был поражен: неужели пронесло?

Он не решался вернуться на землю... В смысле, сойти на пол. Что, если это ловушка? Может, они кого-то оставили в магазине. В засаде.

Бред. Следователь и впрямь решила, что деньги украли свои. И послала оперов за кассиршей.

Алик выбрался из шубы. Не так уж вдохновленный собственным спасением. Он чувствовал себя скверно. Он не хотел никому делать плохо. Рассчитывал обидеть только государство.

Он вдруг подумал: а что, если подбросить деньги? Куда-нибудь под кассовую стойку. Тогда утром кассиршу отпустят. Но тогда завтра Матрос застрелит инкассаторов. Или еще кого.

Алик спохватился: какой смысл подбрасывать деньги? Кассиршу и так отпустят. Потому что сейчас он разобьет стекло и рванет на улицу. Наудачу. К домам. И станет ясно, что кассирша ни при чем. Что это следовательша профукала преступника. Наверняка еще и выговор схлопочет, гадюка.

Алик осмотрелся: присматривал, чем протаранить стекло. Нашел чем. Небольшим табуретом, стоящим подле зеркала. Уже шагнул к нему. И тут же метнулся назад, к спасительной шубе.

К магазину вновь подъехала машина.

Он уже машинально взмыл вверх, под шубу. Машинально закутался.

Если бы он только мог знать, кто это пожаловал опять и главное — зачем. Он бы рванул от злосчастной шубы со всех ног. В отдел курток, цена которым восемнадцать рублей.

Но в пятнадцать лет даже специалистам в решении головоломок трудно предполагать в людях такое...

Он понял, что это она, по шагам. Следовательша, войдя в магазин, первым делом направилась к кассе. Сняла трубку телефона, набрав номер, сказала в нее что-то про октябрьские ночи. Алик помнил: эту фразу сказала ей директриса, когда говорила о сигнализации. Код снятия — так это, кажется, называется.

Положив трубку, следовательша не мешкала. Сразу направилась к шубам.

Первой сняла другую, соседнюю.

Алик слышал, как она складывала шубу на полу, кажется, даже запаковывала ее. Запаковала. Взялась за ворот той, в которой...

— Ку-ку, — сказал Алик, выглянув из воротника. И зачем-то добавил: — Воровать нехорошо. Особенно милиционерам. — Черт его знает, почему именно эти слова вырвались из него. Может, дала знать о себе страсть к неожиданным ходам.

Ход и впрямь был неожиданен. Даже в тусклом дежурном цвете Алик увидел, как женщина побледнела. Не просто побледнела, стала цвета извести.

«Грохнется», — подумал Алик. И еще подумал: «Что, если — в челюсть? И ходу».

Дядя Саша этого бы не сделал.

Алик соскочил на пол. И поддержав женщину за локоть, усадил ее на пол. Еще раз заглянул в бледное лицо. И поспешил к выходу.

Уже взялся за дверную ручку, когда услышал за спиной:

— Руки вверх.

Обернулся. Следовательша не блефовала. В руке ее был пистолет.

Алику дали шесть лет. За все. За попытку хищения государственной собственности в особо крупных размерах (с учетом двух шуб). За сопротивление представителю власти.

Пытались навесить дело и на Нину Александровну. Не получилось. Но неприятности у «классной» были крупные. С трехдневным задержанием. С увольнением ее из школы.

По поводу ее Алик мучился больше всего.

Он выпал из жизни на шесть лет. Выпал, чтобы вернуться другим... Последняя фраза — пафосная, претендующая на некий трагизм, но, по правде сказать, подразумевающая лишь то, что шесть лет кого хочешь изменят. Даже мечтающего о лоховской жизни. Но если иметь в виду эту мечту, взращенную в нем дядей Сашей, то Алик вернулся прежним.

Когда дело было готово к передаче в суд, Алику, как и положено, предоставили его дело для ознакомления. Именно из него он узнал, что мать его переселенная немка, которую отец привез из Поволжья. Что по матери он Форш. Алик Форш. Но об этом потом...

Тоня и Фима не были на суде. Не пошли, чтобы не видеть друга в клетке. Они так и не узнали, почему он пошел на дело. Пока не узнали.

Как там у Марка Твена: «Настоящий друг с тобой, когда ты не прав. Когда ты прав — каждый будет с тобой».

Даже если бы Алик и захотел, он не смог бы рассказать им всего. Не мог рассказать о замыслах Матроса. Потому что рассказ кому бы то ни было считался бы предательством. (Хотя вряд ли это навредило бы подельнику. Матроса взяли через неделю. При вооруженной попытке ограбить сберкассу.)

Узнав о приговоре, Фима и Тоня надолго затихли. (День, когда должен был зачитаться приговор, они провели в Фиминой комнате. Ждали звонка.)

Молчание нарушил Фима. Сказал:

— Ты должна его ждать. Ему это поможет...

Может, фраза опять же прозвучала пафосно. Они оба этого не почувствовали. В пятнадцать лет — все пафосно. Зато все по-настоящему.

— Ты должна его ждать, — почему-то строго повторил Фима.

Тоня не спорила.

Глава 18

Хороший это был денек. К исходу его я понял одно: с ума мне сойти не суждено. Ведь не сошел же сегодня, а когда сходить, как не в такой день? С завистью и насмешкой вспоминал чужие и свои банальные реплики: «Это не лучший мой день». Банальность эта обычно произносилась по поводу неприятных происшествий. С происшествием можно бороться. Борьба — повод занять себя, отвлечься.

В этот день не происходило ничего. Все, что мне оставалось, это ждать. Достойное занятие при сложившейся ситуации. При похищенной по моей вине женщине, для которой время сейчас идет по другим законам (если еще идет), которой надеяться не на кого, кроме как на меня...

Промаявшись до сумерек, я ненадолго вышел. Проветриться. Когда вернулся, Ольга уже пришла с работы. Была она, как всегда, ненавязчива. Чмокнув, отстранилась, ушла на кухню. Предупредила:

— Грею обед.

«Сволочь, — подумал я о себе, плюхнувшись в кресло. — Что бы без нее делал?»

Вслух громко спросил:

— Никто не звонил?

— Саша, — отозвалась из кухни Ольга.

Издателя, конечно, интересовал исход предложенной им комбинации. Вчера я ему не перезвонил. Небось, до сих пор потирает в предвкушении холеные ручонки. Лох.

Зла я на него не держал. Во всем произошедшем видел свою вину. Посвящать издателя в неприятности раньше времени не стоило. Глупостей он мог натворить от всей своей лоховской души. Запаниковать, обратиться к ментам, к «крыше». Все легко предсказуемые от него ходы были сейчас чреваты.

Но одно событие в этот день произошло. Под вечер. Когда оно произошло, я подумал: «Чем мне, дураку, было плохо ждать? Догавкался...»

Под вечер раздался звонок в дверь. Затяжной, с первой попытки настойчивый. Не предвещающий ничего хорошего.

Ольга оторвалась от книги, подняла на меня встревоженный взгляд. Собралась идти открывать.

В этот момент я понял, как она угадывает мое настроение по звонку.

— Открою, — сказал я.

Прошагал в прихожую. Глянул в «глазок». В полумраке лестничной площадки маячил щуплый мужской силуэт.

Я замешкался, подумал, не спросить ли:

— Кто?

Не спросил. Сразу понял, кто пожаловал. Распахнул дверь.

За порогом обнаружился парень, скорее мальчик. С хронически обиженным лицом. Он строго пялился на меня. Молча.

— Проходите, — пригласил я, отступая.

Он вошел. Руки мы друг другу не подали.

— Муж? — на всякий случай уточнил я.

Он сердито кивнул.

Я прошагал к дивану, сел. Ольга испуганно смотрела на гостя. Тоже поняла, кто он. Может, слышала мое уточнение. Освободила кресло, направилась на кухню.

Я заметил, что гость озадачен мизансценой, которую застал. Чем-то она его смутила. Он растерянно ответил на Ольгино приветствие:

— Здрасьте...

Растерянно оглянулся по сторонам.

— Присаживайтесь, — сказал я деланно утомленно. Принялся разглядывать его физиономию, ничем, кроме угрюмости, не примечательную. Мальчишеские мелкие черты, русую непослушную челку, насупившиеся губы и щеки. Силился вспомнить, как его зовут. Наверняка знаменитая женушка вывела его в литературных откровениях под собственным именем.

Гость вновь озадаченно оглядел комнату. Навел взгляд на меня, сердито спросил:

— Новости от Дарьи есть?

Что-то изменилось в его настроении. В том, с каким он переступал порог. И вопрос он собирался задать другой. Может, и этот, но другим тоном. Сейчас его сердитость была всего лишь хронической.

Этой переменой следовало воспользоваться. Дожать.

— У меня нет, — спокойно ответствовал я. — А у вас?

При прежнем своем настроении он не поверил бы в искренность вопроса. Сейчас — может, и принял за чистую монету. Замешкавшись, ответил:

— Нет...

— Надо же, — удивился я. — Часто она так?

Он мигом насупился. Добавил сердитости во взоре.

Я взялся заглаживать бестактность:

— В смысле за... зарабатывается...

— Надеюсь, вы поможете мне найти жену.

— Чего ж нет, — откликнулся я. Слишком быстро откликнулся.

Он подозрительно сощурился.

Я высказал мнение:

— Все же думаю: она отправилась на Бугаз. Очень ее подмывало развеяться. И с телефоном там проблема.

— Там может быть что-то для статьи? — спросил он.

Я пожал плечами:

— Вряд ли... Но для отдыха — место самое...

— Дарья — не там. Она не отвлекается, пока не закончит работу.

«Не скажи, — чуть было не возразил я. — Знаем, читали».

— В гостинице были? — осведомился я.

— Был. Ничего нового. Там другая смена. Нет никого, кто видел бы, как Дарья выписывалась.

— Мужчина, который сопровождал вашу жену... Это был не я.

Он промолчал. Уже верил.

Я продолжил:

— С ней мог быть кто-то из наших журналистов. Многие газеты, когда узнали, что приезжает Асханова, загорелись взять интервью.

Я вдруг вспомнил, как его зовут: Сергей. Сергей Светов.

— Сергей, так, кажется? — уточнил я. — Кофе? Чай? Поужинаете? — Я спохватился: передо мной — москвич. — Коньячку?

Он подозрительно уставился на меня. То, что я вспомнил его имя по книге, ему не понравилось.

— Или водочки? — догадался я.

— Ничего, — сказал он.

— Ольга, у нас была водка, — крикнул я в сторону двери.

— Вы читали Дашину книгу? — уставившись в пол, спросил он.

— Читал.

Он продолжил глядеть в никуда. Потом сообщил:

— В книге все ложь...

Я затаился.

— Она все придумала. Почти все. Конечно, все поверили... Потому что талантлива... Все думают, что с ней можно, как с...

Эта штучка исхитрилась уговорить мужа, что все

ее похождения — вымысел. Действительно, талантлива. «Почти» он сказал потому, что знает: о нем она написала правду. Но уверен: только о нем. Классика. «...Обмануть меня не сложно, я сам обманываться рад».

— Она меня предупредила, — соврал я. — Что в книге вымысел.

— Неправда, — просто сказал он.

— Правда, — уперся я.

Он взял себя в руки. Вышел из невидящего состояния. Может быть, благодаря Ольге, принесшей поднос с коньяком и кофе. Печально посмотрел ей, удаляющейся, вслед. Спросил:

— Даша с кем-то еще договаривалась о встрече в тот вечер?

— Мне ничего не говорила. Только о том, что в ее планах — посетить Бугаз.

— Она почти все время проводила с вами.

— И что?

— Может, обмолвилась.

— Я не слышал.

— Вы все время были с ней. Не может быть, чтобы ничего такого не прозвучало.

— Не прозвучало.

— Не верю.

— Знаете, ребята, — досадливо заметил я. — Решайте семейные дела без меня. Тут своих проблем... Чем могу вам помочь? Если есть план, давайте....

Он ненадолго замолчал. Потом вдруг сказал:

— Вы, конечно, держитесь уверенно. Но особо не напрягайтесь. Я знаю о вас больше, чем вы думаете. И знаю, на что вы способны.

«Тыц, — подумал я. — Говорили, говорили, и на тебе».

Подмывало ответить: «На что *не* способен, знаете?»

Я сдержался. Оправдываться раньше времени — не стоило. Стоило попридержать энтузиазм на будущее. На близкое будущее.

К тому же я понял: реплику он заготовил заранее. Сейчас она не пришла бы ему в голову. Понял, что его выбило из колеи с самого начала. Врет он все. Насчет того, что знает обо мне много. Напридумывал себе черт те чего, но с первого взгляда понял, что ошибся. Он все представлял не так. Меня, атмосферу моего жилища, мою женщину. Ожидал, что все окажется мрачнее, криминальнее.

— Что вы знаете, мне не интересно, — сдержанно заметил я. Жестко заметил.

Пора было показать норов. Когда-то это надо было сделать. Мальчуган распустился. Свалился как снег на голову, так что меня чуть кондрашка не хватила. Да еще танком прет.

И потому еще я ожесточился, что почувствовал себя задетым. Как два дня назад в разговоре с его женой, когда та заявила, что я стал домашним, ни на что не годным. Мужчиной в комнатных тапочках. Этот декоративный щенок углядел во мне тот же образ. Конечно, сейчас оно мне на пользу, но и задело.

— Детский лепет, — в сердцах заметил я вслух сам себе. — Жена-журналистка, будучи в командировке, выселилась из гостиницы... Тоже мне: повод для кипежа. Для того, чтобы муж прилетел из Москвы...

— Такого не было, она всегда предупреждала, — неожиданно спокойно произнес он.

— Теперь есть. — Я не мог успокоиться.

Он вдруг пооткровенничал:

— Я чувствую: что-то случилось.

Мне стало не по себе.

— Может, обратиться в милицию? — предложил я.

— Как называется это место? — спросил он.

— Какое?

— Курорт.

— Каролино Бугаз. — Я перевел дух.

— Это далеко?

— Близко. Полтора часа электричкой.

— Как туда добраться?

— Сегодня поздно. Завтра утром сядете на электричку... Первая в пять ноль-ноль.

— Я поеду сегодня, — заявил он. — Нарисуйте, где это.

Когда он ушел, Ольга вернулась в комнату. Села рядом, прижалась щекой к моему плечу. Произнесла задумчиво:

— Может, правда...

Я покосился на нее.

— Что?

— Может, она все придумала. В книге.

Что я мог на это сказать?.. Что автор-выдумщица постаралась совратить меня в гостинице?

Я посмотрел на коньяк. Гость так и не притронулся к нему. Я точно помнил, что в своем бестселлере Дарья представила мужа горьким пьяницей. И это показалось убедительным. При такой жене, как она.

Глава 19

На Крестного я рассчитывал больше, чем на Рыло.

Надеялся, что он сумеет заставить Безвредного вернуть похищенную. Без всяких условий. Крестному бандит мог высказать только пожелания.

Когда Безвредный попер на меня, он был уверен, что рассчитывать мне не на кого. Откуда ему было знать, что нити, связывающие меня с Крестным, уцелели.

В том, что Наум потребует отпустить женщину, я не сомневался. Конечно, каждый раз, когда авторитет решает проблему только своим весом, он наживает врага. Наум был осторожен в приобретении недругов. Я ни разу не слышал, чтобы он повысил голос или оскорбил кого-то. Даже со злостными упрямцами-должниками беседовал кротко. Перед тем как отправить на экскурсию на поля орошения в сопровождении гидов.

Лишний бандит, затаивший на него зуб, Крестному ни к чему. Но я был уверен: Наум поможет. Не для того, чтобы я когда-нибудь отплатил. Крестников из тех, кто дорожит крещением, у него осталось немного.

Но утром первым делом я направился к уличному «офису» Рыла. Рыло выбирался на свет божий раньше, к открытию «стекляшки». Лидасик до сих пор, наверное, была убеждена, что отправляет милого на службу.

Надеялся: после моих вчерашних угроз бандит разыскал приятеля. То, что требования будут выдвинуты, не сомневался. Ради чего-то же Безвредный пустился во все тяжкие. Ради чего — я рассчитывал узнать от Рыла.

Но рассчитывал зря. Рыло подошел ко мне сам. Я спросил хмуро:

— Ну?

Он то ли растроенно, то ли удивленно пожал плечами:

— Хер его знает.

— Что? — Я, оказывается, даже не рассматривал

вариант, что все останется на мертвой точке. — Видел его?

— Говорю же: нет его... — Рыло взял виноватый тон. В нашем с ним общении частенько им пользовался. Я по этому поводу не питал иллюзий. Не раз наблюдал перепады его настроения.

— Искал? — строго спросил я.

— Залег где-то. Что ты, Безвредного не знаешь?

— Не знаю, — огрызнулся я.

— Залег, точно.

— Муж этой телки уже прилетел... Я его «развел». Но если сегодня не увидит жену, пойдет к ментам. Уже собирался...

— Что я, не понимаю?

Я пристально поразглядывал бандита. Несмотря на то что он отвел глаза, несмотря на его кислое: «Искал. Гадом буду», я ему поверил.

— Пи...ц, — философски изрек я.

— Рано или поздно объявится, — успокоил меня Рыло.

Я зыркнул на него взглядом. Помолчал.

— Как дело было? — поинтересовался он. — Чего он ее выдернул?

— Ты меня спрашиваешь? — Глянул на него, как на идиота.

— Странно, — сказал тогда Рыло.

— Сучара, — я поиграл желваками. — На сто семнадцатую таки пошел...

— Зачем ему?.. Он же не поц. — Он помолчал, внимательно глядя на меня. Вдруг поинтересовался: — Может, ты обидел? Или «бок» запорол?

Я изобразил мимикой недоумение. От Ленькиной глупости, от всего, что натворил Безвредный, от того, что стою здесь, слушаю бред. В недоумении качнул головой и пошел прочь. К Науму.

Глава 20

В парк шел уже без уверенности, что Крестный сумеет помочь. Шел и шалел от предчувствия: не получу не только помощи, но и информации. Думать об этом не то что не хотел — не мог. Не получалось даже приступить к размышлению.

Возможности Наума несоизмеримы с возможностями Рыла. Последний — всего лишь бандит. При его специализации важно, чтобы не он знал, а знали его.

Крестный же знал в Одессе всех. Всех, кого стоило знать. Не просто знал... Нет, «контролировал» — не то слово, обидное. К каждому, кого знал, он имел подход. Если кто-то мог помочь мне, то это Крестный.

Но я предчувствовал тщетность надежд на него. Потому что отчетливо понял: что-то в этой истории с похищением не так. С самого начала — не так. Безвредный даже в своей беспредельности непредсказуем. Не только для меня. Для Рыла, например, тоже. И для Крестного. Нет у Наума к Безвредному подхода. Ни у кого нет. И быть не может. Такой уж он уникальный. Уникальный гад.

Минут пять я ждал, когда Наум накормит собак. Ждал, мучимый надеждой: вдруг ошибаюсь, вдруг предчувствие подвело? По умиротворенному, старческому выражению лица Крестного никогда ничего узнать было невозможно.

Тем же флегматичным тоном, каким он урезонивал огромных дворняг, опережающих шавок в поедании, он сообщил мне:

— Он не в городе.

Сердце у меня тихо ухнуло в желудок.

— Он был один? — спросил я.

— Кто ж его знает...

Я не понял:

— Его видели?

— Как увидишь, если его нет.

До меня дошло: Крестный уверен, что Безвредного нет в городе, потому что того не удалось найти.

— Может, залег? — осторожно предположил я.

— Где залег? — удивился Наум. — Люди бы сказали.

— У него была точка на поселке Котовского, — позволил я себе пробу.

— Была, — спокойно согласился Крестный. — Краб приютил. Там он не появлялся. Если живой, то его в городе нет, — подытожил Наум.

— Может, у ментов?

— Там тоже люди.

Я вдруг осмыслил весь объем суеты, которой подверг себя Крестный, чтобы помочь мне. Он перелопатил весь город. «Перелопатил» не то слово. Перещупал, перебрал все паутинки, кропотливо вытканные им за десятилетия, в течение которых он прибирал Одессу к рукам. Он сделал все, чтобы помочь мне. Все, что мог. И если уверен, что Безвредный не в городе, то значит, так оно и есть: Безвредного в городе быть не может. Или его убили.

Это означало... полное отсутствие просвета. Шансов выбраться из всего этого дерьма у меня не оставалось. Ни единого. Наум понимал это. Потому и дал тусклую надежду:

— Страна маленькая. Люди — везде. Объявится, куда денется...

— Муж уже приехал, — сказал я.

— Ничего, — спокойно заметил Крестный. — На

то и муж, чтобы жену искать. Главное, чтобы ты правильно себя вел.

Я криво усмехнулся. Сообщил:

— На меня есть выходы. Если к ментам пойдет, сосчитают.

— Это плохо, — согласился Наум. — Выходы оставлять нельзя. — Он помолчал и вдруг спросил: — Как дело было?

...Я рассказал ему все. Описал ситуацию до мелочей. От задумки комбинации до текущего момента. Включая сегодняшнее общение с Рылом. Умолчал только о том, что идея постановки — не моя.

Крестный слушал, не реагируя, равнодушно глядя себе под ноги. Дослушав, спросил:

— Кто был с Крабом?

Я пожал плечами. Демонстрируя брезгливость, скривился:

— Шавки. Оно тебе надо?

— Как не надо? — удивился он. — Надо знать, что за люди. Как звали?

— Не спрашивал. Они — никакие.

Крестный хоть и кивнул, но не согласился со мной. Для него «никаких» не существовало. Он опять помолчал. И вдруг выдал наставление:

— Не майся. Бывает так: не мы управляем ситуацией, а она нами. Надо только это понять. Чтобы зря не суетиться.

— Но что-то нужно делать... — заметил я.

— Что тут поделаешь? Рано или поздно Безвредный всплывет.

Я усмехнулся. Наум сделал вид, что усмешки не заметил. Продолжил:

— Выходы на тебя хилые. Если менты выйдут, то и Краб, и его людишки скажут что надо. И вахтерша скажет. За это не переживай...

Я печально глянул на Крестного. Как было объяснить ему, что дело не только в возможных неприятностях с ментами. Как отмазаться перед самим собой? Сентиментальными проблемами Крестный не занимался. Так я думал до этого момента.

— За барышню не переживай, — посоветовал вдруг он. — Тоже никуда не денется..

Я смолчал. Бестактно возражать, когда тебя утешают.

— Ничего с ней не будет, — продолжил Крестный. — Если она такая, как ты говоришь, — сама сбежит...

Эту перспективу я почему-то не рассматривал. Конечно, Асханова сбежит. При условии, что еще жива, что Безвредный даст ей сбежать, что она освоится с гипнотическим ужасом, который бандит вызывает в ней. Я скис. Вспомнил взгляд москвички в сауне. С последним препятствием жертве справиться не удастся.

Закончил Крестный и вовсе неожиданно:

— Чтобы не маяться — книжку пиши. А то другие за тебя сочинят... По-людски напишешь, люди спасибо скажут...

Я дошел до выхода из парка. Решил вернуться.

Крестный по-стариковски одиноко сидел на скамейке. Без заинтересованности наблюдал меня возвращающегося.

— Если этот пацан... который от меня, еще объявится, пусть его зацепят. И позвонят мне, — попросил я издали. — Так можно?

— Чего ж нельзя, — ответил Наум.

Я уверенно зашагал к воротам. Счастливый (насколько это было сейчас возможно) от того, что до сих пор опекаем этим стариком.

Глава 21

Чудненькая картинка. Здоровенный дядя втянул хрупкую женщину в ситуацию, в которой она как минимум унижена или уже не жива. Втянув, чуток посуетился, попытался ее выручить. Не сумел. Огорченно вздохнув, уселся за компьютер. Писать книжку. Инженерить в области человеческих душ.

Все было именно так. Вернувшись домой после общения с Наумом, я маленько помыкался в четырех стенах квартиры. Пометался мыслями в замкнутом пространстве проблемы. Метаться особо было негде. Пространство, вопреки геометрическим законам, оказалось ограниченно двумя сторонами-стенами. Одной была надежда на то, что Наум все же выйдет на Безвредного. Другой — что Асхановой удастся бежать. Обе стены оказались глухими.

Помаявшись и убедившись в бесплодности маяты, я сел за компьютер. То ли вняв совету Крестного, то ли в надежде отвлечься.

Задумался о возможной книге. О бандитской теме.

Думалось хреново. То и дело мысли самопроизвольно отскакивали к Асхановой. Но иногда и от нее — к бандитам...

О Безвредном, применительно к теме, старался не думать. Если замышляю доказывать, что бывшие не чета нынешним, то Безвредный — одна сплошная помеха. Доказательство обратного. Но и вводить бывших своих дружков-бандитов в книгу не собирался. Говорят, для того, чтобы понять, что из себя представляет женщина (внешне), надо повидать ее не в гриме, не в боевой экипировке соблазнительницы, а с утра, невыспавшейся, неумытой, с легкого бодуна.

Почему так?

Настоящая она где-то посередине. Когда умылась, но еще не успела накраситься....

Что я знал о бандитах? О тех, с которыми приходилось иметь дело.

Вдруг понял: того, что знаю, — недостаточно для обобщения. Слишком все, известное мне, конкретно, эпизодично. Но как покажешь человека, если не через конкретные поступки. Меня, например, только такой показ и убедил бы.

Смежников-бандитов и то, что происходило в их горячем цехе, я чаще всего мог наблюдать только со стороны. Многое, конечно, проглядел. Кое-что из-за однообразия происходящего (взгляд замылился), кое-что — из-за того, что не показали. Иногда сам из деликатности или стыда отводил глаза.

Но и насмотрелся...

... Как становились преступниками в послевоенные годы? Сложнее вопрос: как не становились? То поколение большей частью формировалось в бандах, возникающих стихийно по территориальному признаку. Банды были таким же само собой разумеющимся явлением, как пионерские отряды. Каждый мечтал попасть в них (и в отряды, и в банды), каждый попадал. Куда еще было деваться пацанам, обделенным романтическим прошлым, обделенным отцами, которые могли вразумить ремнем? Почти все через это прошли. Другое дело, куда двинули дальше.

Рыжего веселило воспоминание о том периоде в начале пятидесятых, когда булочную на Успенской «ставили» (грабили) не меньше пяти раз в неделю. Самому Рыжему тогда было тринадцать. Среди налетчиков он был далеко не самым малолетним.

Он рассказывал, что в то время с наступлением сумерек горожане не смели шагу ступить по чужим улицам. Не принято было позволять себе такую бестактность. Тех, кто позволял, тут же одергивали «гоп-стопом». Но опасности быть ограбленными подвергались только чужаки. Своих не трогали. Для этого должны были знать каждого в лицо. (Может, отсюда корни той странности, что и сам Рыжий, и завсегдатаи его «малины» запросто уживались с жильцами-соседями. Сиживали вечерами вперемешку на скамье у ворот. И жильцы не волновались за вывешенное во дворе белье, не «стучали» на блатных, жалели тех, кого взяли.)

Одна из картинок детства Рыжего когда-то меня обескуражила. Не раз вспоминал ее.

Рыжий тогда был семилетним пацаном. В банду его еще не приняли, но главарь (четырнадцать лет) позволял присутствовать при некоторых мероприятиях. На правах юнги. Вот одно из таких мероприятий...

В парке, на развалинах разбомбленной больницы, был сходняк, точка, где банда проводила свободное от налетов время. Место психологической разгрузки. Разгружались по-разному, когда курили анашу, когда играли в карты. Если наскучивало, трахали королеву квартала, пятнадцатилетнюю Ленку. Трахали прямо на развалинах, между обгоревшими слитками кирпича.

Старшие вели себя педагогично: Рыжего и другую малолетнюю шпану к королеве не допускали. Понимали: этим — рано. Преждевременная бли-

зость может навредить будущему трепетному отношению к женщине.

Но юнгам доверяли деликатную и ответственную работу. Когда королева утомлялась подмахивать попкой, ее устраивали на совковую лопату, и Рыжий «со малыши» качали ручку лопаты соответственно ритму.

В кого могли вырасти эти пацаны, в кого воспитаться? Но вырастали, воспитывались не только в преступников. Основная сортировка происходила после службы в армии. Те, кто исхитрялся догулять до нее на свободе, попасть под призыв, имели шанс перерасти. Отслужив, спешно женились. Остепенившись, подавались чаще на заводы, реже в училища, еще реже — в институты.

Те же, кто оставался предан идеалам детства, становились профессиональными уголовниками. Прибивались к взрослым группировкам. Усердные и хилые осваивали ремесло карманников. Ленивые и здоровые не мудрили, подавались в бандиты.

Но понятия, которые всосали с молоком матери, не забывали. Помнили: своих трогать нельзя, друг за друга — стоять намертво, убивать — последнее дело. Имели в виду основное правило: деньги, добыча — это то, ради чего приходится рисковать свободой и жизнью. Но они — не все.

Профессиональные бригады в то время имели не много статей дохода. Модный нынче рэкет, обложение бизнесменов оброком — считались побочным приработком. Кого было облагать?

Открытие же собственных фирм и банков, выдвижение из своих рядов депутатов... Подобные галлюцинации не посещали даже обкурившихся дурью.

Основными источниками дохода бандита были заурядный грабеж и кражи. Существенные дивиденды приносила деятельность по выбиванию долгов и сотрудничество с каталами и аферистами. Последнее было, пожалуй, самым легким. Лишь изредка требовало практического участия.

Каждому, что аферисту, что катале, положено было иметь «крышу». Когда кидаешь или обыгрываешь лоха, смешно рассчитывать на его порядочность. В смысле готовности расстаться с «кровными». Информированность фраера о том, что за тобой «люди», гораздо больше способствовало выплатам, чем пошлые афоризмы. Вроде того, что: «карточный долг — долг чести».

И в стычках катал между собой (такие недоразумения случались) при возникновении спорных вопросов увереннее чувствовал себя тот, за кем «крыша» круче.

Бандиты сотрудничеством с картежниками и аферистами дорожили. Именно по причине легкости «куска хлеба». Получали-то долю со всех игр и афер, а не только с тех, которые требовали участия.

Если и случалось участвовать, то чаще ограничивались показательными выступлениями.

Очень убедительными в этом смысле были знаменитые одесские поля орошения. Пару раз и моих должников-упрямцев вывозили в это гиблое место. Без меня, конечно. (Мое дело — выигрывать, «крыши» — получать.)

Оба раза выезд ограничился обзорной демонстрацией.

Один раз служба выколачивания Наума выгуляла на природу председателя профкома одного из пересыпских заводов.

Профорг оказался занудным гражданином. На протяжении всего периода разработки и облапошивания только и делал, что разочаровывал меня в его способностях ладить с людьми. Сначала задавался тем, что, в отличие от меня, сопляка, отдал преферансу двадцать пять лет жизни, половину ее. Потом пуганул тем, что будет катать только по рублю вист. Когда проиграл за ночь десять тысяч старыми (в старое время), чего-то осерчал и на меня, и на эту свою половину жизни. Заявил, что, на его умудренный профорговский взгляд, получать такие деньги в виде выигрыша мне пока рано.

Позже, оказавшись в тиши среди камышей, вдохнув гнилостного запаха топи, ответственный товарищ наскоро пересмотрел взгляды на жизнь. На то, что должно происходить раньше, что позже. Отметил для себя, что карточные долги лучше платить раньше. Чем раньше, тем лучше.

Он понял это еще в машине, в которой его везли. Понял в тот момент, когда машина, съехав с трассы, нырнула в заросли камышей. Сразу же во всеуслышание заявил об этом присутствующим.

Но молчаливые наставники все же доставили его на место, дали оглядеться и надышаться местной атмосферой. Для пущей уверенности в том, что он все понял правильно, во избежание недоразумений в будущем.

В другой раз Шрам с дружком прокатили сюда впавшего в каприз майора внутренних войск из Сибири.

Служивый, приехав в отпуск, ударился в кутеж. Пресыщенный общением с зэками, дорвался до женского общества. Восхищаясь собой, соблазнил двух путан из ресторана гостиницы, в котором мы имели обыкновение ужинать.

Девчонки вывели его на меня. Обмолвились ненароком, указав на меня за ужином: вот, мол, известный спортсмен, давеча в преферанс несколько тысяч проиграл и, уплатив, судя по всему, аппетита не утратил.

Понаблюдав за мной, сибиряк вынужден был согласиться: его не обманывают, аппетит при спортсмене-лохе.

Гулена майор, демонстрируя полный комплект гусарских наклонностей, принялся уговаривать девчат представить его обжоре рекордсмену. Те, огорчившись, что кавалер намерен лишить их своего общества, уговорам поддались. Поняли размашистую, неукротимую душу гусара.

К утру сердцеед нагусарил чуть больше семи тысяч карточного долга.

На рассвете, как раз к тому времени, когда добропорядочные граждане, пробуждаясь в своих постелях, вспоминали заботы, которые им в этот день предстоят, в неукротимом кутиле-бабнике-игроке проснулся майор внутренних войск. Он тут же вспомнил уйму всякой всячины, которую и положено помнить майору, но которую он позволил себе забыть. Вспомнил о том, сколько лет копил жалованье для выезда на курорт. Спохватившись, вспомнил, что он командир, бог для солдат и зэков. И решил: негоже отдавать какому-то одесскому салаге средства, выделенные страной на оборону.

То, что он вспомнил обо всем этом, было его личным делом. Но то, что забыл, что он не в Сибири, а в Одессе и имеет дело не с безропотными гражданами-заключенными, а с вольным шулером, вышло ему боком.

Напомнить ему об этом взялись Вовка Шрам с приятелем.

Утром я раскланялся с партнером, отказавшимся платить по игровому векселю. Как и положено воспитанному катале, выслушал объяснения отказа. Объяснение сводилось к следующему:

— Клал я на тебя...

Единственное, что я себе позволил, это вежливо полюбопытствовать:

— Вы, правда, полагаете, что не заплатите?.. — и обаятельно улыбнуться.

Надо отдать должное смелости майора. Или его недалекости. Он не попытался спешно покинуть город. Не сменил ни гостиницы, ни номера. На ужин в ресторан заявился как ни в чем не бывало.

Оттуда его и выдернул Шрам. Тихонько отключил в предбаннике у вахтера (Шрам был мастером подобных военизированных трюков, хотя в армии не служил). Словно пьяного довел до машины, в которой ждал дружок.

Вовка славился не только натасканностью в области приемов, бросания ножей, стрельбы из любимого обреза двустволки. Был знаменит врожденной гулливерской силой. О порванных им наручниках знали все в Одессе. Все, кому положено было знать.

Жертва-майор, при всей своей сибирской закалке и физподготовке, был для Вовки как нашкодивший ученик для учителя физрука. Заурядное рукоприкладство было бы просто неприличным.

Но ученик-офицер оказался на высоте. Придя в себя на природе, догадываясь, куда его привезли и зачем, видя, с кем имеет дело, он сдался не сразу. Продолжил капризничать. Заартачился не из скупости. Из сибирской вредности. Принципиально стоял на своем:

— Клал я на вас...

Принципиальностью вызвал у Шрама симпатию.

Испытывая ее, Вовка несколько раз макнул непокорную головушку служивого в вонючую болотистую воду. Несколько раз секунд по тридцать. Так что тот, в отличие от предшественника профорга, не только надышался и насмотрелся местной экологии, но и вволю ее наглотался.

Проигрыш майор выплатил. Но из гостиницы так и не съехал. По-прежнему ужинал в ресторане, по-прежнему в обществе женщин. Но уже не наших, ярких, недоступно-распутных, а простеньких, явно приезжих, явно российских.

В следующие несколько вечеров я наблюдал сибиряка через огромное окно ресторана. В тот период я числился в розыске и рисковать, попадаясь совсем свежей жертве на глаза, не смел. Хотя и был уверен: майор не сдаст.

У бандитов, «кроющих» катал, имелись и другие находки в области психологического воздействия на фуфлыжников. Некоторым упрямцам сулили такую перспективу:

— Что, если тебя поселить в хату на берегу лимана? Хата известная. Неужто не слыхал? Заодно и посмотришь. Хата-профилакторий для тех, кто только-только «откинулся» после большого срока. Люди-то к «петухам» привыкши. Надо им заново переучиваться. Возвращаться к нормальной ориентации. Вот и возвращаются. Трахают таких, как ты, но вперемежку с проститутками. А что делать? Понять надо людей. По пять-десять лет на одних «петухах». Не позавидуешь. Подсобить надо людям. Подсобишь?

После такой беседы фраер становился куда покладистее.

Насчет хаты... Наши уверяли, что такой центр

реабилитации существует. Я не поверил. Подумал так: то, что где-то существует бордель гомосексуалистов, может, и правда. Было бы странно, если бы не существовал. Вот он-то и оброс слухами.

Случались ситуации, когда «крыше» приходилось действовать на полную катушку. С реальным риском для свободы и жизни. Без таких ситуаций практически не обходилось на выездах.

Катала или аферист, выезжая на гастроли, прихватывал с собой группу поддержки. На выездах и выявлялось, насколько «крыша» надежная. Потому бандиты, особенно среднего и мелкого пошиба, не особо жаловали частые турне. Но и не отказывались. Отказавшись, рисковали потерять опекаемых. Если те выедут «под другими», то «под другими» и останутся, вернувшись. Приходилось ехать.

На выездах бывало по-разному.

Двое сопровождающих Маэстро пацанов, начинающих бандитов, во время гастролей по Кавказу вынуждены были устроивших засаду горцев сбросить в пропасть.

Маэстро потом по секрету мне рассказал: управились одним «ТТ» против двух ружей. На высоте оказались хлопцы. Вернулись при взмывшем авторитете. И Маэстро в очередной раз изумил. Талантом видеть людей насквозь. Что мешало ему, звезде отечественного шулерства, взять в прикрытие звезд отечественного бандитизма? Нет, дал молодым шанс. Те его не упустили.

Многие из наших потом пожелали перейти под этих двух, сменить «крышу». Большинству не дали. Бывшая «крыша» и не дала. Кто ж просто так откажется от жилы.

(История имела продолжение. Месяц спустя в

Одессе объявились несколько вкрадчивых, настырных кавказцев. Наводили справки. Наивно маскируясь, являлись на игровые точки, проигрывали деньги. Приличные суммы. Искали Маэстро и тех пацанов. Но уехали ни с чем. В том числе и без денег. Может, кого-то и грохнули для очистки совести, но не тех, по чью душу приезжали.)

Бывало, все заканчивалось не так гладко.

Популярный в Одессе кидала Чижик, хрупкий, интеллигентный очкарик, похожий на Знайку, задумал посетить инкогнито Белокаменную. В таких случаях признаком хорошего тона считалось представиться аборигенам. Зарегистрироваться по приезде. Но регистрация означала выделение доли в местную казну.

Чижик правилами приличия пренебрег. Решил, что при той свите, которая вызвалась сопровождать его в вояже, от уплаты налога можно уклониться. Тем более что, зная способности солиста и предвидя заоблачные гонорары, в свиту напросилась уйма народа. Авторитетного народа. Бандиты середнячки даже не подавали заявок на выезд.

Через полгода после этого я видел Чижика на костылях, с высохшими и неестественно вывернутыми ногами.

— Что ты, — печально вскинулся Наум, когда я спросил его о Чижике. — Били люто...

От Наума узнал, что калечили Знайку на глазах свиты, держа ее на прицеле пистолетов. Никто и не рыпнулся.

Одесские бандиты того времени проявляли себя по-разному. Как иначе? Людей одинаковых не бывает.

Но было нечто общее, что отличало их от бандитов нынешних.

Не было у бывших ощущения вседозволенности и безнаказанности.

Во-первых, потому, что бывшие не располагали теперешними безграничными средствами (в смысле, заурядными деньгами).

Во-вторых... С властью в то время договориться было невозможно. Почти невозможно. Власть не снисходила до договоров. И сами уголовники с понятиями считали: договариваться западло.

В-третьих... Было нечто, что мешало запросто, походя убивать. Это нечто, может, и имело отношение к совести, но самое отдаленное. Сами бандиты полагали, что именно так: убийство — это слишком. Но обольщаться не стоит. В отношении к убийству имела место обыкновенная осторожность. К праву убивать власть в то время относилась ревностно.

На расследование «мокрух» менты бросались всем скопом и большей частью доводили дело до ума. До «вышки».

Все же убийства случались. Не только как проявление садистских наклонностей отдельных психов.

На «мокрые дела», случалось, шли осмысленно. Как без них при работе с таким недоверчивым материалом, как люди? Зачем терзать людей сомнениями, не блефуют ли с ними, не пытаются ли запугать? Приходилось время от времени предъявлять доказательства искренности. Добирать ими высшего авторитета.

Одним из доказательств когда-то чуть не стал Рыжий.

Самое время вспомнить ту его неприятность. А заодно историю его дружбы с Рылом.

Глава 22

Рыжий, вернувшись из армии, двинул в неожиданную сторону. Перво-наперво стал профессиональным алкоголиком. Как-то оно быстро у него получилось. Без изнурительного сопротивления молодого организма. Без попыток внять предостережениям родных. Без душевных колебаний. Прямиком — в заядлые, несомненные пьяницы. Эта уверенность в выборе пути, демонстрация цельности натуры даже вызвали симпатию. Большей частью — у наставников-собутыльников.

Добившись в выбранном жизненном амплуа существенных успехов, Рыжий выбросил фортель. Заделался цеховиком.

В те годы государство, спохватившись, что давненько не дурило собственных граждан, придумало и с успехом провернуло масштабную аферу по выявлению предприимчивых людей.

Вышло изумившее и обрадовавшее многих постановление. При государственных предприятиях разрешили организовывать частные цеха. По производству всякой галантерейной дребедени: цепочек, пилок для ногтей, зубных щеток.

Отучившаяся не доверять правительству хваткая публика кинулась постановление выполнять.

Если бы выявление «деловаров» было единственной целью в проведенном мероприятии, то его и аферой нельзя было бы назвать.

Целей оказалась как минимум три. Первая: все же выявление, но выявление не просто предпринимателей, а предпринимателей-простаков. Вторая: пополнение бюджета за счет конфискации их имущества и денежных средств. И третья: ликвидация и самих лоховитых дельцов, и всего, что они напредпринимали. Полная ликвидация. Посредством высшей меры и разрушения.

Рыжий, как и многие другие жертвы аферы, о нэпе и том, чем он закончился, мог знать из учебника истории. Мог, но, похоже, не знал. Вместо того чтобы грызть гранит науки, грыз сухари, похищенные из той булочной на Успенской. Чем еще можно объяснить то, что он клюнул на наживку-постановление? Только слабым знанием истории.

Рыжий подался в цеховики.

Не только сам заделался нэпманом, но и привлек ровесника, дружка детства, тщедушного хитрющего парня по кличке Малый. Почему именно его? Сказать сложно. Когда-то на пару с Малым они обслуживали пресловутую лопату-качалку. Рыжий, должно быть, помнил, что напарник работал с огоньком, не перекладывал ответственности на других.

В выборе соратника новоявленный шеф-предприниматель не ошибся. Пришло время, и именно Малому Рыжий стал обязан жизнью. Но об этом позже.

Вообще обнаружилась странная, удивительная концентрация вундеркиндов, выходцев из уличной банды, в которой происходило становление Рыжего. Буквально один-два из них стали заурядными бандюгами, остальные же...

Из тех, кому забота о непрерывном стаже и борьба за переходящее знамя не показались достойными того, чтобы на них положить жизнь, Рыжий с Малым рискнули с бизнесом, еще один стал кидалой (правда, районного масштаба). Кто-то освоил бильярд, кто-то открыл в себе призвание к маклерству. Один и вовсе оказался самородком. Обнаружил редкостный, почитаемый во все времена дар: нюх на «рыжье».

Я его, невзрачного, трусоватого дядечку с прыгающим, как блоха, взглядом, не раз наблюдал у Рыжего. Рыжий мне о нем и поведал. Кощей (дядечка) был незаменим, когда люди собирались «ставить квартиру». Его непременно брали на дело. Хотя в деле он не ударял пальцем об палец. Обязанности его сводились к следующему: в квартире-жертве Кощей должен был показать, где спрятано золото. И он показывал, ни разу, кажется, не ошибившись. Входил в квартиру, осматривался, вроде как принюхивался и указывал:

— Здесь.

Заявки на участие в деле дядечка принимал за несколько месяцев вперед. Нарасхват был у домушников. Но отдавал предпочтение своим. Тем, с которыми рос.

Так вот, Рыжий с заместителем Малым при одном из совхозов под Одессой открыли цех по производству медальонов и щеток.

За год прилично раскрутились. Рыжий пить не бросил, что не мешало ему оперировать сотнями тысяч и жениться на перспективной аспирантке.

Рыжий и тогда, и позже представлял собой общественно безвредный, приятный тип алкоголика. В редком трезвом состоянии он затихал, по-черепашьи уходил в себя. Прятал душу от окружающих. Выпивши, возвращался к жизни, становился остроумным, тонким, доброжелательным. Демонстрировал склонность к философии и самоиронии. Как при такой натуре не стать всеобщим любимцем? Рыжий стал. С молодости был из тех счастливчиков, которые удивительным образом притягивают к себе окружающих. Любовь к себе воспринимают как должное. И уверены, что сумеют расположить к себе любого. С любым — договориться.

Но оказалось — не с любым.

Сложно сказать, что ощутил Рыжий, когда на него «наехали» бандиты. С одной стороны, университеты детства подготовили его к подобным неожиданностям. С другой — безмятежное настоящее расслабило.

«Наезд» освежил жизненный опыт преуспевающего нэпмана. Внес поправку в самомнение.

Рыжего взяли тепленьким в сельской хате, которую он снимал под офис и жилье. Взяли от вечернего телевизора.

«Наехавшая» бригада оказалась одной из самых крутых в Одессе. Была известна как бригада Кота. Банда славилась ровным сильным составом и беспредельностью главаря.

Главарь Кот, к несчастью жертв-мышек, был из тех психопатов, которые получают кайф от истязания ближних. Причем большее удовольствие он испытывал не от физических страданий жертвы, а от ужаса в преддверии конца.

Соратников Кота мало смущали замашки вожака. Скорее радовали. Благодаря им бригада и была на слуху.

Избитый несильно, для прикидки, Рыжий удивительно быстро вернулся в образ уличного пацана, члена банды. Сами собой поперли из него усвоенные когда-то заповеди. И одна из них, не главная, но важная: не уступай. Уступающим бывает только хуже.

И когда его били уже добротно, убедительно,

Рыжий не уступал. Не соглашался уплатить «отступного» — сорок тысяч рублей.

Потом фантазер Кот, огромный, неуклюжий жлоб со слоновыми ногами и заплывшим лицом местного механизатора, потребовал, чтобы измордованного упрямца выволокли во двор. Придумал, как полить себе бальзам на душу. Воображение садиста подбросило рецепт бальзама.

Вяло брыкающемуся, полуотключенному Рыжему связали ноги, прикрепили их к цепи, намотанной на валик дворового колодца, и отпустили с богом. Не сдерживая вращения. Цепь грохотала долго, потом раздался глухой далекий всплеск.

Кот тут же самолично несколько раз крутанул ручку валика. Пытаясь разглядеть что-то приятное для себя в темноте колодезной трубы. Не разглядел. Увидел только блеснувшую вдали воду и услышал невнятное мычание. Продолжил наматывать цепь, уверенный, что жертва сдалась. Огорченный тем, что сдалась так скоро.

В тот вечер Рыжий доставил бандиту уйму сладостных минут. Его опускали в бездну колодца бог знает сколько раз. Кто бы выдержал такое? Кто бы мог подумать, что такое выдержит Рыжий? Рафинированный алкоголик, любимец публики. Ради чего выдержал, и сам, наверное, не смог бы сказать. Но точно не от жадности. (Позже, когда государство взялось собирать урожай в виде проросших дельцов, Рыжий лично засыпал бульдозером склад собственной готовой продукции. Товару на складе было на двести тысяч. Засыпал без колебаний и никогда не жалел об этом.)

Вспоминая обо все этом, думаю: может, потому когда-то и не хотелось смотреть в глаза майору-вертухаю, что упертостью тот мне напомнил Рыжего. Они оказались из одного выводка.

В конце концов вдохновленный Кот, оглядев умаявшихся сподвижников (цепь наматывали по очереди, но все равно устали), решил, что хватит ныряльщику валять дурочку. Мычанием провоцировать трудоемкие, бессмысленные подъемы. Он внедрил в процесс истязания техническую новинку. Не банальный утюг в виде горчичника, не паяльник в виде клизмы. Кот потребовал, чтобы ему доставили к колодцу замеченный в хате магнитофон «Яуза» с микрофоном и удлинитель.

Удлинитель потребовался для включения самого магнитофона. Микрофонный шнур оказался и так достаточно длинным. Рыжий на свою голову удлинил его сам. (Украдкой записывал разговоры с председателем колхоза в неформальной обстановке, за самогоном. Председатель любил по пьяному делу обещать.)

Теперь процесс добычи информации стал более интеллигентным. Сиди себе и прислушивайся к шипению из динамика. Как какой-то ученый, ожидающий радиосигналов неведомых цивилизаций из космоса.

Ожидания у колодца были столь же безрезультатны, как бдения у телескопа. Разве что, в отличие от бандитов, вздохи, кряхтения и невнятные бормотания привели бы ученого в восторг.

Иногда Рыжий надолго затихал, и тогда цепь подергивали. Настороженно заглядывали в колодец. Спрашивали:

— Эй!.. Не уснул?

Из динамика хрипло доносилось:

— Дайте закурить...

— Где бабки?

— В сберкассе. Завтра вместе пойдем...

— Где книжка?

— Без меня не найдете.

— Уже нашли. — В хате, перерыв все, наткнулись на сберкнижку, в которой были отмечены сто тридцать рублей с копейками.

— Есть другая, — шипел динамик.

— Где?

— В городе.

— Где именно?

— Сам покажу.

— Виси тогда, — не верили бандиты.

— Надо же, — сказал наконец Кот. — Доходяга, а духовитый. — И с возмущением догадался: — Может, он так кайф ловит? Держит нас за лохов. На хер он такой нам нужен?..

Принял решение:

— Поехали за Малым.

— Что с этим? — спросил зам по банде.

— Пусть пока повисит.

...Малый долго не упирался. Поначалу, конечно, взбрыкнул, на банальный мордобой не купился. Но когда его вывезли за город, в лесопосадке поставили на шаткое бревно и затянули на шее петлю, компаньон Рыжего дрогнул. Вытянувшись в струнку на бревне, написал записку Лепе, приятелю инженеру, у которого они с Рыжим хранили деньги.

Два часа, пока гонец-бандит ездил за выкупом, Малый балансировал на бревнышке.

Деньги были привезены, все сорок тысяч. Эквилибриста вынули из петли, предложили выпить на посошок и за успешное завершение вымогательства.

Малый выпил.

Выслушал укор по поводу упрямства Рыжего. И напутственные слова:

— Иди, вынимай его. Водка в доме есть?

— Есть.

— А то — можешь взять.

Скептически глянув на дохляка Малого, зам Кота заметил:

— Не вытащит он его. Усрется.

— Может, — согласился Кот.

— Поеду, достану, — вызвался зам.

— Езжай, — согласился главарь. И уважительно выдал о Рыжем: — Нормальный пацан. — Помолчал и добавил: — Но вредный.

Малый с замом поехали извлекать из колодца несчастного, уже подхватившего воспаление легких Рыжего.

По дороге Малый узнал, что зовут зама Леней. А кличка у него — Рыло.

Глава 23

Я прервался.

Все эти свободные воспоминания могли служить только набросками к будущей книге. Задавали теме настроение. Настроение ностальгии.

Что-то в набросках смущало. Я понял, что. Стоит ли умиляться тому, что бывшие бандюги не злоупотребляли убийствами, если убивать им мешала не совесть, а страх. Стоит, не стоит — вопрос второй. Важно то, что тормоз был.

Насчет нравственности в бандитской среде я никогда не обольщался. Разве что в самом начале карточной карьеры, когда удавалось верить в популярную среди блатных самохарактеристику: мы проповедники порядочности.

Позже подобная патетика не вызывала ничего, кроме усмешки. Но неискренностью не огорчала. Так же, как не огорчали выставленные на домах транспаранты «Слава труду».

Опыт вразумил: блатной закон сродни государственному. Он — что дышло. Куда надо — туда и вывернут.

Об этом тоже предстояло вспомнить конкретно. Проиллюстрировать эпизодами.

...За каждой, даже самой именитой бригадой водились грешки. Если выбивание долга заказывал гражданин со стороны, чужак, то он должен был быть готов к тому, что в случае невыполнимости заказа «наедут» на него. Частенько потрошили самого заказчика, и выполнив заказ. Случалось, передоговаривались с должником. Брали того под опеку. Обещали отвадить истца. За мзду, конечно. И отваживали, мордовали чужака, неосмотрительно обратившегося за помощью. На этой почве часто разборки гремели. Но они бандитам были только на руку. Как нескончаемые судебные разбирательства адвокатам. В любом случае кто-то их оплачивал.

Казалось бы, что тут ностальгировать, что противопоставлять нынешним бандитским нравам.

Что манит подающихся в бандиты сейчас?..

Раньше на вольные преступные хлеба подавались от свободы души, неудержимости натуры, не

желающей довольствоваться стойлом. Но и платить за самовольно полученные льготы приходилось сполна.

Вот и вся разница... На это я и решил делать упор в книге.

Но что-то меня не устраивало в этом решении. Я предвидел, что, если даже выдержу задуманную интонацию, книга выйдет не то чтобы пресной (при таких персонажах и событиях — вряд ли), но протокольной. Нужен был гвоздь, эпицентр темы, яркое пятно.

Я долго не сомневался. Эпицентром должен стать образ бандита. Самого-самого. Героя того времени.

Оставалось выбрать из галереи всех известных и пока не известных мне бандитов этого самого-самого.

Ничего себе задачка. Но с какой стороны за нее браться, гадать не приходилось. Следовало порыться в своем окружении. Претенденты из своих имели на соискание первоочередное право.

Глава 24

Вечером я позвонил Саше. Уточнил:

— Бандитская тема еще актуальна?

— Да, — просто ответил он. Без паузы ответил. Такое впечатление, что не сомневался: рано или поздно я об этом спрошу.

— Надо бандитскую Одессу? Или Украину? На Украину у меня нет материала.

— Подброшу. Люди работают. Твое дело — довести до ума.

— Ладно, — сказал я недовольно. — Берусь.

Издатель не отреагировал одобрением на новость. Спросил:

— Как Асханова?

— Нагрузила, — уклончиво ответил я.

— Комбинацию провернул?

Я усмехнулся:

— Провернул.

— Поверила?

Я подивился: он что, специально подбирает такие вопросы, чтобы мне не приходилось врать. Я и не соврал:

— Поверила.

— Хорошо, — сказал Саша. — И подвел итог: — Займись Одессой. Материалы по другим городам получишь.

— Угу, — я положил трубку.

Не понравился мне разговор. И уверенность издателя, что я возьмусь за книгу, не понравилась. И то, что ему приспичило заполучить бандитскую Украину. Я бы ограничился Одессой.

Вернувшаяся с работы Ольга, только переступив порог, сказала:

— Приве-ет.

И тут же осеклась. Мгновенно сосчитала, что я в работе. На цыпочках, с заговорщицким удовольствием на физиономии, удалилась во вторую комнату. Там и провела остаток дня. Тихо, с мышиными шумами, занимаясь своими делами, поспешно хватая трубку радиотелефона при первом же звонке.

Глядя на белый, не тронутый текстом монитор компьютера, я предавался воспоминаниям.

Рассмотрение кандидатов начал с Рыла. Хотя с самого начала знал: на «гвоздь» он не потянет. Если бы ввести кучу других номинаций. Например, самый лютый бандит. Или самый благородный. Или самый интеллигентный. Тогда бы и Леньке можно было присобачить ярлык. Скажем: самый любимый в среде алкоголиков и учительниц-пенсионерок.

В Одессе Рыло был популярен во всех кругах уголовников. Все держали его за бандита широкого профиля. Бандита-универсала. Выбить долг? Пожалуйста. Выбьет и с должника, и с того, кому тот должен. «Развести»? Нет проблем. Грабануть? Милости просим. Причем в любом антураже. Хоть в машине, хоть на дому, хоть рядом с Управлением МВД. Прикрыть каталу на выезде? Никогда не отказывался. Сейчас, правда, годы не те, чтобы мотаться по командировкам. Но всегда подберет достойного сотрудника, снарядит в провожатые. Леня был горазд на все. Все грани профессии освоил за свою многолетнюю трудовую деятельность.

Но самым сильным его местом были разборки с конкурентами. Еще бы, при его-то популярности. При боксерской непринужденности, с какой он давал и получал в рыло. И главное, при негласной уверенности своих и чужих: та знаменитая «мокруха» на хате Рыжего — работа Лени.

Все бы ничего...

Но тяготение Рыла к алкашам... Оно не то чтобы снижало рейтинг, но оставляло неприятный осадок у некоторых солидных заказчиков и у коллег-снобов.

Когда люди являлись для решения серьезного вопроса и заставали знаменитость в окружении неприглядного, опустившегося люда, то чувствовали себя, мягко говоря, не комфортно. Рылу на замешательство солидных посетителей было начхать. Со времени колодезного знакомства с Рыжим он возлюбил алкашей. Не брезговал общением, даже вроде бы специально аккумулировал их вокруг себя. Иногда перегибал палку: брал их в дело.

Был эпизод. Уже обработанный еврей-часовщих должен был принести тысячу рублей выбитого долга. Деньги не бог весть какие. Рыло решил поделиться ими с пьяницами, завсегдатаями пятачка у «стекляшки». Но чтобы не обидеть людей подачкой, назначил всем «стрелку» в кафе «Айвенго». Там же, куда обязал должника принести деньги.

Слух об операции мигом разнесся по району. Каждый алкаш, возомнивший о себе как о Робин Гуде или просто гонимый похмельным синдромом, прибыл на сходку. Прибыл задолго до назначенного срока. (Синдрому назначенное время — не указ.)

Менты, к которым обратился терпила, из укрытия с удивлением наблюдали районную мобилизацию. Вызвали подкрепление.

Все желающие помочь другу Рылу в получении долга в кафе не попали. Не рассчитано оно было на подобный аншлаг. Более-менее пунктуальные помошнички вынуждены были толпиться на улице.

«Чего еще ждать?» — решил начальник-мент и дал сигнал к облаве.

Но с сигналом погорячился.

Рыло наблюдал операцию по захвату себя со стороны. С ближайшей троллейбусной остановки, укрывшись в толпе ожидавших пассажиров.

Леня, как и положено профессионалу, шел на «стрелку» минута в минуту по договору. И опоздал к началу облавы.

Потом его, конечно, взяли. При таком количестве повязанных дружков-алкоголиков, да чтобы кто-то не сдал?..

Взяли у «стекляшки» на следующий день. Взяли

для галочки. Или от досады. Толку от этого уже быть не могло (ни купюр с переписанными номерами, ни контакта вымогателя с потерпевшим). На одном заявлении и стукачестве дела не заваришь.

Леню отпустили в этот же день к вечеру. Предварительно вместе с ним посмеявшись над ситуацией. Простив (под смех) собственный конфуз.

Таким всеядным в выборе окружения был и остался Рыло. Но не всеядность принесла ему бандитскую славу. Коммуникабельность — полезная черта, но не самая важная при определении бандитского рейтинга. Рейтинг растет на конкретных делах. На каких растет, на каких падает.

Вот, пожалуй, самый важный, самый определяющий эпизод в бандитской карьере Рыла. Тот самый эпизод на хате Рыжего. Вознесший Рыло в одесскую бандитскую элиту. Мало кто знал о нем наверняка. Вернее, мало кто знал наверняка, что герой эпизода — Рыло. Но и сомнений на этот счет почему-то ни у кого не было. Детали прозошедшего, как ни странно, тоже оказались известны многим.

Случилось это через восемь лет после первого знакомства Рыла с Рыжим.

С тех пор, с вечернего купания... с утреннего извлечения из колодца, и пошел стаж их дружбы.

Когда цеха закрыли, Рыжий чудом избежал «вышки». Способствовали этому вовремя ликвидированный склад и показания председателя, чье соучастие могли подтвердить магнитофонные записи.

На доверительных отношениях с властью Рыжий поставил крест. Потеряв, кроме веры и бизнеса, еще и жену с дочерью. Идти замуж за пьяницу-бизнесмена — совсем не то же самое, что иметь в мужьях просто пьяницу. Потеряв все, что дает человеку право форсить добропорядочностью, Рыжий почувствовал себя свободнее. Снял упряжки со своих порочно-человеколюбивых наклонностей. Взялся помаленьку переоборудовать жилплощадь в «малину». Позже привел в нее зазнобу, продуктовую кидалу с Привоза — Наташку Бородавку.

Итак, прошли восемь лет дружбы Рыжего с Рылом.

Сначала они сообща без проволочек промотали оставшееся состояние Рыжего.

Рыло тогда был еще при собственной квартире, но большую часть свободного от бандитизма времени проводил у Рыжего. Грело его это место. Как и многих других.

Но в тот знаменитый вечер у Рыжего было на редкость безлюдно. Кроме самого Рыжего, присутствовали только Рыло и Горелый.

Рыжий, щуря в привычной усмешке глаза, привычно сутулясь над стаканом водки и банкой кильки, рассказывал очередную байку. Время от времени прерывался, экзаменовал Бородавку вопросами:

— Маня, чем отличается претендент от прецедента?

Или:

— Тетушка, кто тебе больше нравится, Лопе де Вега или Васко да Гама?

Наташка на вопросы не реагировала. Сосредоточенно предавалась любимому занятию. Устроившись на бугристом диване, разгадывала кроссворд в «Огоньке». Взяв в подсказчики Горелого.

Рыло, по другую сторону стола слушая Рыжего, чистил «ТТ». Появление на «малине» с оружием не приветствовалось. Хата уже была на учете. Но для избранных допускались льготы. Рыло был избранным. К тому же плановая облава райотдела прошла на днях.

Рыло к оружию относился без почитания. Мог по случаю пострелять, но без энтузиазма. Исключительно по пьянке. Собственные кулаки и прочие конечности казались ему более надежным арсеналом.

Сейчас Леня был почти трезв. Контакт его с оружием имел исключительно коммерческий смысл. Вечером он собирался передать пистолет покупателю, поимев на передаче комиссионные.

Читатель уже все понял. Раз есть оружие, оно должно выстрелить. Но для этого его надо было дочистить. И дождаться появления того, кому предназначался выстрел.

Последний вскоре появился. Кот. Тот самый Кот, садист-фантазер, чьим заместителем был когда-то Рыло.

На условные два удара дверь открыл Горелый. Впустил смутно знакомого ему посетителя, вернулся к Бородавке. Уже увидя Кота на пороге комнаты, на свету, узнал его. И сдрейфил.

Появление бандита оказалось большой неожиданностью. Неприятной для всех. Впрочем, присутствующие были людьми, в неприятных неожиданностях поднаторевшими. Видимой нервозности не проявили. Разве что Рыжий тщательнее, чем обычно, прожевал очередную кильку.

Рыло, мягко говоря, озадачился. Говоря откровенно: растерялся.

Изумление бывшего зама бывший главарь ошибочно истолковал как закономерное после их долгой разлуки. Доброжелательно шевельнув ничуть не опавшими за восемь лет щеками, шагнул к Рылу.

Пожал руку, снисходительно по-вожаковски заметил, кивнув на «ТТ»:

— Растешь...

Вроде как похвалил.

Откуда ему было знать, что Рыло здесь не на работе — дома? На зону, где Кот провел последние восемь лет, информация об этом не попала в силу своей незначительности.

Надо бы объяснить, о какой зоне и о каком восьмилетнем сроке идет речь. О зоне строгого режима и сроке за вымогательство.

Та история наезда на Рыжего для Кота не закончилась благополучно. Государство не простило ему посягательства на собственный урожай. А узнало о посягательстве благодаря заявлению инженера Лепы, который передал выкуп по платежному поручению Малого. Передать-то передал, но потом, узнав об экзекуции, которой подвергли его друзей, очень вознегодовал. Наябедничал в милицию.

Кота взяли. И несмотря на то что Рыжий и Малый пошли в отказ, под суд подвели. В стопке заявлений, призывающих ментов в спасители, в последнее время слишком часто мозолило глаза слово Кот. С большой буквы.

Кот, как и положено бандиту с понятиями, все взял на себя. Так к тому же ему вышло дешевле. В смысле срока. Дешевле, но не дешево: восемь лет строгого. От звонка до звонка.

Звонок прозвенел, и вот он — Кот. Пред очами Рыжего. С выращенным за восемь лет зубом. С теми же зудящими замашками.

За годы отсутствия его несколько подзабыли в Одессе. Но он пока не осознал этого. Как и того, что Рыло вряд ли еще нуждается в наставнике.

— Грузишь? — деловито поинтересовался он у Рыла, пройдясь по комнате, оглядевшись. Заметил по поводу обстановки удивленно, с досадой: — Видать, многие грузили.

Бандит остановился напротив Рыжего. Вперил жесткий взгляд в хозяина, объявил:

— Ты мне на х... не нужен. Хату перепишешь на меня, и — свободен.

Это была ошибка. Не начал бы он с хаты, глядишь, и обошлось бы. А так... Он не просто на жилплощадь Рыжего замахнулся. Он вздумал лишить крыши над головой семью.

Рыжий не откликнулся. Какое-то время смотрел на гостя, потом потянулся к банке. За очередной килькой. Не дотянулся. Полетел на пол вместе со стулом, опрокинутым слоновой ногой.

— Ша, Кот, — услышал Кот за спиной осипший голос бывшего зама. Обернулся.

«ТТ» был у Рыла в руке. Смотрел стволом на необъятную грудь Кота.

— Он — подо мной, — уже нормально, без сиплости сообщил Ленчик.

— Ну? — изумился гость. Поразглядывал бывшего соратника. Задал вопрос: — А кто ты есть?

Рыло не посчитал нужным ответить.

— Правильно на зоне слышно, ссучились вы тут все, — изрек Кот. И добавил хмуро: — Ты мне тоже на х... не нужен. Можешь идти на воздух вместе с ним. Будете рыпаться — хату спалю.

Рыло передернул затвор. Это почему-то Кота развлекло. Он с издевкой сказал:

— Фраера пугают. Блатные — мочат. Сразу духу не хватило — не хватит никогда...

Он не успел толком доумничать. Грохнул выстрел. Рыло, шевельнув стволом, пальнул в обложенную мраморной плиткой дореволюционную стенку-печь. Брызнули перламутром осколки.

Никто не проронил ни звука. Бородавка прикрыла рот рукой.

Кот удивленно оглянулся на печь. Не струсил, ухмыльнулся. Помнил, на что горазд его бывший. И на что не горазд. Опять не сделал поправки на восьмилетнюю эволюцию.

— Ментовские дела, — посуровев, продолжил гость. — Если не фраер, мочи сразу. Могу показать...

Он полез рукой за пазуху. Не спеша полез. То ли потому, что не мог быстрее при своей тучности, то ли от снисходительности.

Рыло выстрелил. Не в мрамор, не в потолок. В эту самую пазуху.

Что подстегнуло его?.. Может, понимание того, что потом будет поздно. Может, наставления бывшего шефа. Скорее и то, и другое. Еще вернее — третье. В тот момент Рыло не мог не ощутить: у него есть только один шанс в дальнейшем что-то значить в этом городе. Выстрелить. И он не дрогнул. Может, и дрогнул, но на точности попадания это не отразилось. Ни добивать, ни лечить Кота не пришлось.

Ночью Рыжий с Рылом переправили тело в парк, где наскоро забросали листьями. Горелого предварительно загнали на столб, чтобы перерезал провода, обесточил уличные фонари.

Труп менты нашли через два дня. Странно, но никого по этому поводу не дергали. К Рыжему пару раз наведались, но скорее для галочки. В то время единственных, кого можно было лишать жизни, не опасаясь повышенной милицейской цепкости и дотошности, это уголовников-рецидивистов.

Знали об этом все. Но Рыло решил не рисковать. На следующий день цинично, средь бела дня попался патрулю на снятии с «Москвича» задних колес.

Дали ему два года общего режима. Кроме двух лет свободы, Рыло на этом деле потерял сто рублей (стоимость «ТТ») и квартиру. Приобрел авторитет и Лидасика.

О похождениях Рыла я знал много. Но симпатичен он был мне не своими бандитскими достижениями. Было в нем что-то от ребенка. Некая странная простота, готовность к пониманию. (Хоть и не всегда способность к нему.) У Рыжего, что ли, набрался?..

Легко мне всегда с ним было, пресловутый авторитет не действовал на нервы, не давил. И Леньке, похоже, было по душе, что на меня, в отличие от большинства, он не давит.

Значимость Рыла в Одессе я мог проиллюстрировать любым количеством эпизодов. Но самого меня они бы не убедили. Рыло на «самого-самого» не тянул.

Было в его биографии как минимум два прокола.

Во-первых, роман с Лидасиком. «Самый-самый» не имел права решать проблему собственного благополучия, соблазняя уставшую от одиночества пожилую женщину. Тем более не имел права вслух вести учет растительности на не предназначенных для всеобщего обзора частях ее тела.

Но лирическая трагикомедия в исполнении Рыла и Лидасика не была решающим проколом. В конце концов это не мое дело. В скрытых фантазиях и интимных проявлениях мы все горазды черт-те на что.

Было и второе...

Ленька сжег беседку с живыми щенками. Этого я ему точно простить не мог...

Глава 25

Кого еще из своих я должен был рассмотреть в первую очередь? Конечно, Вовку Шрама.

Шрам был индивидуальностью. Если можно говорить о таланте применительно к бандитизму, то этот ярлык будет в аккурат для Вовки.

Физические данные уже упоминались. Навыки владения оружием — тоже. Чего стоил один его коронный трюк, который он как-то продемонстрировал мне у себя в подвале. Последовательность демонстрации была такая: якобы по команде: «Руки вверх!!» Вовка поднимает руки. В одной из них — нож. По команде: «Бросить оружие!» выпускает нож из руки. Тот скользит по телу до ступни. Попадает на нее. В этот момент Шрам футболит нож так, что тот втыкается в грудь нарисованного на деревянном щите силуэта.

Другие признаки бандитского таланта тоже были при Вовке. А именно: бесстрашие, дерзость, цинизм.

В его послужном списке были потасовки в ресторанах, где он один затевал свары с любым количеством приезжих азиатов. Ни число их, ни матерость, ни экипированность значения для него не имели. Может, и имели, но не настолько, чтобы остановить. Не было ни одного случая, чтобы его уложили. Но он не просто выходил победителем (что он, спортсмен какой-то?). Он дрался, как гладиатор, как воин в ратном поле. Бился от души, жестоко. Без оглядки на тяжесть увечья, даже на смерть.

Было дело, Вовка отправил на инвалидность шестерых кавказцев-боксеров. Правда, не тяжеловесов. Те перебрали одесской «Десны». Спьяну возомнили себя хозяевами жизни и как составляющей ее части хозяевами присутствующих в ресторане женщин. В том числе и тех, которые были при спутниках.

Вовка, допив коньяк, хозяев-самозванцев изуродовал. Всех шестерых. На радость трапезничающей публике.

...В том же послужном списке Шрама числился и срок за убийство кулаком. При его размашистости в мордобое это было неудивительно.

Числились и подвиги в области беспредела. Об одном из них я знал и от самого Вовки, и от своих коллег-катал.

История была незатейливая, обидная для нашего брата.

Поздно вечером Шрам заявился на игровую хату, где собирались уважаемые люди. Цеховики, шулер солидного, не босяцкого уровня.

Заявился вроде бы добродушно. Его здесь знали. Впустив, не обеспокоились. Мало ли, человек заглянул на огонек. Или чтобы о себе напомнить: может, у кого турне на носу, а с группой поддержки — проблемы.

Сначала гость вел себя прилично, в соответствии с уставом монастыря. Из-за спин игроков понаблюдал за покером, попил водочки, негромко пообщался со знакомыми...

Перед тем как уйти, Вовик достал из мешка обрез двустволки. Объявил всем построение. Установив игровую публику «в линейку» у стены, беспредельщик отдал приказ рассчитаться. Не в смысле «первого-второго», а в смысле внесения дани. По «штуке» с носа.

— Что было делать? — пояснил мне позже свою выходку Шрам. — День был не фартовый. Ни копейки не принес. Что мне, пустым было домой возвращаться?..

Но самой главной, самой значимой для меня в карьере Шрама была его последняя выходка. Выходка, которая увековечила память о нем среди своих. И не только среди них. Увековечила посмертно.

Это случилось уже в нынешние времена. С картами я завязал, работал на телевидении. Делал программу, героями которой были люди, имеющие основания не показывать зрителям свое лицо. Беседовал с их настенными силуэтами. Программа так и называлась: «Тень».

Одной из «теней» оказалась пятнадцатилетняя девчонка. Ее изнасиловали девять уголовников, заманив газетным объявлением о работе в фирме.

Первое время после передачи на телевидение являлись современные стриженые молодые люди. Голосами театрально мужественными, благородными требовали подробностей, которые помогли бы разыскать насильников.

Мой телевизионный шеф подробности разбазаривать запретил.

Я его распоряжение не выполнил. Весь этот молодняк, играющий в посланников божьей кары, был мне занятен и только. Не ему я сдал тех ублюдков.

Сдал их Вовке. Вызвал девчонку, и она испуганно описала детали. Не понимая зачем, но желая побыстрее прекратить общение с этим огромным, не похожим на доброго дядькой. Шрама интересовали клички, внешний вид, наколки насильников.

Вовку несколько лет до этого я не видел. Приходу его обрадовался, как глотку прошлого. Пока ждали девчонку, расспросил: где он, как он.

Оказалось, теперь он тем более сам по себе. Якшается только с одним напарником (с ним ко мне и заявился). Нынешнюю блатоту не ставит ни во что. Не упускает случая поставить на место.

Я не верил, что это его стремление поучаствовать в судьбе... обидчиков серьезно. На благородстве Вовку до этого ловил редко. Не в верил и в то, что его могла пронять передача. Проймешь его насилием и слезами — как же...

Решил, что по эфирным отрывочным описаниям Шрам признал кого-то из своих врагов. Из тех, кого давно разыскивает. Или что воспользовался случаем повидаться со мной. А романтическое оформление — для форсу.

Через две недели после первой состоялась наша с Вовкой последняя встреча. Предпоследняя.

Шрам вновь попросил вызвонить несчастную девочку. Предъявил затравленному судьбой детенышу на опознание лоскут серой человеческой кожи. С пупом-пауком и татуировкой-паутиной.

Кто мог такое ожидать? От Вовки? За просто так? Ради незнакомого человека, пусть даже подростка? Я — не мог. Время, что ли, способствовало мутации Вовкиной души? Когда-то неподатливой, окостенелой. Значит, время. Больше нечему.

Уже точно в последний раз я увидел Вовку еще через месяц. Когда снимал передачу об одесском морге. Обнаженный, не узнанный мной сразу, Вовка беспомощно лежал на мраморном столе. Валетом рядом с телом бомжа в носках. Солнечное сплетение Шрама представляло собой ужасающую развороченную дыру.

Позже стало известно, что Вовку убили дружки того насильника, чей пуп он привозил на опознание. Убили жутко. Еще не поздним вечером на людной улице из машины воткнули в него лом. Как копье.

Так закончил Шрам.

В том, как он закончил, была и моя вина. Я никогда не забывал об этом. Помнил и сейчас. Правда, спица, которую ворочало в душе это воспоминание, уже затупилась. Уже не мешала жить. Опять-таки — время. Куда от него денешься? Слава богу, и на этот раз никуда.

Соблазн сделать Шрама главным героем книги был велик. Все в его образе оказывалось к месту.

Во-первых, он был талантлив. Во-вторых, был сам по себе. В-третьих, отомстил за незнакомую ему девчонку. При этом такое затеял... В-четвертых, главных, — его уже нет. И погиб он не по пьянке, не от пули отчаявшегося спастись фраера, не от пули милицейской. Убили его за эту самую месть. За то, что вступился за чужого для него человека.

Тяжело было удержаться не отдать должное памяти друга, сделав его образ самым...

Но я знал, что удержусь. Есть, чему удержать.

Может, и не имел я права вспоминать. Но и отмахнуться от воспоминаний не мог.

За девчонку, которую садисты приковывали наручниками к батарее, Вовка отомстил. Но как быть с теми женщинами, близости с которыми Вовка домогался таким же образом? Вежливо знакомился в ресторане, приглашал или напрашивался в гости (по-мужски властно, но галантно). И потом... Именно пристегивал. Именно к батарее. Именно наручниками. Не в виде игры-фантазии. В виде полноценного насилия. Это было. Шрам не раз хвастал передо мной любовными успехами. Усмехался при этом моим шевелящимся желвакам и на брезгливое: «Гад!..» насмешливо и снисходительно предлагал:

— Могу поклясться: еще сама придет...

Глава 26

Кого еще стоило рассмотреть? Пигмея. Низкорослого, опутанного татуировками, хриплоголосого уголовника. С виду он был ровесником Рыла и Рыжего. Но по замашкам тянул на совсем уже бывшего. На выпускника классических воровских университетов. Строго придерживался их догм. Сердился, когда видел, что кореша его позволяют импровизации с понятиями.

Особых подвигов за ним я не знал. Слышал время от времени, что Пигмей с компанией то кого-то грабанули, то зарезали бывшего зоновского стукача, то «развели» известного штангиста в бане.

Представляю картинку: психологическую схватку (а какую же еще?) обнаженного Геракла с обнаженным Пигмеем.

Я тогда удивлялся: почему в бане? Лишний же повод для Геракла осознать несуразность происходящего. Задать мелюзге перцу. Заподозрил Пигмея в комплексе неполноценности и стремлении его преодолеть. Потом спохватился: какие комплексы? У Пигмея? Тут другое было: баню Пигмей выбрал для того, чтобы подавить оппонента нашкурной живописью. Как оказалось, не ошибся.

Но все эти известные мне похождения — обыкновенная бандитская текучка. Даже вызвавший шум эпизод, когда Пигмей «поставил» хату главного обэхээсэсника района, не казался чем-то особенным. Курьезным и только.

Но настоящие подвиги за Пигмеем, несомненно, были. Рыло всегда держался с ним как с равным. И кличка Пигмей, при материальной легковесности ее обладателя, в городе вес имела.

Значит, Пигмей. Кто еще?

Принялся перебирать в памяти клички известных мне персонажей. Тех, кого знал лично, и тех, о ком только слышал.

И вдруг понял: сам не выберу. Если выберу, то слишком много на себя возьму. Это их внутрибандитское дело выявлять достойных. У них и надо спрашивать. Удивился собственной бестолковости. Почему эта простая мысль не посетила сразу?

С душевной коликой вспомнил Асханову. Подумал о том, что бестолковость с некоторых пор моя отличительная черта. И еще о том, что, когда слишком много на себя берешь, взятое чаще всего выходит боком.

Глава 27

Когда утром шел к Рылу, чувствовал себя неуверенно. Как объясню свой интерес к теме? После того, что уверял: Хомяк не от меня. Если и объясню, то зачем Леньке отвечать. Оно ему надо? В ситуации, когда все против меня ополчились. Да и вообще... Леньке мои литературные проблемы не то чтобы до одного места, просто непонятны.

— Хер его знает, — первым заговорил Рыло, подойдя. — Никто его не видел.

— Плохо, — без агрессии заметил я.

— Мужик этой телки «на измене»?

— А ты как думаешь?

— Менты уже взялись? — озабоченно спросил он.

— Пока нет. Отмазываю как могу. Но что толку, если у Безвредного планка упала. Если он не вернет журналистку...

Я рассчитывал, что Рыло возразит:

— Вернет, куда денется.

Он не возразил.

— Или если трахнет, — добавил тогда я.

— Не трахнет, — на этот раз успокоил меня бандит.

Я удивился его уверенности:

— Он, часом, не пидор?

Мне показалось, что Ленька вздрогнул. Глянул на меня нервно, жестко. Взгляд его тут же преобразился всего лишь в укоризненный. Конечно, я знал: за такие предположения могут и должны спросить. Или тот, о ком предполагают, или его близкие. Но знал и то, что с меня Ленька не спросит.

Он недовольно посоветовал:

— Смотри, при людях не «прогони» такое.

— Почему не трахнет? — не унимался я.

Рыло помолчал. Нехотя ответил:

— Потому что не поц...

— Вот еще что, — заговорил я погодя. — Если этот пацан, который якобы от меня, где объявится, пусть его задержат. Можешь сказать людям?

Ленька пожал плечами. Посчитал просьбу ребячеством. Ответил:

— И так знаю, что он не от тебя.

Черт... Было приятно услышать это.

— Откуда знаешь? — спросил я.

— Что я, тебя один год помню? Ты бы не подослал. Сам бы пришел.

— Ты помнишь, другие — нет. Пусть задержат и позвонят мне. Телефон можешь дать.

Ленька вновь пожатием плеч сделал мне замечание за мальчишеские замашки. Но сказал:

— Все будет как надо.

И вдруг я запалил:

— Наум посоветовал книгу написать. Самому. Чтобы другие не подставили.

Думал, Рыло удивится такой новости. Он равнодушно отозвался:

— Пиши.

— Наверное, возьмусь, — без энтузиазма сказал я. — Правда, не решил как. Лишнего написать нельзя.

— Нельзя, — подтвердил Леня. Рассеянно. Разговор становился ему не интересен.

— Думаю выбрать кого-то из наших. Из бандитов. Самого центрового. Описать его жизнь. Его описать.

Ленька не отреагировал. Откровенно скучал. Готов был отвалить к своим алкашам.

— Как думаешь? — спросил тогда я.

— А? — не понял он.

— Стоит так писать?

— Пиши, — одобрил безразлично Рыло.

— Что, пиши?!. — возмутился я. — Посоветовал бы, кого взять за самого крутого.

Рыло мое возмущение оживило.

— Как кого? — не понял он.

— Кто у нас самый крутой?

— В Одессе?

— В Одессе. Можно в Украине.

Рыло задумался. Потом спросил:

— Зачем тебе?

Я мысленно выматерился.

— Для книги? — уточнил он.

— Для книги.

Ленька уставился на меня подозрительно. Нехорошо уставился.

— Говорю же, никого не подставлю, — психанул я. — О человеке по-людски напишу. Напишу, что жил, мол, такой человек в Одессе. Хороший человек. Мог, конечно, по случаю грабануть кого или в рыло дать. Но только заслуженно. И без беспредела. Смелый был человек, настоящий мужчина. Друзья у него были. Уважали его. И он за них любому бы горло перегрыз. И иногда, между прочим, грыз. Но, опять же, не за просто так. В общем, знаменитый был человек, уважаемый. Хотя и бандит. Что, бандиты — не люди? Бандиты тоже бывают знаменитые...

Ленька слушал внимательно. Кажется, заинтересовался. Но подозрительности не оставил,

— Думал тебя описать. Твою жизнь, — капнул я последнюю каплю.

— Почему меня? — озадачился Рыло.

— А кого? Тебя знаю. Все тебя знают. Хоть кто-то в Одессе о тебе кривое слово скажет?

— Да ладно, — растерянно отозвался претендент. — При чем тут я?

— А кто? Давай спросим твоих орлов, — я глянул в сторону сиротливо скучковавшихся алкашей. — Кто-то из них скажет, что в Одессе есть хоть один приличный человек, который не знает Рыла? Или что Рыло не уважают?

Ленька с сомнением поглядел на дружбанов. Неожиданно согласился:

— Эти? Не скажут.

— Ну вот, — устало подытожил я. — Буду писать о тебе.

Ленька молчал. Смотрел на меня внимательно, сощурясь. Качнул головой:

— Нет.

— Да по-людски же напишу, — приготовился закипеть я снова.

— Нет, — повторил Ленька. Серьезно повторил, задумчиво. И добавил: — Людей смешить.

— Тогда посоветуй. Кто достоин?

Ленька молчал долго. Всерьез, похоже, заинтересовался вопросом. Может, просто для себя, но пытался найти ответ. По его физиономии стало ясно: нашел.

Рыло поднял на меня глаза. Готов был выдать результат размышлений-поисков. Но толком ответить не успел. Сомнения одолели его раньше.

— Есть человек, — начал все же он.

— Кто?

— С понятиями человек.

— Одессит?

— Нет.

Это меня смутило. Но издатель и не хотел, чтобы я ограничивался Одессой.

— Его точно знают? — въедливо спросил я.

— Кому надо — знают.

— Я знаю?

Рыло усмехнулся. Не ответил.

— Знаю или нет? — не унимался я.

Ленька явно не хотел отвечать.

— Чем он так знаменит?

— Я же говорю: с понятиями человек. Вот и знают.

— Что-то особенное сотворил?

Рыло удивился:

— Надо обязательно особенное?

— Чем-то же он должен выделяться.

Ленька подумал. Я видел, что ему есть что рассказать об этом человеке с понятиями. Но предвидел и то, что не расскажет.

— С наркоты соскочил, — сообщил он уныло. Словно бросил мне кость, чтобы отвязался.

— И все?

— Сам соскочил.

— Гм, — сказал я. — Кличка у него есть?

— Чего ж нет? Разные были.

— Например?

— Без толку, — сказал вдруг Ленька, бесповоротно побежденный сомнениями. — Ты все равно про него не напишешь.

— Почему? — не понял я.

— Не захочешь.

— Сдурел? — обеспокоенно спросил я. — Как это не захочу, если сам спрашиваю.

— Значит, не дадут написать.

— Кто не даст? — я не понимал, о чем он. С чего вдруг спохватился, передумал.

— Да ладно, — махнул он рукой. — Пиши о Пигмее. Он в городе самый известный. Моих спроси. Ты и сам в курсе.

Он зашагал к алкашам. Не оборачиваясь, словно опасаясь, что я задержу его и «разведу» еще на какую-то откровенность.

Глава 28

Наума я тоже сначала спросил о Безвредном.

— Не слыхать, — только и сказал Крестный, вынимая из кулька куски ливерной колбасы, бросая их собакам.

— Работаю над книгой, — сообщил я.

Наум кивнул. Безразлично. Дескать, правильно сделал, но вообще-то это твои проблемы.

— Хочу ввести главный персонаж, — продолжил я делиться своими проблемами. — Может, кого посоветуешь?

Крестный равнодушно пожал плечами.

— Что я буду тебе советовать? Ты писатель — тебе видней. — Он преподнес персональную порцию крохе-шавке, взирающей издали и без надежды. Отогнал от нее огромных дворняг.

— Какой я писатель, — отмахнулся я. — Писать все умеют. Масть так легла.

Наум одобрительно кивнул. Он и сам не задавался, и в других этого не любил.

— Хочу кого-то из наших описать. Из бандитов. Нормально написать. Чтобы не подставить и не обидеть.

Наум снова кивнул. Кивок мог означать: читал, знаю — не подставишь и не обидишь.

— Думал Рыло взять.

— Бери.

— Или Пигмея.

— Можно Пигмея. Только поговори сначала.

— С Рылом говорил. Уперся, зараза.

Наум помолчал. Равнодушно предупредил:

— Все упрутся.

— Рыло посоветовал одного...

Крестный взмахом руки дал собакам понять: все свободны. Спросил:

— Кого?

— Толком не сказал. Начал и соскочил. Сказал только, что человек с понятиями, что был на наркоте. И сам завязал. Не слышал о таком?

Наум вспоминал недолго. Безразлично подтвердил:

— Есть такой.

— Действительно, подходящий типаж?

Ответ я получил после паузы. Он заставил меня занервничать.

— Этот тебе не подойдет, — сказал Крестный.

— Почему?

Он оставил вопрос без ответа. Посоветовал, как бросил и мне кусок ливерной колбасы:

— Выбери, кого хочешь. Людей приличных хватает.

Наседать на Крестного с вопросами было бы верхом бестактности. И бессмысленности. Наум к словам относился внимательно. И к чужим, и к своим. Если не захотел говорить, значит, все взвесил и решил: правильнее промолчать. Тянуть из Крестного недосказанное значило бы намекнуть, что он ошибся при взвешивании.

— Ладно, — сказал я, как мог, беспечно. — Пойду работать. Будут новости — я на телефоне.

Наум кивнул.

— Кстати... — Я уже пожимал ему руку. — Безвредный — одессит?

Крестный не удивился. Ответил:

— Кто его знает? В городе — свой. А откуда... — Он привычно пожал плечами, мол, какая разница.

— Я к тому, что, может, на родину подался, — пояснил я.

— Может, — не спорил Наум. И успокоил: — Куда он денется...

Задолго до того

Алик вернулся прежним. Говорят, зона калечит. Конечно, калечит. Но как и всякий, норовящий кого-либо покалечить, она справляется лишь с теми, кто поддается.

С Аликом зона не справилась. Не особо, впрочем, и напрягалась на его счет. Быстро сориентировалась, махнула рукой: да ну его, этого новенького. Законы-то мои он не шибко жалует. Живет по своим. И хрен с ним. Его законы тоже, в общем-то, правильные.

Алик жил сам по себе. Статья и авторитет способствовали этому его праву. Только время от времени приходилось отстаивать его, право, еще и апперкотами с двух рук и из любых положений. В основном перед новенькими отстаивать, тщеславно норовящими с ходу перехватить власть.

(На «малолетках» политическая стабильность обычно ничуть не выше, чем, скажем, в Одессе году в восемнадцатом.)

Вернулся он тем же. Да и что в нем могло измениться? Ну разве что кличка: Гюрза. Ее он заработал на зоне сразу. За жалящие внезапные удары, за молчаливость. И еще потому, что все поняли: он не опасен... если на него не наступать.

Со своим миром он вошел в зону, с ним же и вышел.

Единственное, что очень мешало ему на первых порах, так это то, что он, бывало, не мог представить, как бы поступил дядя Саша в той или иной ситуации. Что бы он сказал — Алик знал всегда, а вот как бы поступил... Иногда об этом можно было только догадываться. Потому что в зоновский антураж дядя Саша не вписывался. Не представлялся на «нарке», на перекличке, даже в промзоне... Не представлялся в бессовестной, в любой момент способной на любую подлость зоновской толпе.

Еще одно существенное изменение произошло с Аликом за время нахождения его там. У него появилась Тоня... Другая Тоня, не та, которая была у него с Фимой одна на двоих.

В конце первого письма, похожего на репортаж из настенной газеты о школьных буднях, Тоня приписала: «Я буду тебя ждать».

Алик не мог тогда просчитать, что Фима добровольно «пасанул» со своими козырями. «Пасанул», чтобы он, Алик, хоть что-то выиграл в своей беде.

Победители слепы. И Алик в тот момент был слишком слеп, чтобы разглядеть Фимино благородство. А когда освоился со своим счастьем, когда начал помаленьку прозревать, брыкаться по поводу того, что победу ему просто отдали, было поздно. Они с Тоней в эпистолярном романе зашли уже слишком далеко. До озвученной (описанной) с двух сторон уверенности в том, что это их первая и единственная разлука в жизни.

Когда ей исполнилось восемнадцать — Тоня приехала к нему в зону. С планом расписаться. Все подготовила для этого.

Алик сумел взять себя в руки, не пойти у возлюбленной на поводу. В этом году Тоня поступала на филфак, и он отказался портить ей анкету.

Алик выпал из жизни на шесть лет. И именно поэтому вернулся прежним.

Вернулся и маленько ошалел от незнакомого ландшафта ушедшей далеко вперед жизни. Так изумляется пассажир скорого поезда Баку — Москва, проснувшийся утром и растерянно видящий за окном сугробы и сосны. И слушающий на полустанках исходящих паром жизнерадостно матерящихся мужиков и таких же парных, матерящихся женщин.

Когда он вернулся, Тоня училась на четвертом курсе филфака, Фима заканчивал журналистский. Уже вовсю подрабатывал в газете. Еще как подрабатывал. Завотделом. Многие из его, Алика, соучениц (та же вечная Тонина наушница) исхитрились родить. Курочкин закончил высшую школу милиции. Только-только закончил. Стажировался.

Кое-что, впрочем, осталось без изменений. Мать, как и прежде, работала медсестрой в больнице, отец, как и прежде, сидел. (Уже на Дальнем Востоке, в тайге (!). Алик так его больше и не увидел.)

Город изменился. Повзрослел, что ли, заматерел. И точно, стал больше.

Говорят, в детстве дома, улицы, деревья кажутся больше. Деревья — возможно. Зато все остальное... Алик отвык от расстояний, от возможности преодолевать их: кварталы, площади, этажи.

Злосчастного магазина верхней одежды уже не было. Не только его, все ближайшие магазины были снесены, и на их месте высилась новостройка-громадина. И вывеска на громадине уже имелась: «Центральный универмаг «Лебедь». В общем, город, особенно центр, было не узнать.

Но главное, что изменилось, это... У всех, кого он знал — сменились зубы. Молочных не осталось. Похоже, ни одного.

Он с изумлением наблюдал, как растерянно озираются на сокурсников его одноклассники, которых он вздумал навестить в их институтах. Виновато озираются, дескать: я тут ни при чем. Мы просто учились вместе, а он взял — и пришел...

А однажды его не впустили в дом, шепотом сообщив на пороге:

— Что ты... предки дома! Давай в другой раз.

После этого ему и вовсе расхотелось кого бы то ни было проведывать.

И он замкнулся на проверенных друзьях. На Тоне и Фиме.

Фима, казалось, ничуть не переживал из-за того, что... Понятно, из-за чего. Добровольно уступающие победу не имеют обыкновения страдать от поражения. Может быть, потому, что получают взамен нечто иное... Ощущение победы над собой, что ли... Не так. Ощущение победы над тоскливой правильностью мира.

Но Тоня и Фима тоже изменились. Не в смысле — смены зубов, в смысле — заурядной занятости. Особенно Фима.

Дома его можно было застать только поздними вечерами. И то он сразу же предупреждал:

— Одну минутку, шеф, — и близоруко нырял в свои вечные то ли тетрадки, то ли блокноты.

Это «шеф» тоже было новым в Фиме. Несколько раздражающим Алика. Неожиданно выдающим в Фиме способность к подчинению.

И головоломки Фима уже не решал. Вскидывался:

— Что ты?!. Ни минуты свободной.

Он явно вознамерился стать редактором.

Даже встретив его, Алика, у ворот зоны, не удержался и мечтательно произнес:

— Вот бы репортажик сварганить. Так сказать, из первых рук.

Алик, обнимающийся в тот момент с Тоней, не удивился. Фима всегда косил под «сухаря», а извечное генетическое славянское любопытство: как там, за забором, Алик помнил и по себе.

— Как там? — спросил Фима уже в машине.

Явно не из репортерского интереса спросил, из того самого, что был когда-то и у Алика.

— Оно тебе надо? — отмахнулся хмельной Алик. — Кому-кому, а тебе точно не грозит...

Тоня тоже бывала занята... Но с этим, с их вынужденно редкими встречами, было понятно, что делать. То, что они собирались сделать там, на зоне, и что Алик отложил на потом. На сейчас.

Заявление они подали через неделю после возвращения Алика.

В общем, жизнь стала другой. Занятой. Занятой у всех, кроме проспавшего весь путь, все движение вперед Алика.

До конца двух недель, выделенных себе на очухивание, Алик не утерпел. Как утерпишь, когда мало того, что движение продолжается без тебя, так ты еще и понятия не имеешь, как вклиниться в него.

Алик стал пробовать вклиниваться.

О том, чтобы поступить учиться (доучиваться), думать было бессмысленно. Аттестат об окончании восьми классов, выданный на зоне, оказался плохой рекомендацией даже для поступления в ПТУ.

Недельный рейд по отделам кадров подтвердил мнение тех, кто провожал его из лагеря на волю: не снашивай понапрасну ботинки.

В общем, история-то банальная.

Собственные, уцелевшие в лагере молочные зубы посыпались один за другим.

Их выталкивали мысли-вопросы. Такие примерно: зачем я ей такой? В школе она меня выбрала, а выбрала бы сейчас? С чего вдруг? Она стремится выучиться. Все стремятся. И все уже чего-то добились. Даже Курочкин. Даже те, кто пошел в слесаря, уже разряды имеют. И зарплаты имеют. И на квартиры в очереди стоят. Я ничего не имею. И ничего не буду иметь. Но раз это всем надо, значит, это важно. Может быть, для семьи это важнее, чем любовь, верность... Или это просто желательное приложение к верности и любви?

Что делать, Алик не знал. Дяди Саши, который мог бы подсказать, не было. Он не уехал в командировку, а умер. Алик знал только, что делать что-то надо. Если он хочет, чтобы Тоня по-прежнему хотела быть с ним. Не вынуждена была, а именно хотела.

Он бы ни за что не принял вынужденности. Но и терять ее не хотел.

И, несмотря на всю свою опытность головоломщика, банальную задачку, подкинутую ему обществом, решил банально... И не сразу. Как и многие до него, вынужденно пришел именно к такому ее решению...

Банальное решение проблемы долго ему не давалось. Вернее, он долго противился ему. Несколько рекомендаций принять именно такое решение отверг. Поначалу уверенно, отмахнувшись. Потом уже отмахиваясь все с меньшим энтузиазмом.

Первым решение всех проблем предложил ему Зема, тот самый опасный, исподлобный тип, с которым Алика познакомил Матрос в адском выжженном логове.

Он встретил Алика не случайно. В том же дворе между «хрущевками», в котором его когда-то перехватил Матрос.

Они присели на ту же скамейку.

— От Матроса тебе привет, — сказал Зема.

Алик ждал.

Зема кивнул в ответ на молчание и не стал тянуть:

— Дело есть. Матрос тебя рекомендовал.

— Я не по делам, — усмехнулся Алик.

— Я в курсе. Но мало ли. Может, надумаешь. Мне еще один человек нужен. А ты толковый — Матрос говорил. И сам знаю. С шубами только не подфартило.

Алик вновь усмехнулся.

— Ты выслушай... В дело не захочешь — может, посоветуешь чего. Но, думаю, захочешь. Верное дело. Есть у меня один пассажир. Инкассатор...

«Ох...еть», — подумал Алик.

«Одним пассажиром» у Земы оказался инкассатор, перевозящий деньги из банка и сберкассу и обратно. Он готов был навести Зему на своих коллег, когда те будут перевозить приличную сумму. И не просто навести...

Он готов был к куда большему...

По плану, неизвестно кем разработанному (Земой ли, пассажиром ли), вторая инкассаторская машина должна была поравняться с машиной-жертвой опять же на пустынном отрезке дороги.

Поравнявшись, наводчик посигналит. По-свойски. И по-свойски же махнет рукой, советуя остановиться. Указывая коллегам на какую-то проблему с их задним колесом. Когда те остановятся, все пойдет по плану, почти повторяющему давний план Матроса. Спрятавшийся в машине Зема откроет огонь на поражение. Из «ТТ» с глушителем.

(Зема «ТТ» не показал, но Алик поверил, что пистолет есть.)

Алик нужен был Земе для подстраховки.

— Ты ж понимаешь, если он своих подставил, где гарантия, что и меня не замочит? В тот момент, когда я отстреляюсь. За такие бабки.

— За какие? — из любопытства вяло поинтересовался Алик.

— Кусков пятьдесят может быть. Мы же наверняка ударим, когда бабки будут. С такой наколкой — верняк. А ты у него за спиной будешь. Не рискнет...

— А ты его первым замочи, — просто предложил Алик. И встал. Не то чтобы его не волновала судьба двух ни в чем не повинных преданных инкассаторов. Волновала. Но самую малость. Как заживающая десна на месте выпавшего молочного зуба.

— Как это? — удивился Зема. — Я ж машину водить не умею. Как доеду?

— И я не умею. — Алик пошел от скамейки.

И услышал вслед:

— Если надумаешь, подходи. Я по вечерам в «стекляшке» у стадиона.

«Сдать, что ли?» — вяло подумал Алик. И скривился в душе. Зуб, отвечающий за предательство, все еще был на месте.

Так он отверг предложенное решение всех своих проблем в первый раз.

В тот же вечер Алик был у Фимы. Решил пообщаться с другом. Как же, пообщаешься с ним.

Фима был весь в своих записях. На этот раз в магнитофонных. Расшифровывал, переносил на бумагу собственную беседу с кем-то. То и дело щелкал кнопками, приставал к Алику:

— Что он сказал?

Алик добросовестно прислушивался. А Фима уже мотал пленку дальше.

Алик притомился от подобного общения. Отмахнулся:

— Закончишь, дай знать. — И придвинулся вплотную к телевизору, включил его.

Как только лампы нагрелись, в экран вплыло изображение громадины универмага. И тут же ворвался голос диктора, который Алик, опасливо глянув на Фиму, поспешил приглушить. Голос с гордой хвастливостью извещал:

— Работники универмага рассчитывают в первый же день работы достичь выручки — сто пятьдесят тысяч рублей. При плане — сто десять тысяч. «Лебедь» первый в нашем городе универсальный магазин, дневной денежный оборот которого превысит сто тысяч рублей.

— Сделай тише, — попросил Фима.

Алик выключил телевизор. Но еще какое-то время тупо смотрел на погасший экран.

В этот вечер он впервые поведал Фиме о всех нюансах истории с шубами. И предыстории тоже. Почему именно сейчас? Может, посчитал, что в связи со сроком давности — нет смысла скрывать. Но вполне возможно: рассказом он попытался отвлечь себя от скверного ощущения заинтересованности тем, что сообщил диктор.

Дослушав рассказ Алика, Фима, матереющий на глазах репортер, подивился:

— Надо же, неужели так просто? А что, и вправду инкассаторов на пустынных дорогах никто не страхует?

Алик смотрел на него во все глаза. Неужели именно это произвело на друга наибольшее впечатление? И перевел дух, потому что Фима запоздало возмутился:

— Нелюди. Представляешь, что этот Матрос мог тогда сделать. — Он имел в виду первую их встречу в школьном дворе.

«Лучше бы сделал», — подумал Алик.

— Надо будет сработать материал, — выдал вдруг Фима. — Про инкассаторов. А что, интересно. Пусть задумаются. Бандиты-то думают. Надо и наших подстегнуть.

На следующий день, проходя мимо сверкающего новизной, но еще не одушевленного «Лебедя», Алик присмотрелся к плакату, вывешенному у входа. Прочел на плакате: «25 октября приглашаем жителей и гостей города Д. на открытие нашего универмага».

«А сегодня какое? — машинально подумал Алик. И одернул себя. — Тю... На кой оно мне».

Но полноценного одергивания не произошло. Еще не отдавая себе в этом отчет, он уже был в решении головоломки.

К Фиме в редакцию он зашел еще через день.

У Тони оказалась незапланированная четвертая пара, а редакция располагалась в трех кварталах от университета.

Алик позвонил, и Фима заказал ему пропуск.

Редакционная суета добила праздного посетителя. Здесь, в редакции, ощущение движения жизни было просто невыносимым. Для угнетенного праздностью Алика.

В кабинет, где, кроме Фимы, корпели за столами еще трое сотрудников, то и дело заходили разные, но связанные общим смыслом жизни, общим ритмом ее люди. Запросто, походя задавали глобальные вопросы, такие как:

— Слушай, старик, Косыгин — член Политбюро?

Или:

— «Красота спасет мир» — это Достоевский или Чехов?

Запросто отвечали на них:

— Обижаешь, конечно, член.

— Достоевский. Чехов говорил, что в человеке все должно быть прекрасно.

Алик-чужак кротко сидел напротив Фимы, которого все эти люди считали своим. Который, не отрываясь от своих листков, тоже отвечал на вопросы. И подобными пренебрежительными ответами никого не задевал.

«Вот к чему он готовился», — глупо подумал Алик, вспомнив Фимину манеру разговаривать с одноклассниками и самой «классной».

И вдруг тоже спросил:

— Ну, что? Про инкассаторов будешь писать?

Он, Алик, не за этим пришел к Фиме. Пришел, потому что между ним и Тоней вклинились два непредвиденных часа, которые надо было убить. Он задал вопрос, чтобы хоть как-то вписаться в окружающий его ритм.

— Ага, — сказал Фима, глядя в бумаги. Вдруг поднял непонимающие глаза. Обрадовался: — Точно. Хорошо, что напомнил. — И с неожиданной прытью подался из-за стола.

Вернулся минуты через две. Удовлетворенно сообщил:

— Улажено. Главный дал «добро». Уже выписывают путевку. На завтра.

Поздним вечером следующего дня Алик был у Фимы. Вместе с Тоней.

Пока Фима слушал свой магнитофон, они, убавив звук до минимального, смотрели «Вокруг смеха».

Тоня то и дело осторожно посмеивалась. Мешала Алику подслушивать. Он весь превратился в слух. То, что Фима регулярно возвращал запись, выручало.

— Зависят ли меры предосторожности, которые вы принимаете, от перевозимых сумм? — вопрошал Фима на пленке.

— Конечно. Суммы до ста пятидесяти тысяч рублей перевозят двое инкассаторов. Свыше ста пятидесяти — трое. Все наши сотрудники прошли специальную подготовку, все вооружены табельным оружием с боевыми патронами. Наши автомобили снабжены рациями.

— А если сумма незначительная, скажем, одна тысяча?

— Все равно — инкассаторов двое. Мы каждый день доставляем подобные, как вы сказали, незначительные суммы из сельских сберкасс ближайших районов. И всегда инкассаторов двое.

— Иван Федорович, когда я подходил к вашему банку, от него отъехала машина с одним инкассатором. Он был в форме, с оружием и с инкассаторской сумкой. Но почему один? — Фима проявлял недюжинную ушлость.

Иван Федорович тоже оказался не прост:

— Думаю, вы ошиблись. Окна наших автомобилей тонированы. В любом случае я проверю. Факты нарушения трудовой дисциплины в коллективе исключены. Степень ответственности в нашей отрасли — как вы понимаете, максимальная. И соответственно, отбор сотрудников проводится самым тщательным образом...

— Что он сказал? — спросила вдруг Тоня.

— Кто? — почему-то испугался Алик.

— Ведущий.

— Старики, заткнитесь! — клянчуще попросил Фима.

Тоня, прыснув, прикусила язык.

Алик сдержанно усмехнулся. Он уже знал, чего хочет от этой жизни. Увезти Тоню в Одессу. В город, где он был счастлив, где они будут счастливы. Купить там квартиру и все свои проблемы в дальнейшем решать верным способом. Садясь на пятый или двадцать восьмой трамвай, идущий в Отраду. К морю.

Земы в «стекляшке» не оказалось.

Алик не зашел в пельменную. Осмотрел ее с улицы. И там же на улице прождал два часа. Зема не пришел.

«К лучшему...» — решил Алик. Решил разочарованно. За сутки он уже вполне справился со своими сомнениями. Освоился с мыслью: это надо сделать. Как было не освоиться, когда у него уже и план почти вырисовался. Дерзкий, простой, выполнимый.

Но Зема не пришел.

Алик зря соврал Тоне, что с сегодняшнего дня садится за учебники. Что отправляется в погоню за ушедшей далеко вперед жизнью.

Он шел домой пешком. Почти через весь город. Все дорогу вынашивая уже другую мысль: а что, если и впрямь припустить? За жизнью.

Мысль так и не была толком выношена, потому что Зема ждал его возле дома.

Когда Алик увидел его на дворовой скамейке, в нем все опустилось. Все, что возомнило себя летающим за эту часовую прогулку.

Зема ждал его, чтобы предупредить: в «стекляшке» его, Зему, больше искать нет смысла. Потому что менты объявили его в розыск. За что-то давнее, вскрывшееся на днях (за что — Алик не вникал).

— На всякий случай зашел, — пояснил Зема. — Вдруг надумал...

— Мне нужен этот твой инкассатор, — сказал Алик.

— Значит, надумал...

— Где встречаемся?

— Завтра на конечной 117-го. В девять вечера.

Алик кивнул, пошел к подъезду. Вдруг вернулся. Спросил:

— Что у тебя за ствол?

— «ТТ».

— Не тот, что Матрос...

— Тот.

— Он паленый. Ты — в курсе?

— В курсе. Мы с ним махнулись. Он на дело собирался. Стремное. Ну ты же знаешь. Сберкассу... Если бы его с «ТТ» взяли — «вышку» бы дали. Он знал, что могут взять. Предложил махнуться. Я ему браунинг, он мне «ТТ». У браунинга третий патрон клинило. Но я его предупредил. «ТТ» тоже клинит. Иногда. В воде же две недели лежал. Смажу — вроде ничего.

— И ты собираешься с ним на мокрое идти?

— Перезаряжать насобачился. Вручную. Если что — успею.

— Если что — не будет.

— Как это?..

— Завтра узнаешь, — Алик больше не оборачивался.

Конечная остановка сто семнадцатого автобуса, как и ожидал Алик, оказалась за городом. Район был заводским, серым, лишенным претензии на уют. Жилые дома, даже многоэтажные, выглядели трущобами. Выражение лиц обитателей района производило гнетущее впечатление. Прохожие выглядели обреченно. Странно, в городе такие выражения лиц Алик встречал редко. Может, потому, что, выбираясь в центр, местные жители натягивали на лица маски оптимизма, как выходную одежду. А здесь избавлялись от нее. И то сказать: где, как не дома, человек может позволить себе быть самим собой. Гражданин, вырядившийся у себя дома в костюм «на выход», не менее странен, чем он же, вышедший в свет в замызганном домашнем халате.

Было очевидно, что аборигены, как и он, чувствовали себя отставшими от поезда жизни. Но, кажется, в отличие от Алика — безнадежно отставшими. Атмосфера района укрепила в Алике убежденность в том, что останавливаться нельзя. В смысле исполнения задуманного.

Зема с инкассатором ждали его в замызганной (под стать району) «копейке». Мигнули ему фарами.

Алик втиснулся в салон. На заднее сиденье.

— Гена, — кивнул на водилу Зема.

Гена, упитанный белесый парень с румяным застенчивым лицом, взирал на Алика настороженно. Демонстрируя беспечность, но опасливо. Так смотрят на старожилов тюремной хаты новенькие. Причем те, кто легко ломается.

Алик не представился. Он хотел бы вообще не знакомиться с иудой-подельником. Но, как ни крути, это оказывалось невозможным. Решил хотя бы оградить себя от излишней фамильярности.

— Есть вопросы, — строго сказал Алик.

— Слушаю, — интеллигентно откликнулся белесый.

— Ваш банк будет инкассировать «Лебедь»?

Гена растерялся. Испуганно посмотрел на Зему. Тот тоже обернул к Алику озадаченную физиономию..

— Не понял... — Это Гена признался.

— Я спрашиваю, кто будет инкассировать новый универмаг?

— Но... — Гена все глубже вяз в испуге. — Это слишком серьезно.

«А убийство двух твоих приятелей — уточки?» — чуть не вырвалось у Алика.

Он смолчал. Ждал ответа.

— Но ты же говорил, что... — Гена вновь пялился на Зему.

— Забудь, что он говорил, — сказал Алик. — Начнем все сначала.

— В самом деле... Ты — чего? — подал голос и Зема.

— Он ответит на мои вопросы, а потом я все скажу, — равнодушно снизошел до объяснения Алик. — Будешь отвечать?

— Будет, — сказал Зема.

— Итак?..

— Мы, — ответил, наконец, Гена.

— Может быть такое, что именно ты?

— Не.. знаю.

— Постарайся, чтобы не ты.

— Мы что, будем «ставить» универмаг? — догадался белобрысый.

— Дневную выручку будут забирать по отделам или в одном месте?

— Конечно, в одном. Магазин-то один.

— В этом случае передача денег будет такой же, как всегда? Или более усложненной?

— Чего вдруг?

— Да или нет?

— Думаю, такой же, как всегда.

— Как вам передают деньги? Чего от вас требуют: документов, подписей?

— Когда не первый раз работаем, ничего не требуют. Только расписаться...

— А если в первый?

— Все как положено. Удостоверение... Номер машины сверяют. Могут позвонить по телефону шефу.

— Это обязательно?

— Что, удостоверение?

Алик был терпелив:

— Могут и не позвонить?

— Могут. Иди знай, что им стукнет в голову.

— Твой шеф — Иван Федорович?

Гена изумился:

— Откуда ты знаешь?

— Дашь мне его телефон.

— Хоть сейчас.

Гена продиктовал телефон по памяти. Алик записал. Продолжил:

— Инкассаторов будет трое?

Гена перестал удивляться осведомленности спрашивающего. Ответил уже с ноткой некоего дополнительного уважения:

— Наверняка.

— Машина — черная «Волга»?

— Конечно.

— Тогда слушай...

Алик перечислил все, что должен был подготовить подельник Гена. Уточнил диспозицию:

— Сегодня у нас девятнадцатое. Сроку тебе — три дня. Встретимся здесь же двадцать второго.

— Можешь объяснить толком? — встрял наконец Зема. В голосе его отчетливо звучала заинтересованность. Еще какая заинтересованность.

— Вы согласны, что сто пятьдесят кусков — лучше, чем сорок? — спросил Алик.

— Согласны, — сказал Гена.

— Тогда план будет такой...

И Алик стал делиться с негодяями своими изящными выкладками.

Его план имел два узких места. Первое: алиби. Если оно потребуется. В случае его, Алика, успеха менты наверняка начнут трясти весь город. Проверять всех, кто значится в их картотеке по схожим делам. Возможно, его первое дело они посчитают схожим с тем, что произойдет.

Алик придумал выход. Алиби ему составят родители Фимы. Он решил оставшуюся неделю каждый вечер проводить у Фимы в гостях. Якобы корпеть над учебниками. Фима уже прелагал ему:

— Пока я на работе — сиди у меня. Журналов за

шесть лет накопилось три кипы. И телевизор опять же. Мама беспокоить не будет.

То, что Фимины родичи не имеют обыкновения беспокоить сына, когда тот отсиживается у себя в комнате, Алик уже заметил. За все время, что он один или с Тоней гостил у Фимы, в комнату сына родители ни разу не постучали. Ни с просьбой, ни с предложением. Чаю и то ни разу не предложили. Разве что в момент пересечения гостями порога квартиры. Так у них было заведено: не беспокоить. На это Алик и рассчитывал, планируя алиби.

За неделю Алик приучит родителей друга к тому, что он дожидается Фиму в его комнате.

А двадцать пятого отлучится. Смоется по водосточной трубе со второго этажа. (Уже присмотрел маршрут.) А через час вернется. Опять же по трубе. Перед тем как смыться, рядом с телевизором включит магнитофон. На запись. Для верности. Чтобы потом, в случае особой дотошности ментов, пересказать им, о чем шла речь по какому-то из каналов в течение именно этого часа.

Задумка Алику нравилась, но... Он отказался от нее. Фимина мама сказала при их знакомстве:

— У нас от этого мальчика не будет проблем?..

Алик ни за какое алиби не посмеет внести в этот дом даже тени мало-мальской проблемы. Конечно, его идея вроде бы никакой проблемы семье друга не сулит. Семья-то будет искренне верить в то, что он, Алик, весь этот час был рядом, за дверью. Но поверят ли в случае чего в эту искренность менты? Да и пока поверят. Как они, менты, привыкли разговаривать с людьми, Алик знал. Он не мог допустить, чтобы из-за него Фимина мама познакомилась с подобной манерой общения.

Что ж, придется обойтись без алиби. Вынашивать шаткую надежду на пресловутую презумпцию невиновности.

План имел и другое узкое место. Настолько узкое, что Алик так и не решил, как его преодолеть... И, не найдя решения, положился на авось. Вынужден был положиться...

Иуда Геннадий уложился в срок. К двадцать второму все было готово. Отчет о проделанной работе Алик принимал в «копейке». Под присмотром Земы.

Два комплекта черной инкассаторской униформы были готовы. Размеры вроде бы совпадали. Нужные номерные знаки Гена должен будет сделать, когда выяснится, какую «Волгу» пошлют на инкассацию.

Бланки доверенностей, ордера — тоже были.

Ксиву, которую Гена должен был стибрить у любого из своих коллег, Алик держал в руках. Он присмотрелся к фото. И удивленно хмыкнул:

— Зема, ну-ка глянь.

— Что? — Зема какое-то время пялился на фото.

— Глянь, — предложил Алик и Гене. Кивнул на Зему: — Одно лицо.

Гена несколькими взглядами оценил схожесть. Выдал оценку:

— В жизни — не похожи, а так — вроде и впрямь...

— Вы гоните... — обиделся Зема. И заинтересовался: — Ну-ка... — Еще посмотрел. Повторил: — Гоните. Он же блондин...

Алик достал уже приготовленную свою фотографию. Приставил к удостоверению. Поразмышлял чуток. Сказал:

— Ни хрена переделывать не будем. За бабками пойдешь ты.

— Я? — опешил Зема. — Я же в розыске.

— В универмаге твои фотографии не висят.

— Ссышь? — прищурясь, спросил Зема в лоб.

Алик был спокоен. Он собирался самую ответственную часть операции взять на себя. Не доверять же ее было Земе. Но раз такой случай...

— Печать я могу перекатать. Но на ней легче всего проколоться. А так... Сложного ничего нет. Ваши ведь тоже не интеллигенты, — эту бестактность он обратил к Гене. — Все, небось, спортсмены. Твердолобики. — И опять Земе: — Ты, главное, без матюков. И без этих: «гоните» и «в натуре».

— «В натуре» я не говорю, — обиделся Зема. — Это фраера понтуются.

— Решено: пойдешь ты. Я буду за дверью. По инструкции.

Зема подумал. И вдруг согласился:

— Какая, х...й, разница. Что так, что так ищут...

— Только волосы придется покрасить. Сам понимаешь.

Вид у Земы сделался такой, как будто он вообще перестал понимать что-либо.

— Все, — подытожил Алик. — Будем мерить шмотки. И репетировать. — И отдал распоряжение Земе: — Говори, куда ехать.

Зема какое-то время молчал, вроде как решал, выполнять ли распоряжение. И буркнул Гене:

— Давай направо.

По Земиным подсказкам «копейка» попетляла между трущобами. Минут через пять выехала на безлюдную, явно заброшенную дорогу с почти отсутствующим асфальтом. Это уже был, пожалуй, и вовсе не город. Казалось, проектировщики района замыслили расширить его и расширять начали, пристроили несколько панельных двухэтажек. Но желающих жить в них уже не сыскалось. Так что и на идею расширения, и на двухэтажки эти пришлось махнуть рукой.

Штурман Зема привел машину к одной из них, самой дальней. За ней уже начинался пустырь, помаленьку приспособленный под свалку местного значения.

На здании с кое-где зияющими черной пустотой окнами уцелела вывеска: общежитие № 19.

Зема уверенно поднялся на общежитское крыльцо. И шагнул в темень. И уже в глубине подъезда включил фонарь.

— Тут привидения не водятся? — осипшим голосом пошутил шагающий за Земой Гена. И сипло хохотнул.

Шутку не развили. Зема — потому, что вообще не жаловал юмор. Алик же был занят мыслью: без узкого места в его плане точно не обойдется.

В комнате на втором этаже Зема щелкнул выключателем. Вспыхнул неожиданный здесь свет. Осветил интерьер: раскладушку, вешалку с одеждой, тумбочку у раскладушки.

Алик бросил встревоженный взгляд на окно. Оно было забито фанерой.

— Не бзди, — усмехнулся Зема, щелкнув переключателем на электрокамине. — Все продумано. Давай шмотки. Будем мерить. И как ты говоришь: репетировать.

Контрольный сбор Алик назначил на двадцать четвертое. На этот раз в городе, в парке.

На парковой скамейке Гена сообщил, что уже известно, кто из его коллег будет завтра инкассировать универмаг. Пообещал, что дубликаты номеров их «Волги» будут готовы. И еще сказал:

— Деньги в магазине начнут собирать в восемь. Наши приедут за ними в девять. Там же отделов... Дай бог, чтобы за час управились.

Алик задумался. И выдал последнее задание:

— Достанешь номера телефонов директора универмага...

— Там же, наверное, приемная? — спросил государственный человек Гена.

— Приемная — это хорошо. Достанешь номер. И еще... Мне нужен телефон приемной кого-то из городского начальства.

— Первый секретарь подойдет?

— Нет. Это круто. Кто-нибудь из замов.

Двадцать пятого у матери был выходной.

Алик проснулся рано, до рассвета. Но провалялся в постели до одиннадцати. Слушая, как она позвякивает посудой, думал, вспоминал. И мечтал.

Было о чем думать и что вспоминать. Тем более было о чем мечтать.

Потом, несколько обеспокоенная непривычно поздним сном сына, в комнату заглянула мать.

— Мам, расскажи про дядю Сашу, — ничуть не сонным голосом попросил ее вдруг Алик. — Почему он дружил с отцом?

Уже вполне морщинистое лицо матери замерло. Не испуганно, озабоченно. Она никак не ожидала этого вопроса. И силилась понять: что за ним? Может, поняла, а может, нет. Присела на тахту, к Алику. И стала рассказывать.

Алик наконец узнал то, что всегда хотел знать. Хотел, но почему-то не пытался выяснить.

Мать девятилетней девочкой была вывезена вместе с родителями из Германии. В Поволжье. Когда ей было двадцать, в их поселок приехали спортсмены. Боксеры. Тогда власть решила снять некоторое запреты. И вздумала организовать турнир. Между своими боксерами. Но вместе с тем вроде как международный.

Отец и дядя Саша, молодые перспективные парни, участвовали в турнире. И, конечно, на них (не именно на них, а вообще на приехавших), как на гусаров, остановившихся на постой, засматривались многие немки.

Мать засмотрелась именно на них. На этих двух беспечных молодцов. Почему именно на них?.. Сейчас мать была уверена, что покорили ее не их победы на ринге. Что покорило их внимание к ней. Причем внимание со стороны обоих.

— Я ведь была красавицей, — усмехнулась мать в этом месте рассказа.

Они были друзьями. Настолько друзьями, что отказывались драться друг с другом. Не там, на турнире, а вообще. С этим они давно определились. Чтобы не попадало от тренера, отец даже держал лишний килограмм веса. Но и в более тяжелой категории всегда побеждал.

Она выбрала отца. Почему? Он был... Веселее, что ли? И более уверенным в себе. Свои, поселковые парни-немцы были другими. Сдержанными, вежливыми, осторожными. Дядя Саша был почти таким же. Не то что отец, сразу и легко пообещавший ей другую жизнь. Жизнь в городе, где к морю ездят на трамвае. Она выбрала отца. Поверила, что он сумеет выбить все документы и увезет ее. В Одессу. И он выбил. Вместе с дядей Сашей. Через полгода они вдвоем приехали за ней. И увезли. Ее выбор не только не подорвал их дружбы. Дядя Саша стал и ее другом. И она ни разу потом не почувствовала его обиды. Потому что обиды не было. Надо было знать дядю Сашу, чтобы понять: такое возможно. Алик знал.

То, что он узнал сейчас, лежа в постели, не потрясло его. Нечто подобное он и представлял. А спросил — просто так... Когда-то же надо было спросить. Ему показалось: самое время... Он не рассчитывал, что рассказ матери повлияет на его планы. Он, рассказ, не мог повлиять и не повлиял.

Вот только от слов матери: «Он обещал увезти меня в город, где к морю ездят на трамвае» Алику стало не по себе.

В этот день он не проговорил с Тоней по телефону час, как собирался. Он вообще не позвонил ей.

Гена подобрал их с Земой на конечной сто семнадцатого в пять минут восьмого. Почти строго по плану.

По плану он, Гена, должен был постараться попасть в этот день на инкассацию районной сберкассы. Один. Как Фима и подозревал, у дисциплинированных инкассаторов это оказалось заурядным делом: в рейс за незначительными суммами ездить по одному. Отпрашиваться друг у друга. Второй в таких случаях обычно подсаживался в машину за квартал от банка. Чтобы начальство не нервничало.

Это было придуманное алиби Гены. Придуманное на всякий случай. То самое «узкое» место скорее всего сделает алиби бессмысленным.

Зема с Аликом были в форме. С пистолетами в кобурах.

Они свернули в темный проезд между бараками.

— Телефоны достал? — спросил Алик.

Гена протянул ему блокнотный листок. Он заметно нервничал. Пытался улыбаться без надобности. Нервозность наводчика Алика не беспокоила. Тому предназначалась всего лишь роль водилы.

— Я — звоню, — сказал Алик, открывая дверцу. — И ты пока передай своим, что надо.

Гена заранее знал, что ему надо позвонить в банк и предупредить, чтобы не нервничали из-за их задержки. Что у них с напарником — прокол колеса.

Работающий телефон Алик присмотрел заранее.

Первым делом набрал номер банка. Сказал в трубку, как ему казалось, тоном чиновника:

— Приемная Ивана Федоровича? Сергей Петрович просит его срочно приехать в обком партии. Как какой? Вы что? Помощник первого секретаря... Да, срочно. Если Сергей Петрович задержится, пусть подождет...

Второй звонок был в универмаг.

— Это — банк, — сказал Алик, опять же услыхав, что попал в приемную директора. — Да, отдел инкассации. Иван Федорович просит, чтобы выручка была готова без четверти девять. Сами понимаете, нам еще тут работы. Да, передайте.

Алик вернулся к машине. Гена уже заканчивал менять номера.

Наконец все было готово.

— «Макарова» отдай ему, — велел Алик Гене.

Тот замешкался. Служивый, он не был приучен выпускать табельное оружие из рук.

— У меня есть, — вклинился и Зема.

— У инкассатора должен быть «макаров». А свой отдашь мне. Я — на улице, в темноте. Кто там будет присматриваться. А ему ствол вообще ни к чему.

Сообщники достали пистолеты. Обоим было явно не по себе. Переглянувшись, отдали пистолеты. Зема свой «ТТ» — Алику, Гена «макарова» — Земе.

Алик сунул пистолет в открытую кобуру. Он худо-бедно влез.

— Поехали, что ли? — подал нетерпеливый голос Зема.

— Сейчас.

Алик достал пакет. Извлек из него клочки губки, запихнул себе за щеки. Достал женское зеркальце, глянул в него, поправил губку справа. Он тренировался дома, так что долго оценивать изменения не было нужды.

— Ни х..я себе! — сказал Зема.

Алик не закончил. Вынул из пакета уже отмеренный отрезок тонкой резинки, которую купил в «Юном технике». Достал тюбик «Суперфикса», мгновенного немецкого клея, купленного там же.

Пропустив резинку над ушами, обхватил ею голову. Чуть натянул кожу у глаз. И, капнув из тюбика, приклеил концы резинки к коже. Подержав с минуту, осторожно, не без труда, оторвал пальцы.

— Ох..еть! — вновь вырвалось у Земы.

— Ничего себе!.. — пробормотал и Гена. И, словно не доверяя зеркальцу заднего вида, обернулся.

Алик превратился в китайца. Или в японца. Кто их разберет. В общем, в узкоглазого. Может, и не в полноценного, но с выраженной наследственностью.

— Вот теперь поехали, — распорядился Алик. Реакция сообщников его удовлетворила.

За два квартала до «Лебедя», в темном проезде Алик вновь присмотрел телефон-автомат. Потребовал, чтобы Гена остановил «Волгу». Набрал номер помощника секретаря:

— Алло, Иван Федорович пришел?

— Пришел, — ответил удивленный женский голос. — Но Сергей Петрович мне ничего не передавал...

— Сергей Петрович скоро будет, — отрезал Алик и повесил трубку.

Позже в процессе следствия было установлено, что директор универмага перезвонила в банк, где ей сказали, что Ивана Федоровича вызвал помощник первого секретаря. А еще позже томящийся в приемной обкома Иван Федорович позвонил к себе на работу. Справиться, все ли в порядке. И узнав, что его разыскивала директор открывшегося сегодня универмага, перезвонил ей. Оттуда же, из обкома. И, позвонив, услышал:

— Я звонила, чтобы сказать: мы все успеваем. Как вы хотели.

— Хорошо, — одобрил Иван Федорович, имея в виду их с директором вчерашний разговор. Одобрил и положил трубку.

Без семнадцати девять их «Волга» уже стояла возле служебного входа универмага.

— С богом, — сказал Зема.

«С чертом», — усмехнулся про себя Алик.

Зема, прихватив две пустые инкассаторские сумки, распахнул дверцу. Алик распахнул свою.

Они шли рядышком, дружненько, отрепетированно. Браво шли, спешным профессиональным шагом всамделишных инкассаторов. Цепко, профессионально посматривая по сторонам.

Их ждали. Работник службы охраны универмага услужливо распахнул перед Земой дверь.

Алик остался у входа. В нескольких метрах от него. Положив руку на кобуру, исподлобья неприветливо зыркая раскосыми глазами вокруг. На охранника не смотрел принципиально. Так профессионал-зазнайка не удостоил бы взглядом любителя-салагу.

Он почему-то не нервничал. Был уверен, что все пройдет чисто. Поначалу не нервничал.

Земы не было долго. Минут десять.

Алик уже пару раз глянул на часы. Для страхующего профи это было логично.

Через десять минут Зема показался в дверях. С полными сумками.

Шел он тем же бравым шагом.

Алик пристроился шагать рядом.

— Счастливо, — сказал напоследок охранник.

Ему не ответили. Уверенно плюхнулись в машину. Гена привычно рванул с места.

Алик вынул из-за щек губку, сморщившись, отодрал резинку. Выбросил все в окошко.

— Сто семьдесят три куска, — не сдержался, объявил Зема.

Гена присвистнул.

Они проехали метров триста, когда Алик, вглядывающийся вперед, нервно приказал:

— Стой!

Гена нажал на тормоз.

— Что такое?!. — потерял вдруг хладнокровие Зема.

— Быстро — в проезд, — велел Алик водиле.

Тот послушно свернул. Его готовность подчиняться безоговорочно оказалась весьма кстати.

— Гаси фары, — уже спокойнее отдал распоряжение Алик. И оглянулся.

Все оглянулись.

По дороге, с которой они только что свернули, промчалась черная «Волга». Близняшка той, в какой были они.

— Наши, — ошалело пробормотал Гена. — Вот бы встретились.

Зема ничего не сказал. Но тоже смотрел ошалело. На Алика.

— Теперь — чем быстрее, тем лучше, — сказал Алик. — К твоей «копейке».

— Машину надо бросать, — подал голос Гена. — Сейчас «перехват» объявят.

— Пока не объявят. Выяснять будут. Может, накладка произошла. И потом, твоего Щербакова искать будут. И с ним еще помудохаются. А вот когда его этим, из универмага, покажут, тогда — начнется на полную. Но спешить надо. Так что жми.

Гене предстояло еще подобрать напарника, сдать деньги сельсоветской кассы и пистолет.

По пути к банку «Волга» вновь свернула. Опять в темное пространство между многоэтажками.

— Ждем тебя здесь, — сказал Алик. — За сколько управишься?

Гена был явно встревожен. Возвращая «макарова» в кобуру, подозрительно посматривал на сообщников.

— Будем ждать здесь, — строго, веско повторил Алик.

Гена, кажется, поверил. Впрочем, что ему еще оставалось? Похоже, ему самым узким местом казался именно этот момент операции. Дурашка.

— Сколько займет времени? — повторил Алик вопрос.

— Минут двадцать.

— Как ты понимаешь, чем раньше, тем лучше.

Это Гена понимал.

Они с Земой остались одни. Одни с полной спортивной сумкой денег на покосившейся скамейке возле детской песочницы.

— Как прошло? — спросил Алик.

— Да эта хуна, директорша, звонила куда-то. Думал, если что, «плетку» достану... Обошлось.

Следствие и этот телефонный разговор восстановило. Директор, несколько смущенная неприветливым обликом присланного инкассатора, позвонила в банк. Ей повторили, что Ивана Федоровича нет. Тогда она перезвонила своей приятельнице, тоже работнице банка. Спросила:

— Слушай, тут у меня ваш Щербаков...

— Серега?

— Да, Сергей Ильич.

— И что?

— Да странный он какой-то...

— Супермена корчит? Да они все такие. Джеймсы Бонды. А в жизни нормальные ребята.

— Ну... Может быть. Пока. — Смущенная директриса положила трубку. Ее только-только перевели в этот город. Она еще не успела пообвыкнуться с местными типажами. Потому и перестраховывалась.

— В Сочи рвану, — поделился вдруг незатейливой мечтой Зема. Почему незатейливой? Алик вынашивал подобную.

— Помолчи, — буркнул он.

— Да сам знаю, — согласился Зема. — Но сто семьдесят кусков. Кого угодно попрет...

Но тем не менее замолчал. Так, в тишине, думая каждый о своем и явно о разном, они просидели пятнадцать минут. До приезда «копейки».

Гена был приятно удивлен тем, что его дождались. Не скрывал изумления. Принялся докладывать:

— У нас кипеж. Щербакова ищут. Он сегодня выходной. Дома уже были. Не застали. Вот смеху... Если у телки найдут. Представляете?..

Алик его энтузиазма не разделял. Раз Зема не предложил ему «дернуть» с деньгами, значит, без самого узкого места не обойдется.

План «перехват» введен пока не был. Гаишников в городе оказалось не больше обычного, и все они смотрелись миролюбиво.

Через полчаса «копейка» уже была за городом, в трущобах.

— Машину оставим здесь, — сказал вдруг Зема, когда до общаги было еще петлять и петлять.

— Как скажешь, — Гена был спокоен.

И Алик не спорил. Он это предвидел. Если Зема

замышляет подлость — машина около общежития ему ни к чему. Она — наводка для ментов.

— Если напрямую, дворами, будет быстрее, — придумал все же Зема хоть какое-то объяснение.

Впрочем, пешком они и впрямь дошли минут за семь.

Вошли в знакомый темный подъезд общежития. Поднялись при свете Земиного фонаря по лестнице на второй этаж.

Когда начнется «узость», Алик не знал. Был настороже. И все же надеялся: авось, узости не будет. Авось, пронесет.

Вошли в комнату. Зема включил свет, потом камин. И, войдя в глубь комнаты, бросив на тумбочку «ТТ», повернувшись к сообщникам спиной, стянул инкассаторскую робу.

Алик мешкал. В момент раздевания он был бы беспомощен.

Зема шагнул к окну. Достал из-под радиатора кроссовки.

Алик рискнул стянуть верх. Успел до того, как Зема вернулся к тумбочке.

Гена у двери присел к брошенной у входа сумке, расстегнул ее. На мальчишеском слегка веснушчатом лице его заиграло вдохновение.

— Елки-палки, — бормотал он. — Я таких бабок и в руках не держал.

Алик не подумал:

«Если уж ты, инкассатор, не держал...»

Он подумал другое:

«Возможно, и не будешь держать».

Зема по-прежнему стоял к ним спиной. Не оборачиваясь. Его вызывающая безмятежность очень беспокоила Алика. Самое узкое место вот-вот должно было начаться. Если он, Алик, не ошибается. Если оно вообще когда-либо начнется.

Зема, кажется, расстегнул ширинку.

Вряд ли он что-то стал бы предпринимать, рискуя оказаться со спущенными штанами.

Алик наклонился, развязал шнурки. Не выпуская Зему из поля зрения. Из этого положения «ТТ» ему был не виден.

А потом Алик выпрямился. Почти одновременно с разворотом Земы.

Будучи героем крутого боевика, Зема, возможно, что-то сказал бы напоследок. Что-то значительное, подводящее хоть какой-то итог чужой жизни.

Этот Зема не сказал. Он сразу выстрелил. Хлопнул из «ТТ» с неизвестно когда прикрученным глушителем в умиротворенное Генино лицо. И опять же, не спохватившись, что забыл поставить словесную точку, молча повел стволом в сторону Алика.

Алик уже был в нырке под ствол, когда хлопнул второй выстрел. До того, как Зема успел выстрелить в третий раз, наработанный кулак врезался в его челюсть.

Третий выстрел не был произведен даже машинально. Может, заклинило затвор...

Алик не проверял. Он склонился к Земе, запрокинувшемуся назад, к ребристому радиатору. Из-под его крашеного ежика выплыла красная лужица.

Алик потрогал Земину шею. На зоне ему дважды доводилось проверять наличие жизни у вешавшихся одноотрядников. Он знал, как это делается. Тогда он не нашел пульса. Как и сейчас.

Секунд десять он хмуро смотрел на Зему. Он не собирался его убивать. А что собирался делать? Зная, что тот пойдет на все?.. Он и сам не знал. Предполагал, конечно, что отключит подельника. Как без этого? И на время «потеряется». А потом... Земе-то нужны были деньги. Не получив все сразу, он бы потом смирился с половинной долей. Что бы ему еще оставалось делать?.. Тем более он вынужден был бы рвать когти. Алик надеялся на это, потому что надеяться больше было не на что.

Но все обернулось иначе. Даже в этот момент, стоя над телом только что живого человека, пусть даже и негодяя, пусть даже и врага, Алик понимал: все случилось наилучшим для него, Алика, образом. «Авось» — не подвело.

На Гену, откинутого к стене, он так и не глянул. Даже периферическим зрением, когда выкладывал деньги на пол, старался не видеть красное авангардистское пятно на стене.

И вдруг почувствовал боль. Только теперь с недоумением глянул на обнаженный бицепс своей левой руки. (Он так пока и не оделся.)

Вторая пуля, посланная Земой, все же задела его. Содрала с руки часть плоти. Боль была терпимой, но Алика незапланированное ранение весьма обеспокоило. Он оглянулся. Точно: на подоконнике над Земой, лежащем в уже огромной луже, похожей на разлившееся варенье, был бинт. Алик дотянулся, взял его. Плотно перевязал рану.

Но и из нее на пол уже прилично накапало. Заниматься уборкой не было не только времени, но и смысла. Потому что где-то еще была пуля. С его кровью.

С полминуты он соображал. Решение возникшей проблемы, которое пришло, очень не нравилось ему. Нормальное, логичное решение. Со многими дополнительными плюсами. Но не нравилось, и все тут.

Однако он вынужден был принять это решение.

Спустился вниз, из самой дальней комнаты первого этажа выкатил велосипед (он приехал на нем сегодня, когда Зема уже шел на встречу. Спрячь он, Алик, велосипед заранее, Зема, возможно, шастающий по общаге в поисках полезной утвари, мог бы его найти). Подвел велосипед к выходу из подъезда.

Переоделся в припрятанный в той же дальней комнате синий спортивный костюм. Переложил денежные пачки в свою спортивную сумку. Не все переложил. Примерно четвертую часть пачек вернул на место, в ту сумку, над которой в последние мгновения своей жизни млел Гена.

Подумал чуток. И сунул в свою сумку еще несколько пачек.

Свою инкассаторскую робу сложил в полиэтиленовый кулек, прихватил его с собой.

И исполнил решение. Потянул с раскладушки замызганное, с клочками разрывов ватное одеяло. Бросил его на открытый, раскрасневшийся камин. И мгновенно почувствовал удушливый запах тлеющей ваты.

Кулек с робой Алик тоже бросил в огонь. В дымящийся мусорный бак возле конечной остановки. (В этом районе с мусором не мудрствовали.)

Здесь же, возле остановки, в убогом магазинчике купил две бутылки кефира, пачку макаронов и буханку хлеба. Все это сунул в сетку (авоську!), создав минимальную потребительскую корзинку советского человека. Демонстративно свесил авоську с руля.

И выехал на дорогу. Сумка с деньгами, устроившись за спиной, вцепилась ручками в его плечи. Как горб. Как крест, который ему предстояло нести всю жизнь.

Алика не остановили ни разу. Несмотря на то что ментов на дорогах заметно прибыло. И агрессии в них прибыло вдвойне.

Обнаружив запущенный «перехват», Алик думал было докатить до нужного места дворами. Попытался. Но в первом же дворе обнаружились патрульные. Еще более настороженные, явно науськанные.

Он вернулся на дорогу. Бросать велосипед смысла не было. Без велосипеда с сумкой он смотрелся бы куда подозрительнее.

Его не остановили ни разу.

Незатейливый Матрос когда-то здорово придумал. У человека с минимальной потребительской корзинкой в руках не может быть за спиной, за душой ста с лишним тысяч.

Только однажды наперерез ему вышел было гаишник, подняв свою белеющую пунктиром палку. Но, разглядев белеющий в сетке кефир, разочарованно и даже как-то сочувственно опустил жезл. И даже как бы условно подстегнул жезлом: мол, давай не отвлекай, проваливай...

Мать он встретил у подъезда. Общающейся с соседкой.

— Не выходил бы ты из дому, — испуганно бросилась к нему мать.

— Что-то случилось? — Алик был беспечен.

— Магазин ограбили. Весь город гудит.

— Какой магазин?

— Новый, — не утерпела, встряла соседка. — Три миллиона украли.

— Ничего себе, — сказал Алик. И, прислонив велосипед к скамейке, пошел в подъезд.

Сумки у него за спиной не было. Добычу он спрятал пока на дереве. В известном только ему, Фиме и Тоне дупле. Причем вторым двум известном только понаслышке. С его, Алика, слов. До верхотуры, на которой обнаружилось дупло, в свое время посмел добраться он один.

Алик пробыл в квартире минут пять. Столько времени ему потребовалось, чтобы, обработав, перевязать рану и переодеться.

— Господи... — вздохнула мать, увидев его выходящего. — Теперь опять возьмутся... Сидел бы дома.

— Не переживай. Только велосипед Фимке отдам. И домой.

— Хороший он у тебя, — завистливо, но и сочувственно сказала матери соседка. — Моего в жизни не допросишься в магазин сходить.

— Слыхал? — обрадовался его приходу Фима. — Что я тебе про инкассаторов говорил? Все так и вышло... Раззявы. Говорят, три миллиона взяли. Ограбление века. Жаль, мой материал не успел пойти. Классно было бы... Идем. Может, по телеку скажут.

Но они зря просидели у телевизора весь вечер. Ни по телевизору, ни по радио о случившемся даже не упомянули.

Пялясь на экран тоскливым взглядом вынужденного бездельника, Фима съязвил:

— А чего это тебе приспичило сегодня на велике покататься? Может, это ты провернул? А?

Алик вздрогнул. Незаметно для занятого экраном Фимы. Вслух — усмехнулся: отстань.

Черт бы побрал этого зануду головоломщика. Хорошо, что он, Алик, не приехал к другу с кефиром.

— Здорово было бы, — мечтательно продолжил вдруг Фима. И строго осведомился: — Надеюсь, меня бы не оставил прозябать на зарплате?..

— Не оставил бы, — отмахнулся Алик.

— То-то же... — И Фима осенился новой идеей: — Вот бы их найти.

— Грабителей?

— Хотя бы деньги...

Алик не стал уточнять, что за радость была бы Фиме от такой находки. Радость богатства или удовольствие от решения задачи.

Фима сам пояснил:

— Черта с два мы бы деньги вернули. Это же не клад. Нам даже четверти не положено. — Он так и сказал: «мы», «нам»... Алик обратил на это внимание.

Город гудел месяц. Гудели горожане. Менты делали свое дело молча, с ожесточенностью обиженных. Шерстили всех и вся.

Алика прощупали слегка. Через участкового. Причем последний даже не вызывал его. Сам пришел. Задал общие вопросы, поставил напротив фамилии Алика галочку и пожал ему, расставаясь, руку.

На вопрос, где он был в тот вечер, Алик ответил: у друзей. Смотрел телевизор.

Охраннику банка показали, конечно, и его фотографию. В числе прочих, имеющихся в картотеке. Охранник взглядом о нее не споткнулся.

Шерстили в основном лиц раскосой азиатской внешности, которых в городе оказалось неожиданно много.

Через месяц гул не то чтобы стих. Просто очередной объявившийся сексуальный маньяк заметно понизил рейтинг ограбления века.

И все же, встречаясь, люди неизменно интересовались друг у друга:

— Не нашли?..

— Где там...

— Значит, уже не найдут. Если за месяц не смогли... Надо же, три миллиона.

В голосах звучало нескрываемое восхищение.

Алик изумлялся: какие три миллиона? Хоть бы кто вспомнил хвастовство телевизионного диктора накануне открытия «Лебедя» насчет планируемой выручки в сто десять тысяч рублей.

Никто этого не помнил. Не интересно было помнить.

Через три недели после случившегося, когда рана на руке почти зажила, Алика, задержавшегося у Тони в гостях, нашел Фима.

Влетел запыхавшийся, взволнованный. Почему-то со своим магнитофоном, а главное, с новостью: сегодня к ним приходила милиция. Спрашивала и самого Фиму, и его родителей, был ли у них Алик в тот вечер.

У Алика похолодела спина. Тоня тоже заволновалась. Еще как заволновалась.

— Они сначала к тебе пришли. Спросили у матери: где ты был в тот вечер. Мать вспомнила, сказала, что у нас. Мол, и соседка может подтвердить. Вот они и пришли к нам. Проверить.

Алик молчал.

Тоня нетерпеливо спросила:

— Ну?..

— Мама сказала — был. Смотрел телевизор. И папа подтвердил.

Алик помнил, что он был. Но был после десяти. Когда вернул велосипед.

— Они спросили, во сколько ты пришел. И во сколько ушел.

Алик шевельнул желваками.

— Ну, ты же знаешь мою маму. Она все поняла. В смысле, к чему они клонят...

— Ну?.. — повторила Тоня.

— Как надо сказала. Что ты пришел в полдевятого и смотрел с ней телевизор. Ждал, когда я приду с работы. Про меня она не могла сказать, что я уже был. Потому что на работе бы сказали, что я был там...

— А папа? — спросила Тоня.

— Ну, и папа, конечно, тоже сказал. Если мама говорит, значит, так и есть... Я пришел, чтобы ты знал, что говорить... А то скажешь, что на велосипеде катался... Так они и поверят.

— А магнитофон зачем? — спросил Алик, чтобы что-то сказать.

— О-о!.. Это мама посоветовала. Менты же могут спросить тебя, что там шло. По телевизору. А там как раз концерт Райкина был. К празднику, двадцать пятое же было. А ты знаешь, как мама обожает Райкина. Она его и записала. Там его новое выступление. Так что послушай... Старуха, где у тебя розетка?..

И Фима, этот дотошный настоящий друг, стал налаживать магнитофон.

Алика не вызвали. Алиби, составленного ему уважаемыми людьми, известным профессором и его женой, оказалось достаточно.

А на следующий день в Управлении внутренних дел, в одном из кабинетов имел место следующий разговор. Следователь ругал стажера:

— Нехорошо получилось. Понятно, Курочкин, что вам не терпится проявить себя. Но что, если этот профессор жалобу тиснет? В десять вечера людей беспокоить. Не последних людей...

Курочкин, упитанный брюнет с туберкулезным глянцем на щеках, смотрел ничуть не виновато. Хамство его с возрастом окрепло. Вернее сказать, поумнело. Он научился распознавать, для кого из начальства и в каких дозах оно предпочтительнее, чем заурядное угодничество. Иногда разумная независимость — всего лишь разновидность подхалимажа.

— Он же с их сыночком дружбаны. Что хочешь скажут. Чтобы отмазать.

— Вы думаете, что вы несете? — незло возмутился старшой. — Профессор будет покрывать преступника? Что за чушь... И чего вы вцепились в этого Чиркова. Только потому, что он боксер, а у обгоревшего трупа была сломана челюсть? Среди уголовников каждый второй боксер. Жизнь у них такая, натренирует.

— Это его стиль. Он щелкал эти челюсти, как...

— Ваш Чирков, он, часом, не китаец? — следователь вздумал было посарказничать. Но передумал. Вспомнил, видно, что уйма дел. Прервал разговор: — Все. Занимайтесь общежитием. — И буркнул, уже уткнувшись в бумаги: — С этими корейцами — непочатый край, а он нашел время личные счеты сводить...

Так что доказывать алиби, пересказывая праздничный монолог Райкина, Алику не пришлось.

Через три месяца энтузиазм в поиске гипотетического третьего преступника у милиции иссяк. Тем более что было очевидно: деньги сгорели (экспертиза пепла показала это), а само наличие «третьего» вызывало большие сомнения. Челюсть стрелявшему вполне мог сломать натренированный инкассатор. Тот, который за это и был застрелен. А пробитое основание черепа... Причем явно пробитое при падении и ударе о радиатор... Что ж, оступиться может каждый. Даже успешно провернувший такое дерзкое дельце.

Через три месяца следствие по делу о похищении ста семидесяти трех тысяч рублей было закончено. Само дело закрыто. «За невозможностью привлечения к ответственности лиц, совершивших его, по причине их смерти».

Об этом Алик узнал от всезнающего репортера Фимы.

И только после того как узнал, будучи у Фимы в гостях, подловил момент, когда тот отлучился из комнаты, и, взмыв на стул, забросил на самую верхнюю, недосягаемую полку сверток. В свертке были тридцать семь тысяч рублей. Фимина доля. Треть всей похищенной суммы (кроме той, что сгорела). Он не знал, когда сообщит о доле самому Фиме. И как сообщит. Но долю отделил. На всякий случай. Мало ли что могло случиться с ним, Аликом.

За все время их дружбы Алик ни разу не видел, чтобы кого-то из хозяев интересовала эта полка. Затхлые журналы «Наука и жизнь», за которыми он спрятал деньги, представляли только макулатурный интерес. А в Фиминой семье к сбору, а точнее, к сдаче макулатуры принято было относиться брезгливо, как к варварству.

Глава 29

Я не сомневался: Рыло и Крестный имели в виду Безвредного. Потому и были уверены, что он мне не подойдет. Еще бы... Конечно, не подойдет. Рука не поднимется написать о нем хоть одно доброе слово.

Но такое их отношение к моему врагу озадачило. Два разных уважаемых человека подумали о нем как о самом-самом. Что такого достойного есть в этом отвязном Безвредном? Что он сотворил в жизни?

Вдруг поймал себя на мысли: Безвредный может сотворить в этой жизни что угодно. Сейчас сотворил подляну. В другой раз, при других обстоятельствах, с таким же успехом может отчебучить нечто, вызывающее уважение. Как ему приспичит. В какую сторону свалится вечно падающая планка.

Нам с Асхановой просто не повезло. Планка упала не туда. Но никто бы меня не уговорил сейчас проникнуться к Безвредному уважением. Он — ублюдок. От того, что теоретически способен на человеческие поступки, ни мне, ни Дарье не легче.

Возможно, этот негодяй и имеет в загашнике качества, достойные восхищения. Мне они сейчас были не интересны.

Крестный и Рыло правильно сделали, что не назвали Безвредного. Только огорчили бы меня.

Я вспомнил, как Рыло на мой вопрос о кличке ляпнул:

— Без толку...

Не «без толку» он хотел сказать, а «Безвредный». «Без толку» вообще не его слово. В последний момент спохватился, вывернул на него.

Но и еще кое-какой информацией я разжился у Рыла.

Безвредный — не одессит. Значит, мог уехать из города.

Но главная, вызывающая беспокойство новость — это та, что Безвредный в прошлом наркоман. Уверенность Рыла и Наума в том, что он «завязал», меня не убедила. Знавал я «завязавших». Но не знал ни одного, кто бы рано или поздно не «развязал». Пофорсив силой воли, не брался за старое. От форсу-то куда меньше удовольствия, чем от дозы.

Если Безвредный «развязал», поди просчитай его. Анализировать, предугадывать поведение наркомана — последнее дело. Смысла в этом не больше, чем в выведении формулы траектории полета воробья, наклевавшегося крошек, смоченных водкой.

Ситуация оказалась еще более гиблая, чем я себе представлял. Об Асхановой и вовсе думать стало страшно. Себя я обнаружил в дерьме даже не по ноздри. По одну ноздрю. Дышал ею, наклонив голову. Удерживаемый за волосы на макушке надеждой. В таком безрадостном положении мне предстояло пробыть бог знает сколько времени. До тех пор, пока меня либо вытащат, либо отпустят. Сделать хоть что-то для того, чтобы выбраться самому, я не имел возможности.

Лягушка из притчи, барахтаясь в молоке, сбила его в сметану и тем спаслась. Ей повезло. Она угодила всего лишь в молоко.

Глава 30

По-прежнему приходилось ждать. Время от времени возвращаясь мыслями к Безвредному и Асхановой, я продолжил размышлять над бандитской темой. Что еще оставалось делать?

В какой-то момент удивился. Весь этот дерьмовый образ, который я придумал себе, когда узнал, что Безвредный отставной наркоман, не добавил переживаний по поводу ситуации. Понимал, что переживать теперь положено больше. И накрутил себя. Но как-то... принудительно. Подсознание почувствовало себя беспечней. Не дергало то и дело тревогой.

Я предпринял несколько попыток ухватить его за хвост. Наконец подловил. Понял, откуда взялась успокоенность.

Уверенность Крестного и Рыла, что Безвредный сгодился бы для книги, вселила надежду. Что, если они правы и Безвредный не такой законченный ублюдок, каким я его вообразил. Эту парочку авторитетов не упрекнешь в том, что они плохо разбираются в людях.

Вожжи беспокойства ослабли. Я обнаружил, что жду уже не только новостей о Безвредном. Жду, что где-то на блатхате задержат Хомяка. Жду, что Ленька или Наум созреют. Подбросят новую кандидатуру для книги.

Ждать — было чего. Я начал мнить себя уже не лягушкой в дерьме, а охотником в засаде. Того и гляди, должны были начать поступать трофеи.

Первый трофей оказался не из тех, которые ждал.

Поздно вечером позвонил Саша-издатель и предупредил: завтра с оказией мне доставят пакет. Обещанные материалы по Украине.

Новость встретил без вдохновения. Переработка компры, которую мне подсунет издатель, намечалась не скоро. После того как разберусь с местным колоритом. Но если ему так не терпится, пусть передает. Приму и ознакомлюсь.

На следующий день, ближе к вечеру, пакет был у меня. Перед тем как вскрыть, я с досадой поразглядывал увесистую пухлую бандероль.

Если бы я знал тогда, что этот пакет, этот незапланированный трофей — последний из не принесших неприятностей, я бы отнесся к нему куда гостеприимней.

Тогда я этого не знал. С кислой миной распотрошил бандероль сбоку. Вынул кипу разноформатных листов. Испытывая нарастающее недоумение, принялся перебирать их, бегло просматривая.

Это были в основном документы. Ксерокопии протоколов, справок, экспертиз, приказов. Почти все с печатями, штампами, размашистыми начальственными подписями. В первую очередь я просмотрел фотографии. И испытал недоумение. Понял, куда меня тянет издатель.

Ни одного из персонажей, запечатленных на снимках, я не узнал. Но насчет породы их ошибиться было сложно. Как ошибешься, когда столько лет наблюдаешь этот человеческий подвид на плакатах, на экранах, в кабинетах. В не всегда тонированных окошках лимузинов с казенными номерами. Дородные, снисходительные, вызывающе неинтеллигентные лица.

Почти на всех фотографиях персонажи пребывали в неформальной обстановке. Чаще всего во вполне скотском антураже. В застолье, явно перевалившем разгар. В сауне, прикрытые полотенцем, или повернутые к объективу увесистыми задницами. Впрочем, на каждом из банных снимков внимание отвлекали обнаженные красавицы. Всяких размеров и цветов, чаще всего вульгарно улыбающиеся, фамильярно прижимающиеся к мужчинам срамными местами.

На одном из снимков персонаж в пьяно распахнутом генеральском кителе стрелял из пистолета по бутылкам. Во дворе трехэтажного особняка.

Были и другие фотографии, более или менее приличные. Иногда — вполне официальные. На них представители того же подвида общались друг с другом.

Я взялся перебирать ксерокопии. Озадачился еще больше.

Первая же, лежащая сверху бумажка стилистикой изложения смахивала на банальный донос. Свидетельствовала: на какие суммы и от кого содержится знаменитая футбольная команда.

«Какая разница, — подумал я. — Пусть себе хлопцы играют. Лишь бы выигрывали».

Блицознакомление с прочими бумажками подтвердило: издатель пресытился жизнью. Вздумал окрасить ее активной борьбой за выживание.

«Денег захотел? Славы? — думал я. — Если так зачесалось, купи билет на бой Тайсона и Холлифилда (денег, слава богу, хватит). Дай взятку охраннику у ринга, чтобы тот не заметил, как полезешь под канаты. На ринге подойди к любому и угрожающе замахнись. Или для верности дай пощечину. Будет тебе и слава, и какой-никакой шанс выжить».

С самого начала было понятно: Саша томим жаждой острых впечатлений. Так и тянет его, ягненканесмышленыша, на водопой именно в то место, где торчат из мутной воды перископы крокодильих глаз. Что с этой тягой поделаешь? Но на мою компанию в прогулке к водопою он рассчитывает зря. Давеча по его совету сходил, наглотался от души. До сих пор глотаю.

О том, стоит ли шугануть крокодилов, тронуть в книге тему «бандиты и власть», даже не думал. Не в чем тут было сомневаться.

Потянулся к трубке телефона. Решил сразу уведомить издателя: в его суицидальных попытках я не подсобник.

Дотянуться не успел. Ожил звонок у двери.

Я услышал, что Ольга пошла открывать. Услышал из прихожей голоса: Ольгин и гостя. Его я узнал сразу. Безрадостно узнал. И этот трофей был не из тех, которые я ждал.

Глава 31

— Проходи, — почему-то на «ты» сказал я мужу Асхановой, с хмурым видом застывшему в дверях. — Так понимаю, не нашел?

Светов шагнул в комнату. Пока шел к креслу, взгляд опустил. Когда сел, вновь зыркнул на меня сердито.

Было заметно: юноша за время поисков вернулся на круги своя. Вновь пришел к мысли, что источник неприятностей с его женой — я.

— Хочешь сказать, что проверил весь Бугаз? — недоверчиво спросил я.

Курортное побережье, на которое его отправил, тянется больше чем на десять километров. И все — в пансионатах. Потому и командировал его туда. Рассчитывал, что в очередной раз над душой у меня он повиснет не скоро.

— Дарьи там нет, — сообщил он таким тоном, что, казалось, добавит: «И быть не могло».

Он не добавил. С вызовом уставился на меня.

— Ну, не знаю, — ответил я, как развел руками. Дескать, в конце концов откуда мне знать, где твоя жена. Все же уточнил: — Там сотни баз отдыха. Все прочесал?

— Ее там нет, — упрямо буркнул он. Опять же с видом: не морочьте мне голову.

— На дачах искал? — не унимался я.

Он какое-то время сердито разглядывал меня, словно думал, говорить или нет. Сказал:

— Я чувствую: ее там нет.

Опять за свое: чувствует он. Шаман замоскворецкий. Я вдруг подумал: черт его знает. Что, если и впрямь... Но и съехидничал мысленно: если такой чувствительный, брал бы в жены монашку. Для верности парализованную.

— Ошибиться не мог? — спросил я.

— Я никогда не ошибался. И прилетел потому, что почувствовал.

— Где она, не чувствуешь? — с заинтересованностью спросил я.

— Чувствую другое, — сказал он, проникновенно вглядываясь в меня.

Я посмотрел вопросительно: ну? Хотя тоже обнаружил у себя телепатические способности, догадался, что он сейчас выдаст.

Он и выдал:

— Вы знаете, где она.

— Не знаю, — честно сказал я.

— Значит, догадываетесь.

— И не догадываюсь.

— Это неправда. С ней что-то случилось. Вы знаете, что.

Я отчетливо занервничал. Но виду не подал. Утомленно уставился на него. Спросил, почему-то вновь перейдя на «вы»:

— Что-то не пойму, вы пытаетесь меня оскорбить или хотите, чтобы я помог найти жену? Если первое, то выбрали не самое удачное место, если второе, выбрали — не того.

Он долго смотрел на меня. Смотрел и думал о своем. Потом взял и спросил, как какой-то дурак:

— Где моя жена?

Я, как какой-то дурак, ответил:

— Если Дарья не на Бугазе, может, поискать севернее? Там тоже симпатичные места...

Он вытаращился на меня.

— Папоротник до самой воды, — пояснил я.

Странно, что свою дурость он не заметил, а моя — привела его в недоумение. В последующей паузе он не оценивал меня взглядом. Оценка уже была выставлена. Как ему казалось, давала право со мной не церемониться. Он и не церемонился. Поинтересовался:

— Где у вас городской отдел милиции?

Рано или поздно это должно было произойти. Но бессовестность, с какой он взялся за дело, обескуражила.

Я сообразил: с этого его позерства стоит попытаться хоть что-то поиметь. Отправлю его в Управление на Преображенской. Там «заява» наверняка попадет к начальнику опергруппы Андрюхе Кулику, с которым я сдружился, работая в «криминалке».

В таком случае у меня появится шанс. Как минимум шанс на то, что к моим показаниям прислушаются.

— Записывай, — опять на «ты» сказал я.

Он полез за блокнотом.

Но, прежде чем я продиктовал адрес, зазвонил телефон.

— Да, — откликнулся я в трубку.

— Это ты? — спросил голос Наума.

— Я.

— Можешь приезжать за своим пацаном.

— Куда?!. — Я не то чтобы сразу забыл о госте и о связанных с его женой неприятностях, но прилив адреналина ощутил.

— У Митьки. На Буденного.

— Буду через десять минут.

Я бросил трубку. Пружинисто встал с кресла. Весь в предощущении долгожданной добычи. Мышцы и эмоции, томившиеся в стойле все эти дни, рванулись на свободу.

Гость смотрел на меня с надеждой. Спросил:

— Дарья?

Я глянул на него с сочувствием: тоже мне, шаман. Усмехнулся:

— У меня своих проблем хватает.

Ответ его озадачил. По его разумению, не должен был я в своем нынешнем положении (когда за меня вот-вот возьмутся менты) так вдохновляться побочными успехами. Если у меня и впрямь рыло в пуху.

На это я и рассчитывал, демонстрируя вдохновение. Пусть усомнится в собственной чувствительности.

— Пиши адрес, — сказал я.

Он не шевельнулся. Сердито и растерянно смотрел в пол.

— Времени в обрез, — подстегнул я.

Он встал, сунул блокнот в задний карман джинсов. Буркнул:

— Сам найду.

— Как хочешь, — не настаивал я.

Мои вновь ожившие телепатические способности дали утешительный сигнал: этот дышащий мне в затылок москвич с «заявой» повременит.

Глава 32

Хата Митьки — одна из игровых точек на Молдаванке. С начала нашествия новых времен она пребывала в запустении. «Катать» стало некому. Казино отбило клиентуру. Что говорить о состоятельных прирожденных жертвах, жаждущих наркотика-азарта, когда и свои исполнители помаленьку перебрались под своды узаконенных игровых домов.

Митька, шулер низкого, вокзально-пляжного пошиба, немолодой уже мужчина мелкой внешности и натуры, был хозяином хаты. Обитал в ней с женой. Вполне опустившейся бывшей путаной Талой.

Меня, сколько мы были знакомы, не то чтобы не уважал. Ненавидел. За то, что когда-то, еще задолго до его брака, я увернулся от близости с его будущей супругой. Почему-то это его задело. Может, он волновался, как бы я не передумал.

То, что Хомяка задержали и информация об этом дошла до меня, — было заслугой Крестного. Сам бы Митька на такой риск для собственного семейного благополучия не пошел.

Я был у знакомо пахнущего подъезда через семь

минут после звонка Наума. Пока добирался, придумал проверку, показательную для всех, кто будет присутствовать: явиться в дом как обыкновенный гость. Подозревал, что угодивший в капкан самозванец даже не знает меня в лицо.

Задумка сорвалась.

Впустил меня сам Митька. Не ответив на приветствие, пошел через темную прихожую в гостиную, бывший игровой зал.

Я последовал за ним.

Из темноты коридора бросились в глаза до сих пор не облагороженные обоями стены зала. Обклеенные газетами десятилетней давности.

В комнате, освещенной одинокой лампочкой, было всего два человека. Митька демонстративно скрылся на кухне.

Наум сидел у стола, отодвинувшись. Откинулся на стуле, скрестив руки на груди. Напротив него, с другой стороны стола, что-то оживленно излагал тот, по чью душу я прибыл. Хомяк. Пацан с взъерошенным чубом, дутыми застенчивого цвета щеками и встревоженным взглядом. Он, действительно, походил на хомяка. Кличка эта просилась с лету. Подвижные комочки его щек исключали свободу выбора прозвищ.

Устраивать показательную очную ставку ввиду отсутствия понятых не было смысла. Хорошо, что так. Процедура не пошла бы мне на пользу.

Я подошел к Науму, пожал руку.

Бросил недолгий безразличный взгляд на пацана.

— Здравствуйте, — кротко произнес тот.

Я не ответил. Подсел к Крестному, поинтересовался:

— Новостей нет?

— Нет, — ответил тот.

— Вы меня не помните? — нахально спросил щекастый.

Я вновь посмотрел на него. Пристально, с недоумением. Без нежности спросил:

— Тебя?

— Ну да...

— Кто это? — поинтересовался я у Крестного.

— Человек говорит, что он — от тебя.

— Вы меня не помните, — поспешил с комментарием Хомяк. — Но я вас знаю. Я работал в газете, и вы приходили...

— Не понял, — перебил я. Переспросил у Крестного: — Говорит: от меня?..

— Говорит, — подтвердил Наум.

Я уставился на нахала.

Тот пошел пятнами, сглотнул. Попросил:

— Можно, я объясню?

Я недобро усмехнулся.

Пацан засуетился с объяснением:

— Дело в том, что я хотел предложить вам свою помощь. В написании книги. Но знаю, что вы заняты.. У вас свои планы... Зачем я вам?.. Я хотел собрать материалы и прийти с ними. Тогда вы бы меня взяли... В помощники. Я давно хотел поработать с вами. Читал ваши...

— Как тебя зовут? — перебил я.

— Илья.

— И что за книгу, Илюша, ты собирался написать вместе со мной? — со сладостью спросил я.

— Документальный роман. Про криминальную Одессу. Ее сейчас любое издательство возьмет.

— Поэтому ты ходил по точкам?

— Ну да.

— Кто тебе дал адреса? Может, я? Когда приходил к вам в газету? Дал и тоже забыл?

— Адреса я нашел сам. Читал вашу книгу. Знакомые помогли узнать точно.

— Что за знакомые? Менты?

— Не только...

— Кто подсказал говорить, что от меня?

— Иначе бы со мной не разговаривали.

— А так разговаривали?

— Почти нет.

— Что хотел услышать?

— Не знаю... Что-нибудь о том, как было раньше.

— Твои знакомые тебя научили, что за слова принято отвечать? Говоришь, от меня? — Я сузил глаза в недобром прищуре.

Он снова сглотнул.

— Я никого не собирался подводить.

— Много насобирал?

— О ваших знакомых почти ничего. В милиции дали материал. Но там все про то, как сейчас. Про нынешнюю мафию.

Я помолчал. Он тоже не знал, что еще говорить.

— Для меня собирал? — переспросил я.

— Ну да. Сам бы я не справился. И рукопись бы у меня не приняли. Кто я такой?

— Где материалы?

Он ответил после паузы:

— Дома.

— У тебя дома?

Он кивнул. Без энтузиазма.

— Поедем, отдашь, — сказал я, вставая.

Парень не тронулся с места. Тронулся, но с задержкой. Не вдохновился предложением.

Но я не предлагал — требовал.

— Поехали, — распорядился я.

Пацан, уже стоя, растерянно переминался с ноги на ногу.

— Не так, — заговорил вдруг равнодушно слушавший диалог Крестный. — Митька смотается, привезет. — Он достал из кулька, скомканного у его ног, неожиданный для меня мобильник. Протянул его юноше. — Звони домой, скажи, чтоб передали.

Пацан, уже готовый следовать за мной, сделавший пару шагов, застыл. Смотрел испуганно на коварного старика.

Крестный рассчитал правильно. По дороге у Хомяка было бы достаточно возможностей сорваться. Это пацан явно и запланировал, уступив моему требованию.

— У меня нет телефона, — сообщил он застенчиво. Точь-в-точь как девица на панели, которой клиент предложил в следующий раз встретиться напрямую, оставив сутенера без комиссионных.

— Если окажется, что телефон есть, накажу, — наставительно предупредил Наум.

— Документы спрятаны. Без меня их не найдут.

Что значит фраер. Не нужно быть матерым, чтобы понимать: выбрал зацепку, держись за нее. Сменишь — ни одна другая не пройдет.

— Накажу, — повторил Наум. — Звони.

Пацан не шевельнулся. При всей щекотливости своего положения, похоже, допускал возможность пойти в заурядный отказ. Надо было его убедить: возможности такой — нет.

— Дай, — попросил я Крестного. Взял трубку, понажимал кнопки. Якобы дожидаясь сигнала, сказал — не Хомяку, Крестному: — Пусть хлопцы в Кулиндорово его возьмут.

— Не рано? — деловито спросил Крестный.

— Чего тянуть? Он меня подставил, а я буду церемониться? Пусть оттаскают. У них как раз Хрящ освободился... Алло, — сказал в трубку. — Яшка? Тут у меня лошок. Симпатяга-пацан. Кругленький такой, аппетитный. Как раз для...

— Подождите!.. — как-то даже взвизгнул симпатяга. Он был бледен. Румянец на щеках пробивался одинокими прожилками.

— Одну минуту, — попросил я у трубки и, отстранив ее, выжидательно посмотрел на горе-следопыта.

— Я позвоню, — жалко пробормотал тот.

— Перезвоню позже, — сказал я фиктивному Яше и нажал кнопку отключения. Протянул трубку пацану. Предупредил: — Все — до бумажки. Хряща тоже понять надо...

Парень кивнул. Взялся набирать номер..

— Митька! — почти не повышая голоса, позвал Крестный.

Митька объявился в дверях!

— Сделай доброе дело, прокатись... — попросил Крестный. — Вот бабки. Сейчас скажу, куда...

Митьке не хотелось ехать. Но просил Наум, а просьбы Наума не обсуждаются. К тому же просьба была авансом и с лихвой оплачена. Почему не съездить? Тем более что супругу Митька заблаговременно отправил из дому.

Глава 33

Через час я уже знакомился с материалами, собранными Хомяком. Знакомился дома. После того как Митька привез увесистую, опасно распираемую начинкой папку, пацана отпустили с богом.

Его жалкий лепет, что он старался, что потратил уйму времени и сил, не растрогал меня. Тем более что он сам не знал толком, о чем клянчил. То ли о том, чтобы я взял его в соавторы, то ли о том, чтобы я, ознакомившись с документами и убедившись, что он не собирался меня подставить, вернул их.

— Так оно лучше усвоится, — заверил я парня, оставив его у Митькиного подъезда.

Дома взялся просматривать собранное для меня досье.

Хомяк не лгал. Моих дружков он вряд ли хотел подставить. Компры в бумагах не было. Но негодование я ощутил. От той интонации, с которой подавался материал о бывших.

Если не считать жутких оперативных фотографий, все, что я обнаружил в папке, было всего лишь заготовками. Рабочим материалом. Информация излагалась протокольно, сухо, по-ментовски.

Но даже в таком виде...

Ту бандитскую Одессу, которую я намеревался противопоставлять нынешней, писавший считал зародышем последней. Позволил себе сопоставление: прошлую бандитскую эпоху сравнил с играми детей на коммунальной кухне. Нынешнюю — со взрослыми играми настоящих мужчин.

Какой зародыш? Из бывшего не могло вырасти нынешнее.

Все, что творится сейчас, родилось отдельно. Нынешние бандиты явились ниоткуда, как инопланетяне. И ведут себя, как инопланетяне. У наших людей, пусть даже бандитов, в генах такого быть не могло. Рассыпанные передо мной фотографии и бездарные протокольные записи — свидетельство тому.

Не могла, хоть тресни, никому из бывших, даже самому отъявленному отморозку, прийти в голову идея пристреливать ружья и натаскиваться самим, отстреливая на полях орошения бомжей.

Нынешние додумались. Вывозили на поля бомжей. По одному вывозили. В камышах швыряли подальше бутылку водки. Обещали: найдешь — твоя. Счастливчик спешил за добычей. Когда удалялся на расчетное расстояние, получал пулю в голову.

И в наше время были выродки. Садист Серый как-то пооткровенничал со мной: на полях — три его персональных трупа. Но даже он, имевший репутацию именно отморозка, не прошедший конкурсный отбор ни в одну из бригад по причине нравственной дефективности, убивал вынужденно. Лишь один раз переборщил, выбивая долг. Два других убийства совершил, защищаясь. Так он рассказывал. Оправдываясь. Может, и врал, но раз оправдывался, значит, понимал: столько «мокрух» на одну душу бандитского населения — перебор.

Я продолжил читать.

В помещении частной фирмы, расположенной у цирка, обнаружены два трупа. Мужчины и женщины. Оба были убиты пудовой гирей. Не сразу убиты. Умирали по мере того, как им дробили кости и плющили внутренности. Так тела и нашли: раскрошенные, раздавленные, как отбивные.

Легендарный убиенный Рылом Кот-затейник такого бы не нафантазировал.

Был в бумагах и эпизод со взрывом в баре в поселке Котовского. Этот эпизод я помнил и сам. В свое время он взбудоражил всю Одессу.

Несколько современных доморощенных авторитетов повздорили со случайными посетителями бара. Последних было больше, и доморощенные ретировались. Через два часа, когда в заведении полностью сменился состав посетителей, туда влетела граната. После взрыва мстители обстреляли уцелевших из автоматов и не спеша удалились. Тогда в городе в течение нескольких недель по телевизору демонстрировали фотороботы. Сейчас я узнал: безрезультатно.

Описаний взрывных эпизодов было уйма. Вот — другой. Вместе с машиной взорван авторитет городского уровня. Отмечены некоторые нюансы происшествия. Выехавшая на место группа не смогла обнаружить гениталии пострадавшего. Помогли жильцы соседнего дома. Из окна увидели недостающее на крыше телефонной будки.

Я за все время своей смежной с бандитской деятельности не знал ни одного случая подрыва. Не то что не помнил, а именно не знал. Был бы хоть один — не забыл бы. Слишком исключительное было бы событие.

...Эпизодов десятки, если не сотни. Почти все проиллюстрированы снимками.

Вынужден был признать: Хомяк-старатель не сачковал. Материал, который он намыл, обрекал будущую книгу на успех. На такой же, какой имели ее предшественницы. Петербургские, московские, прочие.

Но я уверился и в другом. В том, о чем догадывался и прежде. Судя по необработанности материала, по тому, как занервничал Хомяк, когда я потребовал сдать «намытое», он работал не на себя. Его всего лишь использовали. Снабдив информацией, дав выходы на мои точки, на ментов. Тому, кто использовал, нужно было, чтобы в городе стало известно: «Одессу бандитскую» писал я.

Задолго до того

Вор был явно бессовестным человеком. Чтобы убедиться в этом, достаточно было бросить хотя бы один взгляд на его физиономию. Она была воплощением этой бессовестности. Основные антропологические ее черты: мелкость носа, глаз и преувеличенность костлявой челюсти и ушей. Но основной признак этой разновидности человеческого существа: взгляд. А попытка описать бессовестный взгляд — бессмысленна. Бессовестный — и все.

Такие особи уместны на должностях тюремных «шестерок» при самозваных авторитетах, а также идеальны как провокаторы в уличных хулиганских компаниях. Жалкие, мелкие, трусоватые, они на многое горазды. Конечно, будучи уверенными, что это им сойдет с рук. Впрочем, уверенность их часто ошибочна. Потому что предрасположенность к анализу — не то преимущество, благодаря которому они выживают как вид.

Бессовестный вор был форточником.

Он третий день следил за этим окном. И решил не откладывать. Чего было тянуть, когда и в этот вечер в комнату никто не зашел. Ни разу за два часа темноты.

Он уже знал, что хозяин комнаты, профессорский сынок, возвращается не раньше десяти.

Значит, у него, у форточника, есть целый час.

Вор шагнул к водосточной трубе, не пробуя на прочность (попробовал заранее), вцепился нее щуплыми кистями. И неожиданно проворно пополз вверх. Так, непонятно каким образом, взмывают вверх по вертикальным трубам крысы.

Он запросто поставил крохотную ступню на слив окна на втором этаже. Ухватился сначала за откос, потом, оттолкнувшись от трубы, за раму. То, что форточка открыта, он видел снизу. Теперь предстояло проверить, задвинуты ли шпингалеты. Конечно, на то он и форточник, чтобы проникать в сорокасантиметровые квадраты. Но и понапрасну напрягаться — зачем? Напрягаться оказалось незачем. Вор, просунув руку в форточку, отодвинул верхний шпингалет. Нижний закрыт не был. Ни внутренний, ни наружный.

Вор беззвучно распахнул окно, спустил ноги с подоконника. Достал фонарь. Включать свет было опасно. Если в гостиной выключат свет, то из-под двери комнаты, в которой он орудовал, будет пробиваться освещенная полоска.

Вор знал, где обычно хозяева хранят самое ценное. Правда, направление обыска зависело от того, в какой комнате он оказывался: в спальне, в гостиной, на кухне...

Эту комнату, пожалуй, можно было отнести к разряду кабинетов, со спальным местом. В таких обычно прячут деньги в книгах. Если вообще прячут. Именно поэтому вор книги терпеть не мог. Но что оставалось делать?

Он был уверен, что здесь в постельном белье, под скатертью на столе, под половиком ни черта не сыщешь.

Начал он с ящиков стола. Умудряясь не греметь, выдвинул их. Разжился часами и фотоаппаратом. Посмотрел сквозь очки с толстыми линзами, подумал и прихватил очки. Вместе с футляром.

Решил, что, как бы там ни было, лез он на второй этаж не зря.

Бросил оценивающий взгляд на книжные полки.

Начать, конечно, следовало с верхней. Хозяева почему-то считают, что верхняя полка — самая недоступная для воров. На самом деле она недоступна только для самих хозяев.

Вор не воспользовался стулом. Он бы все равно не достал с него. Попробовав на устойчивость, полез по полкам, как по лестнице.

Наверху со сноровкой опытного искателя запустил руку за журналы и стал двигаться от одного края к другому. И удивился: есть.

Он не стал спускаться с добычей. Скорее всего сумка, которую он обнаружил, была всего лишь заброшена на верхотуру. С глаз долой. Может быть, очкарика заставляли заниматься спортом. А он не смог для «отмазки» придумать ничего лучшего, чем спрятать форму.

Но прежде, чем продолжить поиск, вор, держась одной рукой за верхнюю полку и в ней же держа фонарик, положил сумку на край, наклонил к себе и раздвинул молнию. И чуть не упал...

Зачем-то оглянувшись, задвинул молнию. Спешно, по-крысиному сбежал по полкам вниз, быстро подался к окну. И через десять секунд был уже на земле.

Тут важно было не суетиться.

Он спокойно, даже несколько вызывающе спокойно перешагнул через заборчики полисадничков, которые жильцы квартир обустроили, играя в землевладельцев. Под тенью деревьев дошел до угла дома, за которым начиналось освещенное пространство. И вдруг увидел велосипед. Тот стоял в темноте, прислоненный к дереву.

«Во фарт, — подумал вор. — Фраер к бабе приехал. А коня под окном оставил».

Вдев руки в петли ручек, он закинул сумку за спину. Взялся за руль. Перекинул ногу через раму.

И почувствовал, как ухо его сжали мертвой хваткой. И услышал хриплое, нетрезвое, громогласное:

— От бля, времечко! Поссать спокойно не дают. Так и норовят лисапед спи...деть!

Может быть, нетрезвый дядя и отпустил бы вора, дав ему пенделя или надрав уши. Но вору не повезло. Вечные подъездные бабушки круто изменили его жизнь. Встрепенувшись на бас, закудахтав. Сделав мочеиспускателя центром своего внимания. Пристальное восхищенное отношение кого хошь проймет. И этот дядя оказался не лишен тщеславия. Не испортил себе и людям праздник души. Не отпустил вора.

Алик возвращался от Тони. И дал кругаля. Решил заглянуть к Фиме. Настроение у него было такое. Сентиментальное. Сегодня Тоня вынесла на рассмотрение вопрос «о попытке переселения в Одессу и Фимы».

Суету у Фиминого подъезда Алик увидел издалека, из темноты двора. Замер.

Около подъезда в окружении жильцов стояли пять милицейских машин. И уйма милиционеров. В штатском и в форме. Алик отпрянул в темень. Волосы у него на затылке шевельнулись.

Он все понял. Не все... Не понял, откуда ментам стало известно о деньгах... Не понял, как они, менты, узнали, что деньги — те. Не понял, потому что не пытался понять. Зачем было пытаться? Это уже не было важно. Важно было то, что...

Алик видел, как вывели Фиму. Видел браслеты на руках друга. Видел выражение лица Фиминой мамы, которую тоже вывели и усадили в машину. И лицо папы тоже видел. (Всех выводили под руки, по отдельности.) Папы Льва, предвидевшего, что он, Алик, принесет в его семью проблемы.

Алик пришел в Управление час спустя.

Дежурный попытался его выпроводить. Уговаривал:

— Гражданин, давайте утром. Тут у нас такое творится.

— Хочешь медаль? — хмуро спросил Алик.

— Гражданин, не хамите, — почему-то обиделся дежурный.

— Передай, что пришел человек, который ограбил универмаг.

— Нашли время шутить...

— Я не шучу, — Алик смотрел пристально. Нехорошо смотрел.

Под этим взглядом дежурный испуганно потянул к уху телефонную трубку.

Алику, учитывая явку с повинной и возврат денег, дали десять лет. Фиме — двенадцать. Фимины родители прошли по делу свидетелями.

На суде Алик в их сторону не смотрел. И на Тоню — свидетельницу — не смотрел.

Следствие пришло к выводу, что организатором преступления был Фима. Что он под видом написания статьи собрал информацию, придумал план и привлек к его осуществлению друга, Алика. А уже тот по своим криминальным связям вышел на Зему и Иуду-инкассатора. Против Фимы было даже то, что следы от велосипедного протектора на пыльном полу общежитской комнаты, до которой пожар не успел добраться, оказались следами его велосипеда.

Утверждения Алика, что Фима не имеет отношения к преступлению, впечатления ни на следователей, ни на судей не произвели. Разве что благоприятное. Когда человек выгораживает друга, это не может не вызвать уважения. Даже у таких людей, как следователи и судьи.

Курочкин досрочно получил звание старшего лейтенанта. Не за интуицию, проявленную при раскрытии дела. За то, что догадался не слишком форсить ею.

Все, что Алик смог сделать для друга, это передать из следственного изолятора по своим каналам просьбу Матросу. (Выяснилось, что Фиму отправят в ту же зону, в которой чалился его, Алика, бывший подельник.) Алик просил Матроса взять Фиму под свое крыло.

Матрос не посмел отказать дружбану. Устроил так, что Фиму перевели в один с ним отряд. И даже, к удивлению блатных, поселил фраера на соседнюю нижнюю нарку. Через одну от себя, но тоже из «воровских». (В том, что Фима — фраер, никто не сомневался. «Статья» не убедила.)

А потом в отряде началась война. Кто-то из очередной партии поступивших блатных обозвал Матроса бакланом.

Фиму изнасиловали за то, что он отказался писать письмо крале. Крале одного из приближенных, претендующего на власть. Изнасиловали в тот момент, когда Матрос был в «буре».

Как держать под крылом «опущенного»?

Как не сдержать слово, данное блатному дружбану? Задачка из неразрешимых.

Матрос решил ее. Нашел выход.

Как-то ночью один из его приближенных (война закончилась победой стаи Матроса), и не просто приближенных, а должников его, подполз под Фимину «нарку» и сквозь нее воткнул спящему на животе Фиме заточку. В сердце.

Неизвестно, узнал ли Алик до своего освобождения о том, что Фимы уже нет. Скорее всего узнал, хотя Матрос и придумал каверзу: обязал того же должника-убийцу отзываться на имя Фима.

Если Алик и узнал, то виду не подал. Возможно, просто в очередной раз укололся. Он присел на иглу (тогда игла на зоне только входила в моду) в первую же неделю. Срок впереди выглядел нескончаемым. Терялся в будущем, как рельсы в тумане. Наркотики казались если не единственным, то самым надежным способом не сойти с ума, выжить. А главное, давали возможность оставаться в своем мире.

Тоне за все десять лет он не написал ни разу.

Глава 34

Трофей, который я добыл, можно было считать удачей. Я так и считал. Почти сутки. До вечера следующего дня.

В семь часов вечера я был дома один. Ольга с работы еще не вернулась. Я не нервничал. Во-первых, летом семь вечера — послеобеденное время. Во-вторых, Ольга накануне собиралась после работы зайти к подруге.

Я сидел за компьютером, работал.

Когда раздался звонок в дверь, удивленный пошел открывать. Подумал: «Ключ, видать, тю-тю... Опять посеяла».

Открыл дверь... Растерялся.

Из-за порога мне улыбался дядя-снабженец. Улыбался лучезарно, как родной дядя, у которого сгорел дом и который пожаловал с намерением поселиться у племянника. Дядя выражал удовольствие от встречи всем своим лоснящимся от пота лицом, наклоном головы и даже осанкой. Выдвинутым вперед пузом, отодвинутыми плечами, слегка разведенными руками.

«Обниматься, что ли, задумал?» — обеспокоился я, отступая от греха подальше на шаг.

— Не ожидали? — догадался дядя.

— Не ожидал, — сказал я правду. — Помнится, все вам объяснил.

Помнились мне не столько собственные объяснения, сколько жлобские манеры и взгляды этого проныры. Пускать его за порог я не собирался. Еще чего? Загаживать опять атмосферу жилища...

— Как же, как же, — обрадовался моей хорошей памяти дядя. — Поэтому я и здесь.

— Проходите, — сказал я. Не разговаривать же с ним в самом деле через порог. Дверь захлопнуть перед улыбающейся физиономией противной.

Но и потому я уступил его настырности, что ощутил скверное предчувствие. Такое же, какое ощутил бы племянник при виде дяди-погорельца.

Этот неискренне цветущий жлоб явился не затем, чтобы меня обрадовать.

В комнате я хмуро мотнул головой на кресло. Он согласно кивнул. Уселся. Участливо поинтересовался:

— Супруги что, нет?

Я не ответил. Ждал.

Он и на отсутствие ответа одобрительно кивнул. Не человек, а воплощенное согласие.

Какое-то время вторгшийся проникновенно разглядывал меня, начинающего терять терпение. Не допустил, чтобы оно совсем иссякло. Заговорил на последнем отпущенном ему мгновении.

С добродушным назиданием выдал:

— Нехорошо.

Разве что пальчиком не погрозил.

От растерянности я смолчал.

Дядя продолжил:

— Я-то думал, что игроки слово держат.

— Не понял, — сказал я.

— Как же, как же... Сказали, писать не будете, а — пишете. Нехорошо.

— Поэтому вы здесь? — я изумился. Что за чушь он несет?

— А как же? Это моя работа.

— До свиданья, — сказал я, вставая. — Занимайтесь своей работой. Я буду делать свою. У меня, знаете, план...

Гость опечалился. Не тронувшись с места, с укором смотрел на меня. Потом повторил:

— Нехорошо.

— До свиданья, — повторил и я.

— Вы не поняли, — совсем огорчился он. — Я прилетел из Москвы. С самолета сразу к вам. А вы — до свиданья...

— Говорите, — уступил я. Вновь опустился на диван. Действительно, раз он приперся из такой дали, то, наверное, имеет, что сказать. — Только внятно.

— Это правильно, — похвалил он. — Главное — внятно...

Притих, словно прикидывал, как бы повнятнее начать. Начал:

— На наш взгляд, вы поступили некорректно...

«Гм...» — подумал я. Но промолчал.

— Работать с нами отказались, но идею, которую мы вам предложили, взяли... Нехорошо.

— Свежую идею, — съехидничал я.

— Неважно. Нашу.

— Это все? — спросил я.

— Конечно, нет. Это суть проблемы. Теперь — нюансы. Их два...

Ничего не скажешь, излагал он внятно.

— Два нюанса — две просьбы. Первая...

— Я должен прекратить работу над «Одессой бандитской».

Он одобрительно расцвел. Продолжил:

— Но в данный момент нам важнее договориться по второй.

На вторую просьбу воображения у меня не хватило.

Дядя подождал, улыбнулся моей недогадливости и ошарашил:

— Я бы хотел получить обратно то, что вы отобрали у мальчика.

«Вот и хозяин обнаружился», — злорадно подумал я. Внятно сообщил.

— Не получите.

— Как это? — удивился гость. — Документы — наши.

— Мои. Мальчик сказал, что собирал их для меня.

— Ребенок же, — пояснил он. — Сами понимаете, испугался.

Странно, гость, по моему мнению, уже должен был бы занервничать, но почему-то не нервничал. Лыбился как ни в чем не бывало.

— Не дам, — подвел я итог, вновь вставая.

— Жены нет? — неожиданно опять спросил он. — С работы задерживается?

Я не ответил. Не хватало еще отвечать на подобные вопросы.

Он не унимался:

— Не переживаете?..

И вдруг до меня дошло: он неспроста спрашивает... Что-то знает. Что-то — с Ольгой?..

Я сразу испугался. Сразу поверил, что этот дядя и те, кто за ним стоит, способны на многое. Спокойно улыбающиеся опасны вдвойне.

Я ненадолго замер. Пристально, суженными глазами уставился на гостя. Взял себя в руки. Подумал: может, ошибаюсь? Может, он спросил праздно, без намека... Неожиданно для себя сообщил:

— Жена у подруги.

— Нет, — сказал дядя грустно. — Она не у подруги...

«Все... — ухнуло что-то у меня в животе. — Так оно и есть».

— Где она? — просто спросил я.

— Через полчаса будет дома. Если мы договоримся.

Он замолчал. Ожидал реакции: готов ли я к договору?

Сам он к фортелю, который я вслед за этим выкинул, оказался не готов совершенно. Оно и понятно. Не мог пожилой уважающий себя господин, владеющий, на его взгляд, ситуацией, оказаться в унизительном положении нашкодившего ученика, пойманного за ухо.

Не мог, но оказался.

Я ухватил его за ухо внезапно. Словно прихлопнул муху, севшую на потную щеку. Ухватив, поднял снабженца с кресла. Заглянул в скривившееся от неожиданности и испуга лицо. Дядя был подавлен. Это его душевное состояние и было запланированно.

Прием с ухом неоднократно был опробован в сомнительных ситуациях. Именно в сомнительных. Бывало, намечалась стычка с имеющим численное преимущество борзым молодняком. Понималось: даже если ударишь с опережением, шансы выйти победителем слабенькие. Прием давал куда большую гарантию успеха.

Я выбирал вожака стаи и так же стремительно, жестко хватал его за ухо. Как первоклашку. И повзрослому, назидательно в самое лицо что-то втемяшивал ему. Этим переводил и вожака, и всю компанию в разряд детворы, не доросшей до настоящего мордобоя. И сам пойманный, и стая обычно принимали отведенный им статус.

По смиренной дядиной физиономии было видно: и он ощутил состояние пойманного для трепки сорванца. Может, успел сообразить, что я поступил гостеприимно. Мог бы просто засветить от души. К примеру, в то же ухо.

Снабженец удивительно чутко для его комплекции реагировал на движения руки-поводыря.

— Где Ольга? — не по-взрослому снисходительно, а сквозь зубы, угрожающе прошипел я.

— В... в... лифте...

— Где? — не понял я.

— С ней... все в порядке... Отпусти... те. — Дядя просил. Сам освободиться не пытался.

— В каком лифте? — Я решил чуток попридержать его.

— Я скажу... Зачем же держать... Отпустите.

Я отпустил.

Наибольшее неприятие во мне вызывают люди, которые, подвергшись унижению, тут же прощают его. Отряхивают его с себя, как снежинки с пальто в прихожей. Не испытывают отвращения ни к тому, кто унизил, ни к себе, ни к этому миру. Не задаются вопросом: как с тем, что произошло, жить дальше?

Снабженец отряхнулся. Сморщившись, потер место захвата. Не столько с обидой, сколько с восхищением заметил:

— Круто...

Я ждал ответа. Внятного.

— Где Ольга?

— Все в порядке, — он даже улыбнулся. — Ваша жена застряла в лифте. Когда возвращалась от подруги. Вы же знаете эти лифты... Она скоро будет. — Он сделал паузу. — Если вы отдадите мне папку.

Я зыркнул на него исподлобья. Шевельнулся на диване.

Снабженец заблаговременно отодвинулся в кресле. Поспешил предупредить:

— Давайте без этого... Договоримся как интеллигентные люди. Вы отдаете бумаги. Через полчаса, даже раньше, ваша жена — дома. — И напомнил: — Они все равно не ваши.

Я встал, сделал несколько шагов по комнате.

Дядя опасливо наблюдал за мной. Когда я прекратил движение, остановившись напротив него, он заявил:

— Там ждут моего звонка. Не позвоню — могут быть проблемы.

— Звони, — приказал я.

Шантажист улыбнулся. Отрицательно качнул головой.

— Придавлю ведь, — пообещал я.

— Зачем? — неожиданно разумно для его небезопасного положения спросил он. — Что это даст?

— Не позвонишь? — уточнил я.

Он держался геройски:

— Нет.

— Звони. Придет Ольга — получишь бумаги.

— Точно? — Дядя подозрительно уставился на меня.

— Точно. Иначе не будет.

— И вы прекращаете работу? — торговался он.

— Звони, не зли, — сказал я.

— Прекращаете?

— Да.

— Разрешите телефон?

Я протянул ему трубку.

Он набрал номер, подождал. Произнес только одно слово, точь-в-точь как персонаж крутого боевика:

— Порядок.

Вернув трубку, осветился улыбкой:

— С вашего разрешения, папочку.

— Подождешь, — отбрил я. — Пусть придет Ольга.

Мы ждали полчаса. Ждали молча. Снабженец, как ни в чем не бывало, смотрел футбол. Время от времени комментировал происходящее на поле. Искренне бурно ругал и одобрял действия игроков.

Ольга открыла дверь своим ключом. Восторженно сообщила с порога:

— Представляешь, возвращалась от Ани и застряла в лифте. Больше часа ждала, пока включат... — Она заглянула в комнату. Увидела гостя, узнала его. Смутилась.

Я исподлобья глянул на болельщика.

Тот встал. Напомнил:

— Папочку...

Я подумал: может, выставить его пенделем? Ольга такую манеру расставания с гостем не одобрит. И без объяснения этот прощальный жест не оставишь. Объяснение помешало бы моим дальнейшим планам.

— Пшел вон, — тихо, внятно сказал я дяде.

— Как?.. — растерялся тот. Понадеялся, что ослышался.

— Вон пошел, — повторил я.

Дядя замер. Ту его физиономию, которую я в этот момент наблюдал, ни один выдумщик не смог бы представить улыбающейся. Он наконец понял, уточнил:

— Вы ничего не путаете?

Я распахнул дверь.

— Зря, — сказал еще дядя, перед тем как шагнуть за порог.

Захлопнув за ним дверь, я пошел к Ольге. Она запоздало прильнула ко мне в проеме кухни. Спросила:

— Будем ужинать?

— Да, — сказал я. — Ужинать и собираться.

Глава 35

— Буквально на неделю, — уговаривал я Ольгу, хотя она и не возражала. Расстроенно, но покорно собирала вещи, необходимые для дачной жизни. — Как только разгребу дела, сразу к тебе...

Ольга молчала...

Объяснить ей всего я не мог. Врать, изощряться в мотивах ее отъезда было бессмысленно. Какие могут быть уважительные мотивы у мужа, выпроваживающего жену из дому на ночь глядя?

— Предстоят серьезные переговоры с издательством... Прямо сегодня... Общество — исключительно мужское... Мне будет спокойнее... Ты же сама хотела на дачу...

Ольга все понимала. В том смысле, что, не понимая ничего, ухватила суть: возражать бессмысленно.

Сразу после ухода снабженца и недолгих объятий с женой я набрал номер Андрюхи Кулика. Приятеля-оперативника, к которому собирался направить мужа Асхановой. Попросил об одолжении: найти машину для срочного переезда на дачу.

— Дачей разжился? — удивился оперативник, к счастью, задержавшийся на работе. Удивился озабоченно. С трудом выныривая из своих оперативных дум.

«Ничего, — подумал я кисло, — скоро я тебе забот подкину».

— Дача — приятеля. Ключи всегда при мне, — ответил я. — Получится?

Он помолчал. Я со своей беспардонной просьбой свалился ему на голову явно не вовремя.

— Куда ехать? — спросил он.

— Каролино Бугаз.

— Минут через сорок, — сообщил он. — Собраться успеешь?

— Успею. Повезешь ты?

Он опять ответил не сразу:

— Нет. Пришлю человека. Ты дома?

— Дома.

— Что с твоей машиной?

— Не на ходу.

— Что-то случилось? — спросил вдруг он. Спокойно спросил, но и внезапно, цепко. В профессиональном стиле. Словно за ухо попытался поймать.

Несмотря на внезапность, я успел сообразить: безмятежно соврать в ответ — не годится. Потом предстоит в глаза смотреть.

— Да так... — замялся я. — Есть проблемы.

Мне показалось, он оценил откровенность.

— Жди, — сказал он.

— Да, — спохватился я. — Машина будет ваша, ментовская? — Подумал, что, если Ольга уедет на милицейской машине, мне будет спокойнее.

— Нужна наша?

— Не обязательно. Хотелось прокатиться с огоньком.

— Огонька не будет. Пришлю «Москвич»...

Положив трубку, я еще раз прикинул, правильно ли поступил, обратившись за помощью к оперативнику. Решил, что правильно. Человек, который сделал тебе одолжение, гадости тебе же потом делает с большой неохотой. От ощущения нелогичности такой последовательности.

Андрюху я обманул. Дав понять, что и сам съезжаю. Решил, что так он вернее поможет. То, что поедет одна жена, могло решиться в последний момент.

Эвакуироваться вместе с Ольгой на пустующую дачу приятеля я не мог. Во-первых, все желающие высказать претензии, должны были такую возможность иметь. Иначе не угомонятся. Во-вторых, я должен был ждать новостей от Крестного или Рыла. Безвредный мог всплыть в любой момент.

Ольга приняла мое решение о ее отъезде стоически. Собираясь, слушала оправдательные бредни с грустной, обиженной молчаливостью. Но на улице, прежде чем сесть в «Москвич», прильнула ко мне цепче обычного. И из опущенного окошка машины самоотверженно улыбнулась. Всего лишь улыбкой опечаленной расставанием жены.

Когда я провожал взглядом удаляющиеся габариты «Москвича», сердце защемило. Всему виной была эта Ольгина улыбка. Потом уже не только она. Смутила меня обшарпанная белая «Тойота», оказавшаяся чуть погодя в хвосте «Москвича». Не то чтобы смутила. Привлекла внимание. Должно быть, тонированными стеклами.

Я отогнал тревогу, как наваждение. Каждая машина в уличном потоке движется в хвосте другой. И на тонированных стеклах автомобилисты как помешались.

Нервы стали совсем ни к черту. Стоило их до поры поберечь. Тем более что пора ожидалась скоро.

Глава 36

Два часа после отправки Ольги я провел за компьютером. Бессмысленно провел. Ни родил ни строки, ни мысли.

Тревога, от которой я отмахнулся на улице, объяснив ее себе воспаленной мнительностью, вернулась, как только поднялся в квартиру.

Ничего не мог с собой поделать. Терзался сомнениями: что, если предчувствие не подвело?

Накрутив себя до зуда в солнечном сплетении, я спохватывался. Возвращался мыслями к дяде-снабженцу, но уже трезво, с анализом.

Зачем его хозяевам понадобилось меня подставлять, не было загадкой. Тот, кто готовит для них «Одессу бандитскую», автор-инкогнито, подпишется под ней псевдонимом. Судя по материалам, которые насобирал Илья, герои книги не ограничатся укоризненным покачиванием своих бритых голов. С лицензией на отлов или отстрел автора мешкать не станут.

Еще бы хозяевам и тихоне-автору не огорчиться, узнав о том, что я работаю над своей версией. Эта новость, во-первых, предвещала конкуренцию на рынке, во-вторых, означала: их старания пустить бандюг по ложному следу пойдут коту под хвост.

Но и у меня теперь не было другого выхода. Работу надо было довести до конца.

Через два часа зазвонил телефон. Я был уверен, что звонят предъявители претензий.

Но это был всего лишь Андрюха-оперативник. Всего лишь...

— Ты дома? — спросил он весьма неумно для матерого мента.

Я, впрочем, тоже растерялся. Подтвердил:

— Дома.

— Что-то изменилось?

— Да... Ольгу пока отправил.

Он помолчал. Вдруг выдал:

— Есть разговор.

— Говори.

— Подъеду.

— Могу сам. Когда тебе удобно?

— Подъеду сейчас. Дождись. — Он отключился.

Нетерпение приятеля ничего хорошего не предвещало.

Через двадцать минут Андрей был у меня. Вошел, сразу сузив стены прихожей. Пословица «с кем поведешься — от того и наберешься» в аккурат про него. Как и большинство оперативников, Андрюха больше походил на уголовника, чем на блюстителя закона. И манерами, и осанкой. Маловыразительной физиономией давал понять: меня лучше обойти стороной. При всем этом антураже я его всегда держал за добряка-увальня.

Его хмурый вид меня не смутил. У Андрея всегда был такой.

— У нас был муж Асхановой, — сообщил приятель, усевшись в кресло. Тяжело глядя на меня. Изучающе глядя, профессионально.

«Все-таки, зараза, пошел», — подумал я. Под взглядом гостя чувствовал себя неуютно. Пожал плечами:

— Я — в курсе. Сам советовал ему идти к вам.

— Написал заяву, — продолжил Андрей.

Я кивнул. Что было говорить?

— Он уверен, что ты знаешь, где его жена.

— Не знаю, — сказал я. — Думаю, сама объявится. Штучка еще та.

Андрей, разглядывая меня, сузил глаза. Меня все больше беспокоил его взгляд. Такого взгляда я у него прежде предположить не мог.

— Я тоже так думаю, — произнес он. — Но начальство нагрузило. Дела пока нет. Но будет. — Он сделал паузу. — Ты точно ни при чем?

Ох, как мне хотелось врать.

— Не знаю, где она, — сказал я.

Гость не то чтобы улыбнулся... Удовлетворился ответом. Дальнейшие его действия окончательно сбили меня с толку.

Андрюха достал из небольшого кожаного ридикюля диктофон. Установил его на столе и нажал кнопку прослушивания.

Я ошалело услышал голос Асхановой:

— Зачем ты меня сюда привез?

— Помыться. — Я узнал себя.

— Помыться в компании одесситов, — поддержал, кажется, голос Краба.

— Вы, правда, одесситы?.. — опять Асханова.

Это была кассета из Дарьиного диктофона. Включила она его, похоже, в тот момент, когда, как мне показалось, ни с того ни сего воспрянула духом. Оказывается, потому и воспрянула, что включила запись. Вознамерилась проявить профессиональные качества. Только надолго ее не хватило.

Я слушал пленку с паникой в душе. Слушал реплику Безвредного:

— Ты знала, куда идешь?

И его приказ:

— ...Раздевайся.

И вдруг я ощутил надежду. Если на пленке весь разговор, то из него должно стать ясно: я всего лишь просчитался. Удар пистолетом по моей башке вряд ли прослушается наглядно. Но мои попытки «отмазать» москвичку следы на пленке должны были оставить...

Я с нетерпением поглядывал на опера. Мол, сейчас. Ждал конца записи. Конец наступил раньше:

— ...Ты ее себе присмотрел? — спросил я на пленке.

— Какая разница? — отозвался Безвредный.

— Есть разница, — возразил мой противно бодрый голос. И он же добавил: — Если себе присмотрел — бери. — И после паузы продолжил было: — Но ты — жулик с поняти...

Щелчок оборвал меня на полуслове. Пленка закончилась.

Я испуганно смотрел на диктофон. Перевел взгляд на Андрюху. Потребовал:

— На другой стороне...

— На другой — пусто.

— Да?.. — удивился я.

— Пленка кончилась, — пояснил терпеливо, как идиоту, Андрей.

Я вспомнил, как Штирлиц оправдывался перед Мюллером после разговора с Борманом:

— Не мог же я попросить: подождите, я переверну кассету.

И Асханова попросить не посмела.

Мы долго молчали.

— Вот такие дела, — прервал молчание Андрей. Он был заметно расстроен.

— Откуда она у тебя? — спросил я, глядя на диктофон.

— Горничная нашла в номере. После того как москвичка выписалась. Отдала внуку. Тот не успел ее использовать. Кассета не подошла к плейеру.

Я понимающе кивнул.

— Ты точно не знаешь, где она? — повторил вопрос опер.

— Точно. Все было не так. Меня вырубили.

— Кто?

Я не ответил. При всей ненависти, какую вызывал во мне Безвредный, при всем том, что он заварил, я не посмел вложить его. Воспитание не позволило. Я и сам не подозревал, до какой степени вросли в меня давние заповеди. В том числе и такая, распространяемая на фраеров, к которым я сейчас, пожалуй, относился: обращайся за помощью либо к блатным, либо к ментам. Но не к тем и другим одновременно.

Я молчал.

Опер, кажется, меня понял.

— Когда ты узнал? — спросил я.

— Сегодня.

— Когда я звонил, уже знал?

— Только прослушали. С начальством.

Я вспомнил его озабоченный голос. Посмотрел на него с недоумением.

— За тобой придем завтра с утра. Так решило начальство, — совсем непонятно пояснил он. — Лучше бы ты уехал с женой.

Вот оно что... Андрюха, зная, что завтра придет за мной, сегодня нашел для меня машину. А я, балбес...

— Мне можешь не объяснять. Знаю, что не твои дела. Но завтра приду, — хмуро поведал он.

Я молчал.

— Завтра, — повторил он.

Я посмотрел на него с недоумением. Гость от меня чего-то ждал. Но не дождался. Вынужден был растолковать:

— Завтра тебя может не оказаться дома...

Глава 37

Уговаривать меня оперативнику не пришлось. Я взялся наскоро собираться.

Андрюха не смотрел на меня. Думал о своем. Вдруг спросил:

— Возьмешь такси?

— А? — не понял я. Спохватился. Я же сказал ему, что моя машина не на ходу. — Доеду, — отмахнулся я. Продолжая бросать в сумку вещи, с досадой подумал: «Когда человек хорошо к тебе относится, незачем дурить его, вынуждая делать одолжения».

Последними в дорожную сумку положил две папки. Издательскую и Хомяка.

Присел на дорожку. Посмотрел на Андрюху. Что движет им? Никогда бы не подумал, что он способен на такое. Ведь он мне даже не друг. И никогда не набивался в друзья. Еще и поэтому всегда вызывал симпатию. Такое впечатление, что при всем своем упрощенном облике додумался сам: в нашем с ним возрасте друзьями разживаться поздновато.

Можно уже было идти. Но я вдруг сказал:

— Работаю сейчас над одной вещью... Нужен прототип для главного героя. Какой-нибудь уважаемый бандит. С понятиями... Благородный...

— Нету таких, — просто ответил опер.

— Как нету? — удивился я. — Люди разные. И бандиты тоже.

— Благородные в бандиты не идут.

— Не бандит. Просто преступник.

— На понтах они все. Посмотри, что творится...

— Это сейчас. А раньше?

— И раньше — то же самое.

Мы с ним явно по-разному смотрели на проблему. Я попробовал подбросить зацепку:

— Не слышал о таком?.. С наркоты человек соскочил. Сам. Говорят — крутой.

Андрей задумался. Ненадолго. Удивил:

— Слышал. Давно, лет десять назад. Я тогда только-только в розыск попал. Семеныч нас натаскивал, майор. Как отец нам был. Но уважали его. И бандиты, кстати, тоже. Он и рассказал. Запомнил потому, что история такая — не забудешь...

Он замолк. Но и я молчал. Ждал продолжения. И он продолжил:

— Было это в конце семидесятых. В Д. «поставили» универмаг. Центральный. Сейчас не знаю, а тогда он назывался «Белый лебедь». Шумное дело было. Нагло люди сработали. И красиво.

Этот твой прототип и сработал. С двумя подельниками. Универмаг в тот день только открылся. С митингом, как положено. Ленточку начальство перерезало. Поп, правда, не святил. Тогда — этого не было.

Вечером универмаг взяли. Сработали под инкассаторов. Подъехали на машине. Прикид, как положено, с «волынами» на ремнях, в открытую. С сумками инкассаторскими. С документами. Сняли дневную выручку. Три лимона — старыми. Расписались в бумагах. И спокойно уехали.

А через пятнадцать минут прибыли настоящие инкассаторы.

Кипеж был. Весь Д. на уши поставили. Что Д. — Украину. Но впустую...

— Не нашли? — спросил я.

— Нашли. Сам пришел. Через год.

— Один?

— Один. Он через год уже был один. Ну и пришел... Там целая история была...

Я подобрался. Ничего себе рассказец.

Андрюха продолжил:

— У этого героя друг был. Еще со школы. Нормальный парень, отличник бывший. В университет поступил, заканчивал уже. В редакции работал. Что тебе объяснять, сам знаешь, как бывает: один друг — отличник, маменькин сынок, профессорский между прочим, другой — пробы негде ставить, местный авторитет. Так и выросли друзьями. Несмотря на то что один после школы — в университет, другой — еще в школе — на «малолетку». За попытку магазин грабануть. Серьезную, между прочим, попытку. Кассу в меховом магазине попытался взять..

Потом уже следователь накопал: у дружка-босяка идея была — жениться. Женщину он обхаживал. Тоже бывшую одноклассницу. И, между прочим, тоже студентку. Вот этот головорез и решил: провернет дело и — все. Завяжет. Мол, иначе не видать ему студентки, как аттестата зрелости.

И провернул.

Наши несколько месяцев мудохались. Без толку.

Через год вышли на след. Случайно. Взяли мелкого домушника, а у того пачки денег. По контрольным номерам вычислили: деньги из универмага. Домушник, конечно, раскололся. Только-только хату «выставил». Профессорскую хату. Пачки оттуда.

«Инкассатор», как оказалось, припрятал долю у дружка.

Дружка взяли. Особо не разбирались. Тогда вообще долго не разбирались. Тем более что дело-то на виду было. Начальство дергало. А тут — на тебе —

и бабки — найдены, правда, часть. И преступник — вот он. Даже два.

Потом уже выяснилось, что этот твой герой грохнул подельщиков. Тех, с которыми универмаг брал. Вернее, одного из них. Главного. Как обычно, за бабки. Только у них не так было. Не он собирался мочить, а — его собирались. Не вышло. Руку, правда, прострелили. Выше локтя. Управился он с главным. Дерзкий пацан. Хоть и молодой.

Но за убийство срок не накинули. Там поглощение было. Большим сроком меньшего. Тем более что за тем, которого грохнули, кое-что числилось. Давнее убийство мента.

Студенту дали двенадцать лет. «Инкассатору» — десять..

— Не понял, — перебил я. — Студент заложил — это понятно. Но почему тому — меньше?..

— Студент не заложил. Прикинулся, что вообще не в курсе. Да он и в самом деле был, похоже, ни при чем... Но ему организацию шили.

— Как же тогда?...

— Я же говорю: этот твой прототип сам пришел. С повинной. Мол, студент — ни при чем, не знал, что хранит. Не помогло. Этому добровольцу, несмотря на вторую судимость, меньше дали. Червонец. Учли повинную и добровольный возврат денег. Он, чтобы вернее дружка «отмазать», остальные бабки принес. Не помогло.

Андрюха замолк.

Я тоже молчал. Переваривал услышанное. Не просто было переварить.

Но он еще не закончил.

— Это не все. Отправили их, как положено, на разные зоны. Тому, который универмаг брал, жилось нормально. На зоне блатным жил. Но за дружка переживал. Пока под следствием был, провел работу. Договорился с бывшим своим подельником (еще по первому делу), чтобы тот взял профессорского сынка под крыло. Подельник обещал...

Андрюха сделал паузу. Пожав плечами, закончил:

— «Опустили» студента на зоне. Когда бывший подельник в «шизо» отдыхал. А потом уже этот бывший, обещавший взять под крыло, его приговорил. Что ему оставалось делать? Как «опущенного» под крылом держать? Да и спросят потом... В общем, закололи студента. Заточкой.

Конец меня ошеломил. Оказался совсем не тем, какого я ждал. На какой надеялся.

— Что потом?.. — спросил я. — Когда тот вышел?

— Там тоже история, но уже не такая... — Андрей поискал слово. Выбрал: — Необычная. Хотя... Этот твой прототип освободился по звонку. На зоне плотненько присел на иглу. Тогда у блатных это входило в моду. Понятия уже разрешали.

Не знаю, может, он еще на зоне был в курсе того, что с его дружком. Наверное, был. Как иначе? Но когда освободился... В общем, вые....нулся. Окурком прижег вены на руке... там, где следы от уколов. Мол, поставил точку, завязал...

Андрей выжидательно посмотрел на меня. На этот раз явно закончил повествование.

Окончание меня не устроило.

— А дальше? — шевельнул его я. — Что с ним стало?

— Не знаю. Может, и впрямь завязал. Но вряд ли.

На этот раз мы молчали долго. Оперативник встал. Пора было идти.

— В какой город подался, тоже не знаешь? — не унимался я.

Андрюха отрицательно качнул головой.

Я высказал предположение:

— Если универмаг брал в Д., значит, родом оттуда.

— Он не из Д. — точно. Но откуда — не знаю.

— Может, наш?

Он пожал плечами: может.

— Как его звали?

Оперативник задумался. Проговорил:

— Клички какие-то... так себе.. Одна... еще по малолетке — Тихоня. Другая, уже на зоне... Гюрза, кажется. Какая-то змеиная.

— А после зоны?

— Я же говорю, не знаю.

Я встал.

На то, чтобы осмыслить услышанное, время у меня еще будет. Рассказ всколыхнул рой мыслей. Главенствующей среди них была одна. Примерно такая: «Ну, Безвредный...»

Глава 38

Когда я отъехал со стоянки, была почти полночь.

Пришлось еще раз обмануть приятеля. Он подбросил меня к вокзалу, где я для виду взял такси. Сделав круг, вернулся к дому. Маленький камушек обмана частенько чреват камнепадом лжи.

Я ехал на Каролино Бугаз. Ехал не спеша, получая удовольствие от езды. Одна из уцелевших, не затертых жизнью радостей — радость ночных поездок на автомобиле за городом. Грустно, одиноко на душе. Темный мир за стеклом, как космос. Ты с ним — один на один. И становишься будто мудрее.

В безмятежном состоянии я пребывал недолго. Философское настроение распугали проблемы. Разогнали, как хулиганистая детвора чаек, устроившихся у берега на волнах. Подобно камням, бросаемым детворой, мысли плюхались в безмятежность. Разрушая ее гладкую поверхность, вспугивали крылатых дурочек, позволивших себе не к месту и не ко времени расслабиться.

Первые одиночные камни-мысли были о Безвредном. Но только часть из них о его трагично-романтическом прошлом. Конечно, он достоин и сочувствия, и уважения. И восхищения даже. Но мне от этого не легче. Достойное прошлое — не повод для ублюдочного настоящего.

Что-то еще беспокоило меня в теме Безвредного. Что-то неопределенное, как камень в отведенной для броска руке. Но вот и он упал в воду, подняв кучу брызг. Меня осенило: та студентка, ради которой герой Андрюхиного рассказа пошел на дело... Ведь она училась на филологическом. Могла стать журналисткой... Асханова? Слишком красиво, слишком по-книжному.

Я встрепенулся и тут же притих.

В конце семидесятых участникам истории было под двадцать, значит, сейчас под тридцать пять как минимум. А то и под сорок. Асханова — точно не тянет. А жаль...

Я вновь оживился. Все равно в этом есть логика. В том, что Безвредный позарился на журналистку. Воспоминания его могли развиться в «манечку». Особенно, если он «развязал». Наловчился попадать иглой между шрамами. Если так, то все сходится. Пример из азбуки психиатрии.

Версия меня вдохновила, во-первых, потому, что наконец объясняла поведение бандита, во-вторых, потому, что давала шанс: Безвредный на «мокруху» не пойдет. Не тот психиатрический случай. Самое большее, на что отважится, — это на «трах».

Я спохватился: чем утешаюсь?

Решив отвлечься, начал было вновь размышлять о фортеле, который выкинул сегодня Андрюха...

И вдруг... Совсем иная мысль ужалила меня. Это был не камень-одиночка. Это был залп. Залп тревоги.

Укротители лифтов, сообщники снабженца... Они не могли успокоиться. И мешкать с претворением в жизнь собственных планов не было им никакого смысла. Но если не воспользовались случаем, не перехватили меня ночью на улице, скажем, на стоянке у машины, значит, уже заняты. Чем?..

Я вспомнил «Тойоту». И в панике вдавил до упора педаль газа.

Глава 39

Каролино Бугаз — узкая песчаная перемычка между Днестровским лиманом и Черным морем. В одном месте, временами размываемом волнами, совсем узкая. Тридцатиметровая. Только шоссе да одноколейная железнодорожная насыпь и умещаются в это пространство.

При протяженности перемычки больше десяти километров средняя ширина ее — метров четыреста. И вся она ровно и густо вымощена пансионатами и дачами. Как средневековая узкая улочка булыжником.

Дачный сектор расположен ближе к лиману. Нарезан на квадраты узкими, в одну машину проездами.

Дача, на которую я ехал, располагалась сразу у шоссе, но вход в нее, калитка и ворота, были со стороны проезда между квадратами.

На шоссе, напротив участка, притормозил. Из окошка машины всмотрелся в темень. Ничего не разглядел. Зато почувствовал, как ускорилось сердце.

Через двадцать метров свернул в проезд. Еще через сорок предстоял поворот направо. К воротам.

Я не повернул. На перекрестке проезд направо перекрывал шлагбаум. Ушлые дачники установили кордон. Оградили себя то ли от «доставших» уже их бензиновых паров, то ли от моторизованных дачных воришек.

Оставив машину под тусклым фонарем у шлагбаума, я трусцой направился к даче. Опережаемый собственной тенью. За несколько метров до ворот перешел на шаг. На вкрадчивый шаг человека, уже обнаружившего, что худшие из его опасений начинают сбываться. Калитка на дачный участок друга оказалась приоткрытой.

Я тихонько толкнул ее. Всматриваясь в сгущающуюся темноту дворика, шагнул в него. Зачем-то беззвучно, на цыпочках двинулся по цементированной тропинке. Подойдя вплотную к даче, увидел, что и дверь в нее распахнута.

Сглотнув набухший в горле ком, я протянул руку к занавеске, защищающей от комаров. Шанс еще был. Ольга могла лечь спать при открытой двери. И калитку не проверить по рассеянности.

Осторожно отодвинул занавеску, нащупал на стене выключатель. Щелкнул.

Шанса не стало. Комната была пуста. Вторую проверять не было смысла. Во-первых, ключ у нас был только от этой, во-вторых... На полу, сразу за занавеской, справа стояла распахнутая Ольгина сумка. Та, в которую она сегодня собирала вещи.

Я заглянул в сумку. Вещи вроде бы оказались на месте. Только постельное белье, еще сложенное, было брошено на кровать.

Судорожно убеждая себя в том, что Ольга вздумала устроить ночные купания, я осмотрел комнату. Обнаружил у изголовья на полу Ольгин зеленый купальник. Тонкие треугольные плавки и веревочный лифчик.

Чем было еще себя убеждать?.. Разве что тем, что ночью купаются нагишом.

С допотопной этажерки у входа я взял дачный дежурный фонарь. Вышел во двор. Принялся исследовать. И сразу же поодаль, рядом с тропинкой увидел босоножку. Поднял ее. Узнал. Ольгина, одна из тех, в которых она сегодня уехала.

С шевелящейся макушкой и ознобом на спине продолжил поиски. Дошел до калитки и вернулся. Еще раз осмотрел двор. Вышел за ворота, двинулся по проходу к машине. Несмотря на отсутствие находок, дошел до шлагбаума. Сел в машину, сдал назад. Оставив включенными фары, вернулся к перекрестку. Добавляя освещения фонариком, взялся изучать дорожную пыль у шлагбаума.

След, который обнаружил, наполнил меня не тревогой... ужасом. Чуть в стороне, там, где более плотная почва была покрыта островками травы, увидел лужицу крови. Еще свежей, зловеще блестящей в свете фонаря, не успевшей почернеть. Присмотревшись, уже зная, что ищу, обнаружил и множество мелких разбросанных лужиц. Кое-где ссохшихся, свернувшихся в пыли.

Но и эти подкосившие колени следы оказались не последними из найденных мной. Там же, на траве, вблизи кровавого озерца я увидел скомканный лоскут материи. Поднял его, осветил фонарем. Это был слипшийся кусок широкого пластыря.

Я, отлепив края, распрямил его. С липкой стороны в центре увидел красный след. Приблизил пластырь к глазам, понюхал. Ошибки быть не могло. На пластыре отпечатался след от помады.

Глава 40

Поездка назад в город по ночной, пустынной, далеко высвеченной дороге была не из тех, что вызывают удовольствие. Какое могло быть удовольствие при той истеричной скорости, с какой я гнал машину. При тех думах, которые одолевали меня.

Обидели мою женщину. Набросились на нее, трогали погаными лапами. Наверняка выкручивали руки. Хоть и на время, но залепили рот. Я представлял, что ощущала Ольга в те мгновения... От ненависти и беспомощности закипал, жал педаль газа.

Вспоминал кровавый архипелаг. Откуда кровь? Чья она? Ольгина? Но чего вдруг? И вообще этого быть не могло, потому что иначе... Я тряс головой и еще увеличивал скорость.

Впрочем, помаленьку, к половине пути до Одессы истерика поутихла. Угомонили ее тоже размышления, но другие. Те, что подвели меня к некоторым утешающим выводам.

Первый. Ольгу похитили, это — понятно. Но

только для того, чтобы обменять ее на эту дурацкую папку.

Второй. Если сняли пластырь, значит, Ольга приняла их условие: молчать. И, значит, контакт ее с похитителями стал более-менее разумным.

Третий. Ублюдки тянуть не станут. Явятся ко мне как можно раньше. Значит, как можно раньше я должен оказаться дома. Отдать папку. Тогда все кончится.

Еще кое о чем я думал... О том, что я — сам ублюдок. Посмел рискнуть самым близким мне человеком. Ради того, чтобы предохранить себя от мифических проблем в будущем, ради собственных амбиций. Даже если все закончится, тьфу-тьфу, благополучно, я себе этого не прощу. Ольга, может, и простит. Наверняка простит. Я — нет. Благополучный исход не сможет стереть в памяти то, что ей пришлось пережить. Это *уже* произошло. Как с этим жить дальше? Но и до «дальше» надо было еще дожить.

Я очень надеялся на то, что меня встретят у дома. Мечтал об этом. Заранее вынул злополучную папку из сумки. Чтобы сразу отдать ее.

Но возле дома меня не ждали.

Я оставил машину во дворе, вошел в подъезд. Меня не ждали и в подъезде.

Поднялся в квартиру. Включил свет во всех комнатах. Подошел к окну. Чтобы те, кому я нужен, не сомневались: я — дома.

Рассвет встретил на подоконнике. Встретил в состоянии, близком к тихому помешательству. Усталость от бессонной ночи причудливо наложилась на отчаяние и страх, которые уже вполне овладели мной.

Похитители не объявились. Не потребовали папки, которую я готов был отдать так же беспрекословно, как и все, что у меня есть: квартиру, машину, пожизненные бесплатные права на уже написанные и еще не написанные книги... Не привезли мне Ольгу.

В чем-то я просчитался. В чем? Или им ничего уже не надо, или нечего предложить взамен. Но как это нечего?..

«Нет, — думал я, холодея. — Кровь тут ни при чем. Что за бред... И потом... — во мне вдруг обнаружилась неожиданная сейчас разумность, — они бы в любом случае объявились. Постарались бы заполучить свое, блефуя».

Я продолжал нести вахту на подоконнике. До того момента, когда пробудились дворники и трамваи. До того момента, когда в улицы, как в желоба, хлынули потоки солнечных лучей и прохожих. До того момента, как...

«Волгу», остановившуюся напротив моего подъезда, я увидел сразу. И сразу узнал тех, кто на ней прибыл. Андрюху и двух его оперативных соратников.

Спешно соскочил с подоконника, метнулся к выключателям, вырубил свет. Прихватив сумку с папками, тихо прошмыгнул за дверь, беззвучно защелкнул ее. Слыша с нижних пролетов шаги, на цыпочках поднялся к чердачной двери с висячим фиктивным замком. Разогнув замок, шагнул в пахнущий пылью и бомжами сумрак. Пружинисто подался между балками и вентиляционными трубами вглубь. Как можно дальше от двери. Укрылся за одной из труб. Подождал, вслушиваясь и слыша только кошачью песню. Выглянул, убедился, что след мой не взят. Осторожно, стараясь не наступать на хрупкий мусор, пошел дальше. Свернув за угол, увидел другой выход. Дверь на нем оказалась вообще без замка.

Слабо соображая, что делать дальше, вышел во двор. В солнечное утро.

Глава 41

Все чужие и мои собственные прежние высказывания насчет не самого лучшего дня сегодня могли вызвать во мне только надменный смех. Если бы мне было до смеха.

Я, как сомнамбула, брел по дорвавшемуся до дня городу. По городу, переживающему разгар утра. Бездумной юности. Брел, как старик, из-за близорукости и отвлекающих болячек не обращающий на юность внимания.

Ведомый инстинктом, добрел до парка.

Наума в этот час еще не было.

Я сел в его служебное кресло — на обшарпанную, запыленную за ночь скамейку. Оперся локтями о колени, обхватил голову ладонями. То ли думал, то ли дремал. Скорее второе, потому что, когда поднял голову, не обнаружил в ней ни единой мысли. Зато обнаружил сидящего рядом Крестного.

— Привет, — сказал я, растерянно щурясь на солнце.

Наум кивнул. Ждал.

Что я мог ему сказать? О чем попросить? И чем он смог бы мне помочь?

— Новое? — спросил он равнодушно.

Я усмехнулся. Криво, безнадежно.

Он все еще ждал. И я сказал:

— Ольгу забрали.

— Кто? — спросил он, посерьезнев.

— Не знаю.

— Не менты?

— Нет.

— Когда?

— Вчера. Ночью. Похитили с дачи... — Я осекся. Свело челюсти.

Наум молчал. Долго молчал. Потом вдруг выдал:

— Безвредный — импотент.

— А? — не понял я.

— У Безвредного, говорю, не стоит.

Я ошалело смотрел на Крестного... Спросил:

— В каком смысле?

— В том самом. Я и раньше знал: журналистку твою не тронет...

При всем отчаянии, владевшем мной, сообщение Наума озадачило.

— Давно? — зачем-то спросил я.

— Кто его знает? Потому и — Безвредный.

Я попробовал осмыслить новость. Не смог. Слишком неожиданным оказался кусок, поданный Наумом. Слишком не вовремя был подан. В момент, когда я занимался безрезультатным перевариванием другого.

Я сказал:

— Это не Безвредный. Тут — другое...

Мы опять надолго замолчали.

— Точно не он? — переспросил Крестный.

— Точно.

— Не важно, — явно утешая меня, заявил Наум. — Что-нибудь придумаем.

— Что тут придумаешь... — Я вновь ощутил острый приступ отчаяния.

— Придумать можно всегда, — неожиданно философски изрек Крестный. — Если думать...

Я скривился в усмешке. И тут же распрямил мышцы лица. Должно быть, последние слова Наума капнули масла в застывший шестереночный механизм моего мозга. Меня осенило: «Что я сижу?.. Высиживаю идею, как бесплодная курица — яйцо. Ведь ясно же, что надо делать...»

— Пойду, — сказал, я вставая.

— Давай, — согласился Наум.

Глава 42

Хомяк жил в «хрущевке» в Черемушках. Адрес я запомнил, когда он диктовал его Митьке.

Сейчас, направляясь к нему, я злился на себя за то, что не догадался сразу: у него, Хомяка, конечно, есть связь со снабженцем. Пусть сообщит: я принимаю все условия.

Это был шанс. Но скорее: повод не сидеть без дела. Хоть что-то предпринять. Будет ли от шанса толк? Зачем им ждать, пока я соображу, как выйти на связь? Захотели бы — вышли сами. Но почему-то не вышли. Где гарантия, что откликнутся, выйдут после объявления капитуляции? Но ведь зачем-то же войну объявили. Объявили и выиграли. Что теперь? Пусть забирают отвоеванное и отпускают с миром.

Так понимал я. Они могли понимать иначе.

Шанс я должен был использовать. Выжать из него все.

Я долго жал кнопку у двери с нужным мне номером. Мне не открывали. После первого короткого звонка я расслышал за дверью шорох. Это могла быть всего лишь кошка. Но я не унимался. Как мог уйти ни с чем? Куда?..

Назвонившись от души, на всякий случай сердито сказал в дверь:

— Открывай, не зли. Я — по делу.

Притаившись, подождал несколько секунд. И услышал, что замок проворачивается. Между дверью и косяком образовалась щель. Из нее, из темноты прихожей, поверх цепочки на меня встревоженно смотрел хозяин. Хомяк.

— Здравствуйте, — сказал он вежливо.

— Впустишь?

Он замялся. Застенчиво качнул головой: нет.

— И не выйдешь? — понял я.

Он качнул головой еще раз.

— Ладно, — не спорил я. — Слушай так. Передай... — Имя снабженца я не помнил, но сейчас меня это мало смущало. — Передай своему начальству: я согласен...

Я выжидательно посмотрел на пацана. Тот продолжал взирать настороженно. Тоже чего-то ждал.

— Давай, — сказал я нетерпеливо. — Звони, я подожду.

— Кому звонить? — спросил он.

— Не прикидывайся дурачком, — одернул я. Предупредил: — Накажу. Ему что? Улетит в Москву. А ты останешься...

Кажется, пацан понял. Может, действительно только сейчас догадался, о ком я.

— Звони, — повторил я.

Он помялся. Решал, стоит ли сознаваться. Мой несомневающийся вид качнул чашу весов в нужную сторону. Но пацан заявил:

— У меня нет телефона.

— Опять за свое?!. — посерьезнел я.

— Вы не поняли... У меня нет *его* телефона. Он сам звонит.

— Бабушке расскажешь, — сказал я. — Когда папку отобрали, телефон нашел. Сразу звонить кинулся. Утром уже прилетели...

— Из Москвы он звонил сам. Он постоянно звонит.

— Хороший ты парень, — заметил я. — Залетным своих сдаешь... Ну, ладно. Когда он выйдет на связь?

— Не знаю...

— Но ты говоришь, постоянно выходит. Сегодня звонил?

— Нет.

— Значит, будет?

— Наверное.

Я задумался. Что было делать? Похоже, пацан говорил правду.

Я вынужден был выжимать из ситуации все, что мог:

— Так и передашь: я приходил, сказал — согласен.

Пацан кивнул.

— Все, — сказал я.

И почувствовал, как ослабшие на время щупальцы отчаяния вновь взялись за меня. Уходить вот так? Ни с чем? Без надежды? После того как я, обманув, выгнал из дома снабженца, тот вряд ли с доверием отнесется к моему заявлению. Как убедить его? Если и поверит... Сначала свяжется со мной, обговорит условия. Начнет перестраховываться. Все это время Ольга будет у него... Если меня задержит Андрюха, связь с похитителями станет и вовсе невозможной. И сейчас я не могу появиться дома.

Снабженец и надумает связаться со мной, да не сможет.

— Стой, — сказал я, прежде чем дверь захлопнулась. Еще чуток подумал. Достал из сумки злосчастную папку. Ребром сунул ее в зазор. — Держи.

Остаток дня, до вечера, я скитался по городу. Несколько раз подходил к собственному дому. Издалека наблюдал за подъездом. Смысла рисковать, подставляться под, возможно, присматривающих за домом Андрюхиных коллег не было. Если похитители надумают Ольгу освободить, то сделают это и без общения со мной.

Пробовал заходить к друзьям. Ничего путного из этого не вышло. Не дело гостить с отмороженной физиономией. Пребывая в собственных размышлениях.

Дважды, после обеда и ближе к вечеру, заезжал в Черемушки. Чтобы выяснить, попало ли мое послание к адресату. Звонил в дверь Хомяка. Прислушивался к шумам за ней. Разговаривал с дверью, как с «сезамом». Вызывал удивление и испуг у поднимающихся по лестнице соседей.

Когда начало темнеть, вновь приблизился к собственному жилищу. В сумерках было меньше шансов самому угодить в капкан.

Шел не спеша, как тот же утренний старик, но еще и уставший за день. Шел, бессмысленно глядя себе по ноги. Только время от времени поднимая голову. В один из таких разов...

С расстояния квартала я глянул на окна своей квартиры. И увидел, что окно в гостиной освещено.

У меня захватило дыхание. Состояние, какое я

испытал в этот момент, по силе было сродни тому, которое ощутил прошлой ночью на даче. Но противоположное по знаку.

Я хорошо помнил, как сегодня утром метался от подоконника к выключателям. И днем, когда последний раз подходил к дому, света в окне не было.

В квартире могла быть только Ольга.

Пока я уныло и бессмысленно бродил по городу, как потерявшийся прогулочный ослик из горсада, пока занимался самоедством, обескураживал друзей, пугал соседей Хомяка, Ольга вернулась домой.

Я не моргая, не отрывая взгляда от окна, приближался к дому. Не заметил, как ускорил ход. Шагов через десять уже поймал себя на иноходи.

Спохватился... Миленькой выйдет наша встреча с Ольгой, если меня тут же возьмут. В аккурат — для индийского боевика.

Сбросил темп до шага. Направился в миниатюрный сквер, расположенный через улицу, напротив дома. Днем-то скверик весь на виду, просматривается насквозь. Зато в сумерках под сенью его деревьев запросто находили пристанище прохожие, гонимые малой нуждой.

Слившись со стволом развесистого платана, я смотрел на окно. Думал, как поступить...

И вдруг увидел в окне силуэт. Мне захотелось протереть глаза... Это была не Ольга. Силуэт принадлежал мужчине. Я этого мужчину узнал.

Сразу, без малейших сомнений решилось, как поступать дальше.

Я вышел из сквера. Но не к дому, а удаляясь от него. Сделав приличный круг, подошел к дому с тылу, со двора. Через знакомый по утренним похождениям подъезд поднялся на чердак. В полной его темноте почти на ощупь отыскал выход, ведущий к моей квартире.

У двери в квартиру прислушался. Услышал, как что-то звякнуло. Осторожно вставил в замок ключ. Медленно, с едва слышным щелчком повернул. Медленно же открыл дверь.

Из гостиной в неосвещенную прихожую пробивалась полоса света. Я беззвучно прикрыл дверь за собой. Тихонько шагнул к двери в комнату. Выглянул из-за косяка.

В гостиной на диване одиноко сидел Безвредный. На журнальном столике перед ним лежала газета и на ней частично обглоданная рыба. На газете же стояли две пивные бутылки.

Безвредный, держа в руке мою талисманную чайную чашку, спокойно, с легким любопытством смотрел на меня, высунувшегося одним глазом.

Задолго до того

Тоне он не написал ни разу. И письма от нее, приходящие первые три года регулярно, а потом изредка, не читал.

Но когда увидел ее, ждущую за воротами зоны, казалось, не удивился. Просто увидел, просто подошел, просто обнял.

— Почему не отвечал? — просто спросила она.

Он и на это не ответил. Обнимая ее за плечо, пошел от ворот.

— Все изменилась, — сказала она, может быть, не самое сейчас главное. — Уже не важно, что человек был там... — Она осеклась. Вдруг догадалась, что он — под дозой.

До Д. было три часа езды на такси. Но он не спешил домой, как это принято у освободившихся.

Сказал:

— Завтра. — И еще: — Тут есть гостиница?

На завтра она проснулась от того, что почувствовала: он выбирается из постели, стараясь ее не разбудить.

Он ушел на кухню. (Они сняли комнату на ночь.)

Она слышала, как он чиркнул спичкой. И затих.

Алик курил, стоя у окна. Глядя на таящий в солнечных лучах туман. Глядя на свободу.

Сколько горя он принес всем, кто был ему дорог. Фиминым родителям, Тоне, матери, даже «классной»... Даже дяде Саше, который в дальней командировке и оттуда, издалека наверняка все знает о его, Алика, жизни. Как он посмотрит дяде Саше в глаза, когда они, наконец, встретятся...

Когда Тоня заглянула на кухню, она увидела: Алик сделал последнюю глубокую затяжку и, чуть вывернув левую руку, вжал в нее тлеющий окурок. В ямку над локтем. В то место, где были следы от уколов.

Потом еще раз вжал и еще...

Глава 43

— Гм, — сказал я, выходя из укрытия.

Безвредный как ни в чем не бывало отхлебнул из чашки. Поставил ее на стол. Отодрал щепку от рыбины, сунул в рот. Принялся вдумчиво пережевывать. Все так же флегматично глядя на меня. Он явно чувствовал себя хозяином положения.

Осмыслить, объяснить себе его нахождение в моей квартире я даже не пытался. Не было бы от этих попыток проку. Но то, что он цинично дует здесь пиво и ничуть не обеспокоен моим появлением, — это не лезло ни в какие ворота.

Ясно было: во-первых, у него — ключ, и, во-вторых, он уверен, что имеет право так себя вести. Уверен, что контролирует ситуацию. И то, и другое объяснялось только одним: Ольга — у него.

Несмотря на усталость, на вымотавшее меня отчаяние и накопившуюся за последние дни ненависть, я почувствовал себя спокойнее. Неопределенность закончилась. Враг вот он, передо мной. Опасный, жестокий, циничный. Нахальный до неприличия, но явный. Значит, будут условия. Значит, будет возможность их принять.

Я шагнул в комнату и тут же увидел... На подлокотнике кресла, расположенного рядом с диваном, на расстоянии вытянутой руки от Безвредного, лежала Ольгина блузка. Та, в которой она уезжала на дачу.

Кровь ударила мне в лицо. Для пущей моей сговорчивости этот ублюдок прихватил с собой вещественное доказательство.

О том, что «этот ублюдок» и благородный преступник из Андрюхиного рассказа — одно и то же лицо, я не помнил. Так же, как и не думал о том, что у него за спиной серьезный тюремный опыт и опыт убийств. В это мгновение я родил план: выйти на расчетное расстояние, подловить момент и вырубить этого фамильярного жлоба. Потом, когда он придет в себя, можно будет и поговорить.

Оставалась самая малость: план реализовать.

Я бросил на него короткий, но направленный взгляд. Точно: рубашка у Безвредного под мышкой слева оттопыривалась. Пистолет был при нем. Еще и поэтому он вел себя так беззаботно.

Я прошагал к окну. Задернул штору. Обернувшись, уставился на Безвредного.

Тот молчал. Жевал рыбу.

Я озадачился. Оно конечно: тихоня — он тихоня и есть. Но если вызвался быть парламентарием, наклонностями придется пожертвовать. Связки размять.

Безвредный то ли проверял на прочность мои нервы, то ли опасался повредить собственному пищеварению разговорами. Жевательными движениями разминал исключительно челюсти. Не спеша. Куда ему было торопиться. Ситуация и впрямь была под его контролем. Так ему казалось...

Я вернулся к столу. Глянул по очереди на бутылки. Они оказались пусты. Укоризненно посмотрел на жующего. Пока что расстояние до него было великовато. Мог успеть увернуться.

Сместившись к креслу, я поправил Ольгину блузку. Скосил глаза. И увидел, что Безвредный потянулся правой рукой к себе под мышку. Под левую. Мешкать было нельзя. Если бы он достал пистолет, шанс в дальнейшем мог не подвернуться.

Мгновенно выпрямившись на левой ноге и развернувшись на ней же, я изо всех сил ударил бандита правым коленом в голову. В левую скулу. Удар, когда-то выбранный мной в фирменные за точность и стопроцентную эффективность, не подвел. Безвредный, не успев достать пистолет, без единого стона завалился на диван. Из пробитой насквозь левой его щеки хлынула кровь. Из левой ноздри тоже скользнул ручеек.

«Диван заляпает», — глупо подумал я. Быстро подался на кухню. За веревкой. Не без усилий перевернув нокаутированного, связал за спиной руки. Перетащил его в кресло. Подумал. Связал и ноги. Смочив полотенце, обтер разбитое лицо.

Компресс сделал свое дело, Безвредный подал признаки сознания. Веки его дрогнули. Кадык шевельнулся, сглотнул. Бандит то ли застонал, то ли замычал.

«То-то», — подумал я, почему-то испытывая к нему жалость. Когда матерый мужественный человек избит, даже и заслуженно, беспомощный его вид не может не вызвать ощущения противоестественности. Как и вид любого другого избитого до беспомощности человека. Но к мужественным — иной оттенок жалости. Более контрастный, что ли.

Я вновь приложил полотенце к сочащейся ране. Увидел, что Безвредный открыл глаза.

И вдруг услышал, как щелкнул замок входной двери. В прихожей раздались беспечные женские голоса.

Я растерянно оглянулся. Один голос был Ольгин. Другой... Я даже не успел его узнать. Ольга и Асханова появились в проеме комнатной двери одновременно...

Глава 44

Обе женщины держали по увесистому кульку.

— Приве-ет, — улыбнулась Ольга как ни в чем не бывало.

Асханова молчала. В давно забытой мной манере насмешливо смотрела на меня.

Безвредного они не могли не видеть, но он почему-то их не заинтересовал.

Я почувствовал себя не тихопомешанным... Безнадежно сошедшим с ума. Подозрительно ответил:

— Привет.

Кулек, опущенный Ольгой на пол, бутылочно звякнул. Жена шагнула ко мне. Обняла. Только теперь, поверх моего плеча увидела веревку на ногах Безвредного. И кровь на его физиономии.

Увидев, отстранилась. Испуганно спросила:

— Что это?

— В каком смысле? — не понял я.

И тут Асханова, бросив свой кулек, с неожиданной для нее суетливостью подалась к пленнику. Оказавшись рядом с ним, продолжила суету. Осмотрела, потрогала щеку. Но не деловито, как медсестра. Не сочувственно, как человек, обнаруживший способность к состраданию. Она прикоснулась к физиономии бандита, как... близкая женщина. Нежно, с испуганным трепетом в пальцах.

Это ее прикосновение доконало мое понимание происходящего.

Безвредный уже вполне оклемался. Принимал суету вокруг себя как положенную. Без удивления, без благодарности во взоре.

Асханова взялась развязывать веревку на ногах.

— Нож, — коротко, как хирург на операции, потребовала она.

Ольга послушно бросилась на кухню. Принесла нож.

Москвичка по-македонски расправилась с путами на ногах. Только теперь обнаружив, что связаны и руки, занялась ими.

Предстоящее освобождение бандита меня почему-то не беспокоило. Дисциплинированному душевнобольному беспокойство противопоказано. Его дело доверять врачам. И брать пример с окружающих.

— Вы подрались? — растерянно спросила Ольга.

Я не ответил. Глянул на Безвредного. Тот едва заметно улыбнулся.

И вдруг... Вынув из-за спины освобожденные руки, Безвредный потянулся правой к заветной подмышке.

Я сглотнул.

Асханова опередила бандита. Спохватившись, расстегнула его рубашку...

Сказать, что перебинтованная грудь Безвредного всего лишь смутила меня, значило бы меня пощадить.

Я ошалело смотрел на перевязку. На выпирающий под мышкой слева марлевый ком с просочившейся кровью. И быстро наполнялся стыдом.

— Как? — с тревогой близкой женщины спросила у Безвредного Асханова.

Тот усмехнулся. Едва-едва. Успокаивающе.

Москвичка, сидя на корточках перед креслом, оглянулась. Не осуждающе — с ненавистью посмотрела на меня.

Я, не удержавшись, виновато пожал плечами.

И вдруг Безвредный выдал:

— Ну, все, все... Чего переполошились? Он все правильно сделал... Пиво принесли?

— Принесли, — сказала Ольга.

Подняла с пола кулек, кажется, свой. Подойдя к столу, принялась выставлять бутылки.

Безвредный вернулся на облюбованное им место, на диван. Деловито отщелкал крышки со всех пяти бутылок. Спросил у меня:

— Будешь?

— Буду, — сказал я.

— Хозяину — посуду, — обратился воспитанный гость к женщинам.

Ольга принесла стакан.

— Это *моя* чашка, — сказал я.

Безвредный не спорил. Пододвинул мне чашку, себе стакан. Набулькал в них пива. Сказал тост:

— Давай.

И выпил весь стакан.

Я тоже выпил. Потом бестолково вкруговую оглядел всех. На Асхановой задержался. Не очень уместно подумал: «А ты почему не пьешь? Бросила?»

Объяснений не ждал. Кто бы из присутствующих мне их дал? Безвредный? Асханова? От них дождешься. С Ольгой поговорим после.

Безвредный опять налил. Мы синхронно потянули посудины ко ртам...

Под руку звякнул дверной звонок. Ольга пошла открывать..

Я почти не сомневался, кто пожаловал. И не ошибся. Пожаловал Андрюха.

Глава 45

Оперативник вошел в комнату. Маловыразительным бандитским взглядом осмотрел мизансцену. Поздоровался:

— Всем добрый вечер.

— Познакомься, — сказал я. — Это знаменитая Асханова.

Андрюха задержал на знаменитости взгляд. Ненадолго. Перевел его на Безвредного. Чуть сощурился. Я думал, спросит:

— Кто такой?

Приготовился ответить:

— Леша. Мой гость. Институтский товарищ.

Андрюха не спросил.

Отвесил отдельный приветственный кивок Ольге. Вновь уставился на Асханову. Спросил то ли у нее, то ли у меня:

— Супруг знает?

Мы не ответили.

Он взял телефонную трубку. Набрал номер. Произнес в нее:

— Светов? Майор Кулик. Ваша супруга у... — Он назвал мою фамилию. Чуток послушал, ответил: — Все в порядке. Да. Ждет вас. Адрес помните? — Положил трубку.

Еще раз посмотрел на москвичку. Соображал, можно ли оставлять ее без присмотра. Направился в прихожую.

Я вышел за ним.

Перед тем как уйти, приятель предупредил:

— Смотри, чтобы за эти пятнадцать минут не потерялась.

Я взглядом пообещал смотреть.

Он сказал еще:

— Надо было позвонить. И так дел по горло.

— Извини, — сказал я. — Не успел. — Пожал его протянутую руку.

Вернулся в комнату.

Безвредный уже был на ногах.

Асханова, сидя рядом на диване, задумчиво, строго смотрела сквозь стол.

Безвредный ничуть не переживал из-за предстоящей разлуки с той, для которой расставание, похоже, было событием. Во всяком случае, по лицу его переживание не читалось.

Он вышел из комнаты. Ольга последовала за ним. Асханова с места не тронулась и взгляд не изменила.

— До свидания, — воспитанно попрощался со мной и Ольгой этот странный человек.

— Спасибо, — отозвалась вдруг грустная Ольга.

Безвредный улыбнулся углами губ. Протиснулся между нами к двери в комнату. С порога произнес чуть громче:

— До свидания.

Через его плечо я увидел, что и на этот раз Асханова не шевельнулась. Косила под изваяние.

Безвредный малость подождал ответа. Не дождавшись и не расстроившись из-за этого, вернулся к входной двери. Протянул мне руку. Повторил давешний тост, но уже с другой интонацией:

— Давай.

Я пожал ему руку. И неожиданно для себя сказал:

— Ты извини... — Мотнул головой то ли на его левую щеку, то ли на выпирающую подмышку.

— Все нормально, — заверил он. — Я сам лох...

Эти его слова меня не успокоили. Не могли успокоить. Потому что я был занят. Во все глаза изучал его левую руку. Чуть пониже короткого рукава рубашки. То место на уровне локтя, из которого берут кровь из вены. Только сейчас, словно спохватившись, я додумался посмотреть на эти места. Сначала на левой руке, потом на правой.

Света в прихожей было достаточно. Я явственно видел выпирающие, переплетенные русла вен. Кожа над ними выглядела гладкой, эластичной, чуть более светлого загара. Ничего похожего на шрамы от ожогов на ней не было.

Глава 46

Мы с Ольгой вернулись в комнату.

Асханова пребывала все в том же положении. Из ступора выходить не собиралась.

Ольга, сочувственно поглядывая на нее, присела в кресло. Я сел рядом с москвичкой на место Безвредного.

Асханова, не отрывая взгляда от крышки стола, спросила:

— Выпить есть?

— Коньяк, — сказал я.

— Давай.

Ольга, воодушевленная, как сиделка, у которой безнадежный больной попросил еды, поспешила на кухню. Принесла коньяк и стопки.

Дарья набухала коньяку в стакан из-под пива и сразу выпила. Вновь налила. Чего-то ждала.

Я тоже ждал. Когда она хоть маленько окосеет. Решил, что пора. Задал вопрос:

— Как все было?

Ольга деликатно вышла из комнаты.

Асханова не ответила. Может, следовало еще подождать?..

— Как получилось, что ты с ним?.. — спросил я.

Коньяк, кажись, сработал. Она ответила:

— Ты не поймешь.

Действительно, понять было сложно. При том,

что я знал о Безвредном больше, чем она себе представляла.

— Он тебя держал при себе... А потом ты привыкла. Так?

— Не так. — Она выпила вторую порцию. Опять налила.

— А как? — не унимался я.

Она усмехнулась. Вполне пьяно.

— Ты что, сама?

— Да, — просто сказала она.

— Вот так, взяла и?.. — не поверил я.

— Да.

— Когда?

— В сауне.

— Как это в сауне? — растерялся я. — Когда?

— Тогда.

— Сразу?!.

Она пьяно кивнула.

— Не держи меня за идиота, — обиделся я. — Я же помню...

— Что ты помнишь? — она вновь усмехнулась. — И что ты знаешь?..

Я притих. Вдруг понял, что только так все и получало объяснение. Ее выписка из гостиницы в сопровождении Безвредного. Длительное заточение без попытки вырваться. Все то, чего я вдоволь насмотрелся сегодня. На просчет этого варианта меня в жизни бы не хватило.

Единственным необъяснимым оставался вопрос: что могло свести, привлечь друг в друге этих совершенно разных людей? Какое там разных... Не имеющих ни единой точки соприкосновения. *Ни единой.*

— А он? — спросил я.

— Что он?

— Он тоже сразу? В сауне?

— Конечно. — Сомнения в ее неотразимости показались Асхановой странными.

— Флюиды, что ли? — глупо спросил я.

Она посмотрела на меня с пьяным сочувствием.

— И как, все в порядке? — не удержался, задал я не только глупый, но и бестактный вопрос.

Асханова строго уставилась на меня. Сквозь пьяную поволоку пыталась разглядеть: я просто так спросил или что-то знаю? Вдруг повторила:

— Ты этого не поймешь.

— Почему?

— Потому что я сама бы не поняла. Неделю назад...

Я молчал. И впрямь не понимал. А главное, не понимал, зачем Безвредному надо было вырубать меня.

— Знаешь, почему не поймешь? — явно придумав какую-то гадость, спохватилась Асханова.

Я посмотрел на нее вопросительно.

В прихожей раздался звонок. Прибыл муженек.

— Почему не пойму?

Она не ответила.

Светов, обнаружив жену накирявшейся, не удивился. И не особо расстроился. Куда ему еще было расстраиваться. Приехал заранее сердитым. Ощущающим себя в этом мире исключительно среди недругов. Нас с Ольгой словно и не заметил. Хмуро с порога комнаты бросил жене:

— Поехали.

Асханова послушно встала. Качнулась. Самостоятельно нашла равновесие. Выбралась из-за столика. Ни вымолвив ни слова, пошла к выходу.

Я решил проводить.

— Счастливенько, — сказал им на прощание.

Светов не ответил. Дарья пьяно кивнула. Вдруг посмотрела на меня, улыбнулась. Хитро, многозначительно скосила глаза вниз. Вроде как указывала на что-то.

Муж нетерпеливо подтолкнул ее: иди уже.

Закрыв за ними дверь, я посмотрел себе под ноги. Ничего не обнаружил. Что эта пьяница хотела сказать взглядом? На что указала? Я на всякий случай осмотрелся. Под ногами ничего не было. Ничего, кроме комнатных тапочек.

Глава 47

— Будем ужинать? — спросила Ольга.

— Давай, — сказал я.

Подобрав кульки, она ушла готовить ужин. Я взял телефон.

Трубку поднял издатель.

— Привет, — хмуро сказал я.

— Привет, — отозвался он.

Я впал было в паузу, но взял себя в руки. Чего тянуть?

— Есть проблемы, — сказал я.

Он не отреагировал.

— Одессы бандитской — не будет, — сообщил я.

Саша не спросил: что случилось? Почему не будет? Такое впечатление, что даже не удивился. Чуть помолчал. Заметил с едва уловимым сожалением:

— Я на тебя рассчитывал.

— Обстоятельства изменились, — сказал я. — Писать не буду. Это точно.

Саша опять помолчал. Такое впечатление, что думал, есть ли смысл продолжать разговор.

— Пока, — помог я ему и прервал связь.

Посидел в задумчивости. Потер трубкой висок. Конечно, издателя я подвел. Но, во-первых, не от хорошей жизни, а во-вторых, предупреждал сразу: толку от затеи не будет. Одни неприятности.

Но и понимал: все это отговорки. За работу я взялся и до ума не довел. И не доведу. Но и поделать с этим ничего было нельзя.

Я пошел на кухню. К Ольге. Не терпелось услышать ее рассказ. И она рассказала.

До дачи приятель Андрея доехал меньше чем за час. Выгрузил Ольгу с сумкой у шлагбаума. Подождал, пока она дошла до калитки, открыла, махнула рукой: все в порядке. Тут же уехал.

Ольга только начала распаковывать сумку. Бросила на кровать постель, повесила на спинку у изголовья купальник. Дверь пока оставила открытой. Занавеска ограждала освещенную комнату от комаров.

И вдруг услышала, как из-за занавески ее позвали. Мужской голос:

— Хозяйка...

Она испугалась. Очень испугалась. Потому что помнила: три минуты назад калитку закрыла на засов.

Выглянула. Сразу за дверью увидела молодого мужчину. Парня. Худощавого, стриженого, с нахальными, бессовестными глазами.

Спросила:

— Как вы вошли?

Он нагло ответил:

— Было открыто.

И попросил о помощи. Мол, надо вызвать девушку, отдыхающую на одной из дач поблизости. Пояснил, что самому ему попадаться на глаза ее родителям нельзя.

Ольга ответила, что с минуты на минуту ждет мужа. Отлучиться не имеет возможности. Отвечая, обнаружила в темноте двора еще одного незваного гостя.

Испугалась еще больше.

Вежливо попрощавшись с просителем, попыталась закрыть дверь. И тогда...

Начиная с этого места, я слушал Ольгу, цепко держась пальцами за край подоконника, на котором сидел. Слушал под скрежет собственных зубов.

...И тогда молодой-бессовестный дверь закрыть не дал. Подставил ногу. И, стремительно схватив Ольгу за руку, выдернул ее во двор.

Ольга завизжала и тут же почувствовала, как рот ее припечатала шершавая мерзкая ладонь. Долго с ней не боролись. Она не особо и сопротивлялась, парализованная ужасом. Руки все же за спину завернули. Сменили ладонь на пластырь и вывели с дачи.

Когда Ольга поняла, что ее собираются посадить в машину, она рванулась от насильников. Очередная доза ужаса вывела ее из паралича. Вырваться ей не удалось. На мгновение освободила одну руку, но тут же ее завернули назад, за спину. И стали запихивать в открытую заднюю дверцу машины.

Вот тут-то и появился Леша. Но тогда Ольга, конечно, не знала, что он — Леша. Отчаянно упираясь ногами, не давая затянуть себя в машину, но уже частично оказавшись внутри нее, Ольга сквозь стекла увидела приближающегося мужчину. Освещенный фарами, он уверенно, чуть быстрее обычного направлялся к автомобилю. Ольга решила, что он с этими заодно. Такой же стриженый и худой. Только чуть постарше. Такой детали, как пистолет, она в тот момент не заметила. Может, из-за мелкости, а может, из-за того, что деталь была до поры до времени припрятана.

Занятые возней с Ольгой, негодяи не сразу заметили незнакомца. Хотя он и не скрывался от фар (там и скрываться-то негде, проход узкий). Когда заметили, было поздно. Он сразу ударил пистолетом по голове того, который толкал Ольгу снаружи. Толкающий повалился в пыль.

Мужчина одним рывком вырвал Ольгу у второго негодяя. Того, который тянул изнутри. Выдернув, полез было за ним в машину, но тот из глубины салона ударил ножом.

Спаситель отстранился, попятился из машины, держась за бок слева. Ольге показалось, что он держится за сердце. Потом выяснилось, что нож скользнул по ребрам. От раны до сердца и впрямь было недалеко. Бандит то ли промахнулся, то ли сам не знал, куда бьет.

Но тогда об этом никто не думал. Раненый выбрался из салона, держась за сердце, а тот, с ножом, должно быть, решил, что дело сделано. Тоже попробовал вылезти. Вот тут-то Безвредный врезал и ему по голове. Опять же пистолетом.

Ольга, уже отодрав от губ пластырь, бросив его на землю, за время потасовки несколько раз визжала и громко звала на помощь. На крик прибежала только одна хрупкая девушка. Так подумала Ольга, увидев Асханову. Последняя сразу же бросилась к раненому, но тот был еще занят. Как раз бил по голове второго.

Никто из дачников так и не вышел. Хотя было всего часов десять вечера.

Таким образом Ольга познакомилась с Асхановой и Безвредным.

Наскоро у машины перемотав рану рубашкой, они втроем направились к лиману. К куреню, который снимала парочка. У них Ольга и заночевала, боясь вернуться на дачу за вещами.

Асханова рассказала ей, как получилось, что они оказались поблизости в момент похищения. Случайно. Возвращались с моря после вечернего купания. Издалека увидели автомобиль и брыкающуюся в дверях женщину.

— Сволочи, — сказала Асханова. — Надо помочь.

Леша пошел помогать.

То, что перед ней — Асханова, женщина, из-за которой у меня куча проблем, Ольга поняла не сразу. Утром. С чего ей было понять? Мало ли на Бугазе акающих Даш. А когда поняла, рассказала и о моих волнениях, и о волнениях приехавшего мужа — Светова. Уговаривала парочку ехать в город. Парочка раздумывала. Но тот факт, что Дарьин муж в Одессе изводит себя поисками, решил дело в пользу отъезда. Какой отдых при такой новости?

Перед отъездом, сопровождаемая Безвредным, Ольга зашла на дачу, забрала вещи.

В Одессе затащила спасителей к нам.

В тот момент, когда я вернулся в квартиру, привлеченный силуэтом Безвредного, женщины отлучались в магазин. За продуктами на ужин и пивом для мужчин.

Ощущение, какое вызвали у Ольги ее новоиспеченные друзья, она выразила так:

— Они славные. Я сначала думала: муж и жена, молодожены. Дашка совсем не такая, как ты рассказывал. Умница и преданная. И ничего не боится.

— Какая была машина? — спросил я.

— Та, в которую?..

— Да.

— Какая-то японская.

— Цвет?

— Белая. — Ольга смотрела на меня вопросительно и настороженно.

Я с мрачным лицом слушал ее рассказ. Думал: Ольга не знала, что Безвредный меня отключил. Но он знал, к кому идет. Знал, но шел. Отношение, что ли, изменил. С чего вдруг? Под воздействием Асхановой? Больше не с чего. Что же она ему обо мне порассказала? Еще я думал о том, что Ольга так и не поняла, почему ее пытались похитить. Вообразила, что нарвалась на случайных насильников. Потому и вернулась домой без опаски. Решил ее в этом не разубеждать.

Уже закончив повествование, Ольга то ли с удивлением, то ли с восхищением вернулась к моменту потасовки у машины:

— Знаешь, как он тюкнул этих по башке?!.

— Знаю, — сказал я кисло. — Твой цыпленок в духовке не сгорит? — И не вполне к месту подумал о Светове: «Тоже мне... *Он, видишь ли, чувствует*. Пижон...»

Глава 48

Прошел месяц.

Первое время я часто, по несколько раз в день, возвращался мыслями к истории с Асхановой

Сначала вспоминал ее раздраженно. При всей невероятности того, что Безвредный сразу произвел на москвичку впечатление, если можно так выразиться — очаровал, я готов был смириться с этим. Допустить. Но все остальное?.. Бог с вами, ребята. Ну, потянулись вы друг к другу таким небанальным образом, в такой небанальной ситуации. На здоровье. Крутите роман, кто вам мешает. Зачем же затевать сложности? Разыгрывать похищение, выписываться из гостиницы, шляться по куреням. Выматывать нервы людям. Зачем было подставлять меня? Вряд ли Асханова затеяла это умышленно, с целью выматыванья нервов. Скорее всего на меня ей было просто наплевать. Это-то и вызывало гнев.

Потом, поостыв, я, кажется, понял.

Для Асхановой весь смысл, шарм романа и состоял в том, как он, роман, начался и протекал. Что ей мой выигрыш? Конечно, тот факт, что ее разыгрывали в карты, для собирательницы тоже сгодится. Пойдет в коллекцию. Но если представилась возможность сделать и другие экзотические приобретения, то зачем же эту возможность терять? Настоящий коллекционер, вроде Асхановой, подобной роскоши себе не позволит. По-видимому, и такого типажа, как Безвредный, в ее гербарии до этого не было.

Мне опять подумалось: бывшие — не чета нынешним. С душой были люди. Экзотика экзотикой, но что, кроме души, могла поиметь от Безвредного Асханова? То-то же...

Но если выходку москвички я худо-бедно оправдал, то фортель Безвредного... На вопросы: с чего он в сауне на меня вызверился, зачем дал по голове и с какой кстати потом подобрел? — подходящего ответа я так и не подобрал.

Через неделю после моего решительного отказа Саше, не дождавшись от него звонка, я позвонил сам. И растерялся от новости, которую мне сообщили с того конца провода. Набранный номер телефона издательству уже не принадлежит.

Домашний телефон Саши тоже не отвечал.

С некоторыми хлопотами мне удалось узнать номер телефона одного из работников издательства. Корректора, чистившего когда-то мои рукописи. Он удивился:

— Разве вас не уведомили? — корректор изъяснялся излишне правильно. Ни себе, ни другим не давал возможности отвести душу в словесной импровизации. На этой почве у нас с ним по работе не было особого взаимопонимания.

— Еще нет, — ответил я. — Рассчитываю получить уведомление от вас.

— Издательство прекратило существование.

Он не шутил. Жанр юмора не был его специализацией.

— Давно? — мертво спросил я.

— Три дня назад.

— Почему?

— Проверка обнаружила множественные наруше...

— Ты можешь не вые...ываться? — спросил я.

Собеседник затих. И вдруг сказал:

— На нас «наехали».

— Кто?

— Не знаю.

— Как не знаешь? Если была проверка, значит — менты. За что?

— Формально всегда найдется за что.

— А на самом деле?

Корректор подумал. Уточнил:

— Саша тебе точно не звонил?

— Нет.

— У него были проблемы. «Наехали» на жену.

Я почувствовал себя нехорошо. Спросил:

— Чего хотели?

— Там было что-то насчет «бандитских» дел. Насчет книги.

— Запретили выпуск?

— Наоборот. Требовали, чтобы вышла как можно скорее. До выборов. Что-то, связанное с политикой. Саша отказался.

У меня кровь прихлынула к голове.

— Что с ним? — спросил я.

— Никто не знает. Его нет в городе.

Я молчал.

— Жаль, больше не поработаем, — заметил корректор.

Я опустил трубку.

О том, что придется искать другое издательство, я не думал. Думал о Саше. О том, что я его подставил. И еще о том, что уже не научу его не быть лохом, считать варианты, не ставить бабки превыше всего. Только один убедительный урок и сумел я ему дать. Тот, который он на отлично усвоил до меня. В котором я думал заставить его усомниться. Урок недоверия к людям.

Саша позвонил мне через месяц. По внутригородскому телефону. Спросил:

— Зайти можно?

— Конечно, — обрадовался я. — Ты где?

— У тебя под домом. Папка при тебе?

— Да, — сказал я. — Заходи.

Он поднялся через минуту.

Когда я открыл дверь, увидел... Вряд ли узнал бы его, если бы встретил в уличном потоке.

Он уже не был «новым русским». И щеголем не был. Хотя в облике его вкус присутствовал. Саша был в джинсах и рубашке в черную клетку. От былой бледности на его лице не осталось и следа. Скрывал ее не только загар. То ли запущенная небритость, то ли короткая борода обрамляла снизу Сашину физиономию, маскируя заодно и суженность черепа.

— Проходи, — сказал я.

— Я — ненадолго. — Он переступил порог. — Внизу ждет машина.

— Но кофе-то выпьешь? — удивился я.

— Нет времени.

Я его понимал. О чем ему было со мной говорить?

Принес папку. Саша, так и не продвинувшись дальше прихожей, принял ее у меня.

— Хоть как дела? — спросил я.

— Нормально.

— Я не знал, что у тебя так серьезно... — жалко сообщил я. — Надо было предупредить.

Саша молчал. Думал о своем.

— Если бы я знал, что... — Я чуть не сказал: «Что у тебя проблемы с женой». Выразился деликатней: — ...что издательство под угрозой, я бы книгу сделал.

— Дело не в тебе, — вдруг отозвался Саша. И добавил: — Я сам не хотел ее выпускать...

— Как это? — Я смотрел на него во все глаза.

Он вдруг разоткровенничался. Но словно не мне сказал, а лишний раз попытался доказать себе:

— *Такие* выродки имели к ней интерес... Эти, в Киеве, те, что сейчас, рядом с ними — дети. — Он усмехнулся и выдал: — Хер им.

Совесть — моралистка двуличная. Дай ей возможность освободиться от ноши ответственности, даже и за счет других, — своего не упустит. На душе у меня заметно полегчало.

— Остановишься у меня? — предложил я.

Саша протянул мне ладонь:

— Мы проездом.

Я протянул свою. И вдруг...

Сам бы не ответил, зачем посмотрел на Сашину левую руку. Жал-то правую. Но я посмотрел. И увидел. В том самом месте, из которого берут кровь из вены, увидел множество затянувшихся шрамов. Маленьких сморщенных кружочков с неровными краями. Смотрел на них и чувствовал себя... Слова, которые передали бы мое состояние, нет смысла искать. Потому что их нет.

Отодрав, наконец, взгляд от руки, я перевел его на Сашино лицо. Загоревшее, покрытое бородой, оно смотрело на меня спокойно и угрюмо.

«Узкое, как у змеи», — подумал я.

И вдруг обеспокоился: эти кружочки на венах могли быть лишь совпадением. Я обязан был знать точно. Вспомнил эпизод из Андрюхиного рассказа. Если Саша — тот самый персонаж, у него должен быть еще один шрам. Выше локтя, под одним из рукавов, должен быть шрам от пули. Оставленный алчным подельником. Но попросить Сашу: «Задери рукава» — я не мог.

Зато мог другое...

— В машине жена ждет? — спросил я.

Саша не ответил. Глянул подозрительно: к чему я?

— Корректор сказал, что она тоже работала в издательстве. Ты мне об этом ничего не говорил.

— Зачем? — удивился Саша.

— Издательство — была ее идея?

Саша внимательно посмотрел на меня. Я был уверен, что не ответит. Он и не ответил.

— Филолог, небось? — как только мог беспечно, догадался я.

Саша сузил глаза. Пытался просмотреть меня насквозь.

Я не выдержал, засуетился под его взглядом:

— Все они при идеях. Моя — тоже... — Я поймал себя на том, что собираюсь нести чушь. Осекся. Кашлянул. Сказал: — Пока...

Вместо эпилога

— Странный номер, — заметила как-то Ольга, просматривая счета за телефонные разговоры.

Я глянул: что ее так удивило? Отмахнулся:

— Номер как номер. Мобильник.

— Двенадцатое число, — размышляла она вслух. И сообщила, по-видимому, для того, чтобы похвастаться памятью: — Это когда я ездила на дачу.

Она продолжила листать счета.

— Ну-ка... — отнял я их. Нашел удививший ее номер. Посмотрел внимательнее. Номер, действительно, мобильный. Наш одесский. Продолжительность разговора — минута. Время разговора 19.42.

Вспоминать было нечего. По этому телефону звонил снабженец. Звонил сообщникам, чтобы дать отбой. Я даже помнил, что он тогда сказал им. Одно слово: «Порядок».

Номер показался знакомым.

Вывалив на столик старые блокноты, я принялся изучать их. И нашел. Найдя, посидел немного с отрешенным взглядом. Мобильник принадлежал Пурису. Бывшему дружку, вот уже несколько лет как перебравшемуся в Москву.

Я криво усмехнулся. Вот для кого собирал материалы Хомяк. Вот кто хотел прикрыться моим именем. Но сейчас, проанализировав все, я был уверен: когда снабженец выяснял со мной отношения, Пуриса в Одессе не было. Мобильник он всего лишь передал снабженцу для удобства связи. Тот уже здесь завербовал помощников. Лишний раз подставляться не в правилах бывшего дружка. В его правилах подставлять других.

Поразмышлял еще чуток. Одна догадка повлекла за собой другую.

Набрал московский номер Пуриса.

Тот взял трубку сам. Услышав мой голос, обрадовался в принятой когда-то между нами хамовитой манере:

— А, это ты?.. Привет, босяк.

Я вдруг вспомнил Ницше: «Грубость — юмор дураков». Решил долго не размазывать. Сообщил неприятную новость:

— Помнишь историю с беседкой?

— Ну? — откликнулся Пурис.

— Когда сгорели щенки?

— Помню.

— Объявилась бабуля. Твоя бывшая соседка. Говорит, что видела тебя в тот вечер. У беседки.

Я затаил дыхание. Пурис тоже молчал. Каждое мгновение паузы было подтверждением догадки.

— Она ошиблась, — отозвался наконец он. — Слепая, небось.

— Да нет, без очков даже.

— Мало ли, кто что говорит, — озабоченно заметил бывший кореш.

— Я к тому, что менты приняли к сведению. Надумаешь приехать — имей в виду.

Пурис молчал.

Я, не прощаясь, положил трубку.

Следующий час я прожил с дискомфортом на душе. Сначала не обеспокоился. Подумал: еще бы не быть дискомфорту, когда друг оказался подонком. Потом заподозрил: точит что-то другое. Кажется, сообразил — что.

— Я — на полчаса, — пообещал Ольге и вышел из дому.

Но домой я вернулся только к ночи.

Рыло, зараза, задерживался. Пришлось битый час гонять с Лидасиком чаи, выслушивая ее нравоучения. Впрочем, слушал я вполуха, как, наверное, когда-то ее ученики на уроках. С удивлением разглядывал и хозяйку, и обстановку Ленькиного логова.

Лидасик ничуть не изменилась с того времени, когда я ее видел у Рыжего на смотринах. Была такой же хрупкой, шустрой, дотошной. Мне показалось, что она даже выглядит свежее. Помолодеть она, конечно, не могла, но осаду времени держала стойко. Сдаться не имела права. Капитуляция была чревата потерей любимого. Рыла.

Обстановка жилища изумила.

«Где же стимуляторы мужского вдохновения? — думал я, озираясь. — Где наглядная агитация?»

Стены комнаты, комоды, полки и даже телевизор были уставлены всякой мещанской дребеденью, неожиданной в квартире бывшего педагога. Фарфоровыми статуэтками, вазочками, вышивками. Промеж этих выставленных на всеобщее обозрение фетишей на глаза регулярно попадались фотографии хозяйки. Преимущественно портретные.

Лидасик, вероятно, воображая себя моделью, с удовольствием позировала на них. Кое-где на пару с озадаченным или несколько смущенным Рылом.

На чаепитие я не напрашивался. Хозяйка сама вынудила меня зайти и дождаться прихода Леонида. Наше знакомство у Рыжего в ее памяти не зафиксировалось. Но, оказывается, ей давно хотелось со мной пообщаться. С тех пор как муж принес в дом мои книги и объявил, что автор — его многолетний друг. После этого она не раз намекала супругу, что хорошо бы пригласить меня к обеду или к ужину.

«Бедный Рыло», — думал я, общаясь с Лидасиком, что оказалось совсем не утомительно. Достаточно было помалкивать и угадывать с кивками.

— Это он, — с пафосом бальзаковской женщины объявила Лидасик, вскинувшись на звонок в дверь.

Рыло в интерьере квартиры меня не то чтобы поразил... Озадачил.

Порог комнаты перешагнул не бандит, известный всему городу, завсегдатай «малин» и кумир алкоголиков, а солидный мужчина средних лет, с внушительной осанкой и манерами. И, что самое удивительное, вернувшаяся с ним Лидасик держала в руках розу. Одну, но явно принесенную мужем.

— Привет, — пробасил Рыло. Он был заметно рад мне. — Как нашел?

— Тебя да не найти? — удивился я.

Ответ Лидасику понравился.

— Опять что-то? — спросил Рыло, когда вышел меня провожать.

— Ничего, — сказал я.

Он озадачился. Поинтересовался:

— Зачем приходил?

— Да так... — Я не знал, как бы ему пояснее сказать. Скажу как есть — не поймет. Решил: ну и черт с ним.

— Я на тебя рычал... — начал я.

— Ну?

— В общем, я — не прав.

— А-а, — сообразил Рыло. — А я не понял. Думаю: чего ты... как с перца сорвался.

— Дело прошлое, — подытожил я. И неожиданно для себя спросил: — Так и не понял, Безвредный — что за мужик?

— Мужик как мужик.

— Ты когда-то говорил: не подарок.

— Кто из нас подарок?

— Крутой?

Рыло вяло удивился вопросу:

— Что ты, не знаешь: крутых — не бывает...

Я, пожалуй, знал. И вдруг, словно спохватившись, задал вопрос, который и вовсе не ожидал от себя:

— Слушай, за что Безвредный меня невзлюбил? Я к нему — по-людски, а он... В сауне вырубил. Ты не говорил с ним?

Рыло усмехнулся:

— Говорили. Это тоже дело прошлое. Он к тебе нормально.

— А раньше?

Бандит подумал, решил, что кое-что мне можно сказать. Поделиться некоторыми соображениями.

— Помнишь, вы виделись у Рыжего?

— Помню, — сказал я.

— Ты тогда раньше ушел. Ты свалил, а хуна эта... как ее... забыл... Так вот, ты только свалил, а хуна «бок» порет. Мол, что за мужик пошел. Один может е...ать, да не хочет, а другой — хочет, но не может. — Рыло осекся. Все же объяснил: — Это она о Безвредном так. У него проблемы... Чуть-чуть. Фингал он, конечно, хуне подвесил. Даже два. Потом у меня спросил: кто, мол, такой? О тебе. Ну я и сказал, что ты по картам и по телкам. И что зажрался, проституток не трахаешь. Безвредному, видно, запало. Сам понимаешь.

Я понимал. Теперь, кажется, понимал. Дурацкая история. Но проявляющая оставшееся белое пятно. Рыло, кретин, наболтал черт-те чего, и мне благодаря его рекомендации дали пистолетом по башке. Еще я понял, почему Безвредный отошел. Утешила его Асханова. Тем, что предпочла его мне... Наверняка перемыла мне кости. Мол, никакой я не бабник. Мужчина в тапочках.

— Кстати, — возмутился вдруг я. — Почему наши считали, что я по телкам?

— Кто-то у нас должен был быть по ним... — резонно ответствовал Рыло.

Домой я возвращался с предвкушением. С намерением взяться за дело. С планом разузнать обо всем, вкратце изложенном мне Андрюхой.

После отъезда Асхановой я был уверен, что писать не стоит. Потом объявился Саша... И я начал зреть. И, кажется, вызрел. Выносил уйму побочных поводов сесть за работу.

Повод первый: когда выйдет книга, которую готовит Пурис, у меня ожидаются проблемы. Но быть совершеннейшим фраером, позволив себя подставить, даже как-то совестно. Описав, как все было на самом деле, я перестану быть «болванчиком» в чужой игре.

Повод второй: хочется оправдаться перед своими. Перед Валетом, Горелым, Митькой... Мне их терять — жаль.

Третий повод: Ольга до сих пор пребывает в неведении. И насчет того, что я ею рискнул, и насчет того, что я сдал Сашу. Конечно, я сдал его ради нее, но ведь сдал же. Близкие вправе знать о том, на что мы не способны. Но и о том, на что способны, знать им не помешает.

Но главный повод: сам Саша. Кого он пытался во мне разглядеть?.. Кого-то, кем я не оказался? Кем не сумел оказаться...

К приходу домой первой фразы все не было.

Я сел за компьютер. Мгновение подумал и настучал:

«Начну с издателя...»

Литературно-художественное издание

Барбакару Анатолий Иванович

ТРОЙКА, СЕМЕРКА, ТУЗ

Ответственный редактор *С. Рубис*
Редактор *В. Ротов*
Художественный редактор *В. Щербаков*
Художник *И. Варавин*
Технический редактор *Н. Носова*
Компьютерная верстка *О. Шувалова*
Корректор *С. Горшкова*

ООО «Издательство «Эксмо».
127299, Москва, ул. Клары Цеткин, д. 18, корп. 5. Тел.: 411-68-86, 956-39-21.
Интернет/Home page — www.eksmo.ru
Электронная почта (E-mail) — **info@ eksmo.ru**

Подписано в печать с оригинал-макета 01.08.2003.
Формат 84x108[1]/[32]. Гарнитура «Таймс». Печать офсетная.
Бумага газетная. Усл. печ. л. 20,2. Уч.-изд. л. 14,5.
Тираж 8000 экз. Заказ № 0308080.

Отпечатано на MBS в полном соответствии
с качеством предоставленного оригинал-макета
в ОАО «Ярославский полиграфкомбинат»
150049, Ярославль, ул. Свободы, 97.